Brieven uit Londen

www.boekerij.nl

CAMILLA MACPHERSON

Brieven uit Londen

ISBN 978-90-225-5921-5
ISBN 978-94-6023-289-3 (e-boek)
NUR 302

Oorspronkelijke titel: *Pictures at an Exhibition*
Oorspronkelijke uitgever: Arrow Books, Random House Group Ltd.
Vertaling: Jeannet Dekker
Omslagontwerp: Johannes Wiebel | PunchDesign, München
Omslagbeeld: Shutterstock © tkemot; Anton Hlushchenko
Zetwerk: Text & Image, Gieten

Voor mijn man, met veel liefs

Proloog

Jonge vrouw tussen de rozen

'Zeg het nou, Claire, ben je het of ben je het niet?'

Rob stond vlak voor de deur van de badkamer. Ze hoorde de vloerplanken kraken toen hij zijn gewicht ongeduldig van de ene voet naar de andere verplaatste.

Ze hield de test in haar hand, stijf tussen haar vingers geklemd.

Positief.

Ik ben zwanger.

Welke vorm zouden die onbekende woorden aan haar lippen geven? Hoe zouden ze klinken, uitgesproken door haar stem? Nu het zover was, bleven ze vanbinnen steken, net als de allereerste keer toen ze 'Ik hou van je' tegen Rob had gezegd, aarzelend, met een stem die trilde omdat het zo veel betekende. Ten slotte deed ze de deur wijd open, gaf hem de test en zei: 'Ja.' Hij nam haar meteen in zijn armen en draaide haar in het rond, en daar moesten ze allebei zo om lachen dat het leek alsof ze nooit meer zouden ophouden.

'We krijgen een baby,' zei hij ten slotte, toen ze, duizelig, op de vloer ineengezakt waren.

Het was alsof hij de woorden in haar binnenste had bevrijd, want nu rolden ze naar buiten en kon ze ze niet meer tegenhouden. 'We krijgen een baby, we krijgen een baby.'

Hij stond op, stak zijn hand uit en trok haar overeind, terug in zijn armen. 'Geen tijd te verliezen,' zei hij. 'Dit moeten we vieren.'

Hij zette haar plechtig neer op de bank in de woonkamer en liet haar daar zitten terwijl hij de champagne ging halen die in de koelkast koud lag te worden. Er stonden rozen op de salontafel, een vaas vol, bloemen die een roze gloed hadden gekregen. Ze stak langzaam haar hand uit en streelde de bloemblaadjes, glimlachend, en bedacht dat die weliswaar zijdezacht aanvoelden, maar lang niet zo zacht waren als de huid van haar baby zou zijn. Toen kwam Rob weer binnen, met een geopende fles in zijn ene hand en twee van de kristallen glazen die ze voor speciale gelegenheden bewaarden in de andere, nu al volgeschonken.

'Dat zou ik niet moeten doen,' zei ze. 'Niet nu.'

'Eén slokje maar,' zei hij. 'Dat kan geen kwaad.'

Hij dronk, en daarna kuste hij haar, voorzichtig, indringend; hij liet de koele drank tussen haar lippen lopen. Vanbinnen voelde ze dezelfde opwinding als bij die allereerste kussen, en ze merkte dat ze net zo reageerde als altijd, door haar armen om zijn hals te slaan en hem naar zich toe te trekken, zodat er geen loze ruimte meer was tussen hen en het allereerste begin van hun kind.

Ten slotte maakte Rob zich van haar los en boog zich voorover, met zijn hoofd en zijn ene hand zachtjes tegen haar buik gevlijd. Ze sloot haar ogen, voelde de warmte van de zon die door het raam naar binnen scheen en rook de zomerse geur van de rozen. Het enige geluid was een zacht gefluister.

'Wat zei je?' vroeg ze.

'Dat de baby zich gelukkig mag prijzen, met jou als moeder. En dat ik zo veel van je hou.'

'Ik hou ook van jou,' zei ze. 'Van jou hou ik het allermeest.'

1

Noli me tangere – Titiaan

Raak me niet aan. *Noli me tangere.* Dat betekende het. Raak me niet aan. Het was een vreemde naam voor een schilderij.

Claire wist dat er uit zulke woorden gif droop. Het was een gif dat ze had leren gebruiken, aanvankelijk langzaam, maar daarna veel te snel, zonder erbij na te denken. Rob was aan de bittere smaak gewend geraakt. Vanochtend nog, toen ze zijn gladde, slaperige hand onder het dekbed naar haar warme borsten voelde kruipen, was haar mond opengegaan om die woorden uit te spreken. Raak me niet aan. Ze schrok nog altijd van de lelijke toon die in haar stem was geslopen, en hetzelfde gold voor Rob, die zich meteen terugtrok alsof hij zich had gebrand aan het nagloeiende hout van wat, zo wist ze, een dovend vuur was. Ze bleven allebei doodstil liggen, samen in hetzelfde bed, delend in de warmte van het lichaam van de ander. Ze zeiden geen van beiden iets. Ze hoefden geen van beiden te bewegen, ze wist zo ook wel dat ze met elke seconde die verstreek verder uit elkaar groeiden en dat die stilte zich als staal tussen hen in dreef.

Ze wendde zich naar het raam en wilde dolgraag alleen zijn. De zware gordijnen sloten de winterse duisternis buiten. Ze lag een hele tijd te luisteren naar het gezang van de eerste vogels, die voor de gek werden gehouden door het kunstmatige licht van de straatlantaarns. Toen ze ten slotte voelde dat Rob het dekbed van zich af gooide en naar de douche liep, dacht ze dat ze opgelucht zou zijn. En toen wilde ze, te laat, dat hij zich om haar heen zou wikkelen en zachtjes in haar nek zou blazen en haar fluisterend zou vertellen over het geluk dat ze ooit hadden gekend. Dit zal weldra voorbij zijn, dacht ze. Hij zal dit niet veel langer kunnen verdragen, net zomin als ik dat kan.

Ooit was het gemakkelijk geweest, dit leven, dit huwelijk, toen Rob instinctief had geweten hoe hij haar tranen kon drogen en haar aan het lachen kon maken, en ze was ervan overtuigd geweest dat er zo veel meer was tussen haar en Rob dan tussen al die andere stellen die ze kenden. Nu begreep ze zichzelf bijna niet meer, en hij was helemaal het spoor bijster. Ze was gewend geraakt aan haar afhangende mondhoeken, waardoor het leek alsof ze voortdurend fronste. Ze kon zich niet herinneren wanneer ze voor het laatst had geglimlacht, maar wist dat ze dat ooit had gedaan, moeiteloos, en zo vaak dat er rondom haar mond beginnende lachrimpeltjes waren ontstaan. Dat moest allemaal zijn gebeurd in de tijd die ze 'ervoor' noemde, want voor haar was alles nu verdeeld in ervoor en erna, vroeger en nu.

Toch was ze nog niet zo lang geleden – een paar weken en maanden terug nog maar – verliefd geweest, ervan overtuigd dat Rob altijd bij haar zou blijven. Hun huwelijksgeloften lagen haar zo vers in het geheugen dat het leek alsof ze die een paar dagen in plaats van jaren geleden hadden uitgesproken. Ze zouden voor elkaar zorgen. Dat was het allerbelangrijkste. Ze hoefde de hoogte- en dieptepunten van het leven niet alleen te beleven, er zou iemand zijn die het allemaal met haar zou delen. Binnen vijf jaar hadden de eerste onzekere en nerveuze gesprekken en het voorzichtige geflirt plaatsgemaakt voor de bevestiging en zekerheid van de liefde, dankzij zonsondergangen bekeken vanaf hellingen van wijngaarden, dankzij vakanties in aanvankelijk jeugdherbergen en later zogenaamde boetiekhotels, en dankzij de angsten en dromen die ze hadden gedeeld, met hun ledematen verstrengeld.

En toen had Rob haar in de steek gelaten, op een moment dat hij er alleen maar voor haar had hoeven zijn. Zijn aanwezigheid had zo simpel geleken, maar was te veel gevraagd. Het verraad ging zo diep en was zo bloedrood dat ze nu niets anders meer had dan dat vertrouwde gevoel dat ze lang geleden had gedacht te hebben afgeworpen: dat ze in haar eentje sterker was.

'Ik doe mijn best,' had hij tegen haar gezegd. 'Ik weet dat het niet genoeg is. Ik weet dat ik het verkeerd doe, maar ik doe echt heel erg mijn best. Maar wat ik ook zeg, het helpt allemaal niets.'

Niets helpt. Helemaal niets.

Nog geen half jaar geleden had ze nooit kunnen denken dat een baby, een baby die nooit had geleefd, die ze in het kommetje van haar handen had kunnen houden, hun dit had kunnen aandoen; hun, twee volwassenen die net zo gelukkig waren als ze hadden moeten zijn na twee jaar huwelijk en daarvoor drie jaar samenwonen. Die net in die fase zaten waarin vrienden, familie en zelfs vreemden dachten dat ze het recht hadden te vragen: 'En, denken jullie al aan kinderen?'

Het was niet de schuld van de baby, de baby die zij Oliver had genoemd en die voor haar arts 'de foetus' was. Oliver had niets verkeerd gedaan. Het was de schuld van Rob. Hem viel iets te verwijten, want als dat niet zo was, kon het alleen maar aan haar liggen. Ze had nog steeds een rauw gevoel vanbinnen, ook al wist ze dat ze zich dingen inbeeldde; dat had de verpleegster haar verteld, om haar vervolgens op nadrukkelijke toon duidelijk te maken dat haar lichaam volledig was hersteld. Bedoelde ze daarmee dat er aan niets te zien was dat Oliver er ooit was geweest? had Claire gevraagd. 'Ja,' had de verpleegster gezegd, onzeker. Ze had haar blik afgewend.

Nu keek Claire weer naar het schilderij dat *Noli me tangere* heette en vroeg ze zich af wat ze had gehoopt te kunnen zien. De toelichting, in zwarte letters op een klein wit kaartje van gelamineerd papier, was kort, zodat ook mensen met weinig tijd konden begrijpen wat het doek voorstelde, bijna zonder dat ze er echt naar hoefden te kijken. Volgens de tekst was Maria Magdalena Christus na zijn opstanding komen zoeken en had ze een leeg graf aangetroffen. En terwijl ze nog altijd dacht dat iemand het lichaam moest hebben gestolen, herkende ze opeens Jezus, uit de dood opgestaan, in de gedaante van een tuinman met een schoffel in zijn hand.

Het was overduidelijk Jezus, jeugdig, met een glad bovenlijf en een dunne witte doek rond zijn heupen en een grotere doek om zijn schouders gewikkeld. Verder droeg hij niets, en het was Claire een raadsel hoe iemand deze slanke, bijna naakte jongeman voor een tuinman kon aanzien. Zijn lichaam was vrij van smetten en opgedroogd bloed, zonder een spoor van de wond in zijn zij die de soldaat met de speer bruut had aangebracht. Het was geen schilderij van een kruisiging, en daar was ze blij om.

Als ze de brief van Daisy en de toelichting niet had gelezen, zou ze nooit hebben geweten dat de ander op het doek Maria Magdalena was. Ze zou alleen hebben gezien dat het een buitengewoon mooie vrouw betrof.

Maria Magdalena droeg een bijna doorzichtig hemd en een felrood gewaad. Een vrouw van lichte zeden dus, een prostituee, zoiets, het soort vrouw met wie niemand wilde worden gezien op een dag die zo helder was als de dag op het schilderij, ook al deden ze 's nachts misschien wel iets heel anders. Het soort vrouw dat mannen op straat zouden ontlopen, maar naar wie ze een paar minuten later vanuit de schaduwen zouden wenken. Maria Magdalena was onaanraakbaar, maar ze kende alleen maar aanraking, dat was wie ze was. Bemind worden, dat moest haar enige wens zijn geweest, maar ze gaf zich aan mannen in de wetenschap dat ze niets voor hen betekende – maar nog steeds met de hoop, altijd weer die hoop, dat ze ooit, op een dag, alles zou betekenen. Die bijna jongensachtige Jezus had bewezen dat iemand wel iets om haar kon geven, misschien niet meer dan een beetje, maar een beetje was genoeg. Hij had het goedgevonden dat ze hem aanraakte, onder het toeziend oog van iedereen, en dat ze zijn voeten waste met haar tranen toen die begonnen te vloeien, en dat ze zijn voeten zalfde met olie en die droogde met haar haar. Dat was zo'n beetje alles wat Claire zich kon herinneren van de godsdienstlessen op school, en het verbaasde haar dat ze nog zo veel van het verhaal wist, dat een dergelijke kennis jarenlang kon blijven sluimeren en opeens weer terug kon komen wanneer het er eindelijk toe deed. Op het schilderij viel Maria's haar in gouden lokken om haar heen toen ze op de ruwe aarde neerknielde, en het kon haar niet schelen dat haar gewaden daardoor kreukten, want ze was bereid haar gewaden en haar haar vies te maken met het stof van de weg, allemaal voor een aanraking die haar zou vertellen wat ze wilde horen. *Je bent een van ons. Je telt mee.*

Ze reikt naar Jezus, een potje balsem in haar hand. En dan deinst Jezus terug en zegt tegen haar: 'Raak mij niet aan.'

Niets kon zo'n diepe wond slaan als die woorden. Dat wist Claire. Ze had gezien wat die woorden konden doen. Ze wist ook hoe ze zich zou voelen als Rob ze tegen haar zou gebruiken: verwoest. Daarom keek ze nu naar het gezicht van Maria, zoekend naar de scherpe pijn van afwijzing, de pure verschrikking, die er volgens haar toch zou moeten zijn. Ze zocht naar wanhoop in de ranke handen die naar Jezus reikten, naar die vreselijke, allesvernietigende pijn nu Maria hier, in alle openheid, wederom onaanraakbaar werd. Hier was ze dan, een uitgestotene, deze vrouw die precies wist wat het betekende als een man op de markt in het voorbijgaan haar hand aanraakte of op straat een arm rond haar schouders sloeg, wederom alleen gelaten, onbemind, onaangeraakt. Claire wilde op zijn minst iets van een oprechte verlegenheid zien op het gezicht van Maria, die besefte dat het er niet toe deed dat ze de balsem had meegebracht, dat tastbare bewijs dat er ooit iets heel bijzonders en belangrijks tussen hen was gebeurd. Ze moest zich opgelaten hebben gevoeld, en nog veel meer, net zoals Rob zich elke keer moest voelen, dat knagen in zijn binnenste wanneer ze die vreselijke woorden uitsprak. *Raak me niet aan.*

Maar op het schilderij was daar niets van te zien. Maria probeerde zich niet aan hem vast te klampen. Ze jammerde niet, ze snikte niet eens. Ze bleef op afstand, en Jezus ook. Ondanks de ontzetting die ze ongetwijfeld voelde, raakte ze hem niet aan, ook al had ze de geringe afstand tussen hen gemakkelijk kunnen overbruggen, al was het maar om de rand van de doek om hem heen lichtjes te kunnen aanraken. Voor haar was het voldoende om bij hem te zijn. Meer vroeg ze niet.

Er kwam een beeld van Rob in Claires gedachten op, Rob met die vreselijke uitdrukking van berusting die zijn gezicht nu voortdurend tekende en die er vroeger niet was geweest. Telkens weer wilde ze tegen hem schreeuwen dat het stom was dat hij op afstand bleef en haar zo zwijgend gehoorzaamde en op de een of andere manier niet de moed had om ook maar iets te doen. *Raak hem gewoon aan*, wilde ze tegen Maria zeggen, *raak hem aan en kijk wat er gebeurt. Zo erg kan het toch niet zijn?* Maar nee. Maria was, net als Rob, bereid te luisteren en te gehoorzamen en telkens weer een beetje meer afstand te nemen. Dat zou Claire nooit hebben gedaan. Ze zou het bevel hebben genegeerd en in een opwelling haar hand hebben uitgestoken, gewoon omdat het kon. Nu ze dit besefte, veranderde Maria's zachtmoedige uitdrukking in een persoonlijk verwijt en was het schilderij bijna geen afbeelding meer, maar een spiegel waarin Claire haar eigen fouten zag.

In haar dromen, wanneer ze sliep, lag Oliver soms, pasgeboren en met rimpelige handjes en verfrommelde voetjes, naast haar in bed, zijn ogen stijf gesloten tegen de buitenwereld. Ze hoefde alleen maar haar vingers naar hem uit te steken, zo dicht lag hij naast haar. Maar dan was hij er opeens niet meer en tastte ze hysterisch naar een leegte, met handen die niets voelden, en dan schreeuwde ze: 'Geef me mijn zoon terug!' De woorden galmden nog na wanneer ze in het donker wakker schrok, badend in het zweet, tastend naar het knopje van de lamp op het nachtkastje en de opluchting die licht kon brengen.

Eén aanraking, meer verlang ik niet. Ik wil alleen maar zijn lippen voelen en tegen zijn neus duwen en zijn vingertjes tellen, een voor een. Zijn gewicht tegen me aan voelen, zijn trappelende beentjes, zijn armpjes die hij naar me heeft uitgestoken omdat hij weet dat ik zijn moeder ben.

Had Titiaan ook geweten hoe het was om zo te worden afgewezen toen hij alleen maar een vrouw had willen aanraken? Een echtgenote of een maîtresse die door de dood was weggegrist, een kindje, een zoon of dochter die zonder het te beseffen in de koortsige klauwen van een ziekte was beland? Had hij daarna altijd met dezelfde angst geleefd die Claire nu achtervolgde, met het idee dat hij iets anders had kunnen doen, moeten doen? Als Titiaan dat hier had afgebeeld, dan had hij pijn kunnen verdragen op een manier die Claire onbekend was. Maar toen keek ze weer op het kaartje aan de muur en zag ze dat hij rond 1490 was geboren en in 1576 was gestorven en dat dit doek uit 1514 dateerde. In 1514 was hij nog jong geweest. De teleurstellingen en de wanhoop van een lang, lang leven moesten nog komen, en de vorm waarin die zouden worden gegoten, was nog niet duidelijk.

Raak hem aan, droeg ze Maria op zonder iets te zeggen. *Zo'n kans krijg je misschien nooit meer. Kijk mij eens. Ik heb helemaal geen kans gekregen.*

Ze boog zich voorover en wilde haar hand uitsteken naar deze vrouw die slechts bestond in de lagen verf die de kunstenaar telkens weer had aangebracht in zijn wanhopige poging een of andere waarheid vast te leggen.

Vanuit haar ooghoek zag ze dat de suppoost naar haar toe kwam en dat zijn mond het begin van een waarschuwing vormde. Ze trok haar hand weg en keek de man recht aan, hem uitdagend om 'Raak het niet aan' te zeggen. Maar hij kon haar blik niet beantwoorden, niet nu daar zo veel wanhoop in te lezen was. Hij wendde zich af, beschaamd en zonder zelfs maar te weten waarom.

Ze voelde dat er een golf van verdriet in haar opwelde, die haar naar een vrijgekomen plekje op een gelakt houten bankje dreef. Ze had niet gedacht zich blij te zullen voelen, dat was ze tegenwoordig niet meer, maar ze had op zijn minst iets anders willen voelen dan deze aanhoudende hopeloosheid. Ze wilde weten dat iets in haar nog leefde. Opeens voelde ze zich heel alleen, eenzaam in een menigte die leek te bestaan uit stelletjes, vrouwen met kinderen in kinderwagens, drommen schoolkinderen wier kleren aan de zomen begonnen te rafelen en die de geur van puberverveling met zich meedroegen. Geen van hen leek belangstelling te hebben voor *Noli me tangere*. Ze zeilden voorbij, deze vreemden, zonder er ook maar een zijdelingse blik op te werpen, weggelokt door de grotere, dramatischer schilderijen die aan weerskanten van dit doek hingen, al waren de meeste bezoekers gewoon op weg naar de souvenirwinkel. Daardoor kreeg Claire stom genoeg medelijden met het schilderij, en dus haalde ze diep adem en richtte ze haar blik er nogmaals op. Ze was per slot van rekening speciaal hiervoor gekomen. Ze mocht nog niet weggaan.

In het midden van het schilderij rees een boom op, beladen met zwartgroene en koperkleurige bladeren, reikend naar een hemel waarlangs de wolken scheerden, grijze wolken die een gouden licht verborgen dat ongetwijfeld een belofte van de hemel was. De boom vormde een duidelijke grens tussen Jezus en Maria en verdeelde het schilderij in twee helften. In de verte waren een boerderij en een man te zien, of misschien was het een jongen, die heuvelafwaarts een weggetje volgde, met een hond naast hem en zonder enig idee van wat er een stukje verderop gebeurde. Aan de rand van het schilderij leek het heldergroen van het land te versmelten met het verbijsterende blauw van de zee. Zo leek het tenminste, maar misschien kwam dat wel door de tranen in haar ogen. Ze stak haar hand in haar zak om een tissue te pakken en voelde de gekreukte brief van Daisy die ze die ochtend had gepakt toen ze van huis vertrok, de brief die meer dan zestig jaar geleden was geschreven en waarvan de woorden nu nog even fris klonken als toen.

november 1942

Lieve Elizabeth,

De laatste tijd moet ik zo vaak denken aan die kunstlessen die je moeder voor ons op Edenside had geregeld. We vonden het geweldig, al vraag ik me af of we eigenlijk wel iets hebben geleerd. Het is nog maar vier jaar geleden, maar het lijkt veel langer. Al is het net alsof sommige andere dingen gisteren zijn gebeurd: diezelfde zomer hebben we ook Charles leren kennen en zaten we hem allebei achterna omdat hij maar twee jaar ouder was dan wij – en kijk eens hoe dat is afgelopen! Toch maar mooi gevangen! We waren toen eigenlijk nog kinderen, hè? We gedroegen ons in elk geval wel zo. Ik zeker, dat weet ik. En dan te bedenken dat jij nu zelf een kindje hebt. Het is alweer drie jaar geleden dat jij naar Liverpool vertrok en ik je uitzwaaide, en je dierbare Nicky is ook al een half jaar oud. Het is toch niet te geloven. Vroeger wenste ik altijd dat ik met je mee was gegaan toen ik de kans had, maar dat zou ik nu niet meer doen, ook al zou het kunnen. Ik ben vastbesloten om net als iedereen de oorlog uit te zitten, met opgeheven hoofd. Toch denk ik

nog vaak genoeg dat ik best in jouw schoenen zou willen
staan, ver weg van alles!

Denk maar niet dat je iets mist, hoor, het is de laatste tijd
zo ontzettend saai. Iedereen klaagt maar of gaat dood, en
het valt niet mee om de eindjes aan elkaar te knopen. Ik
durf te wedden dat jij net zo moe wordt van de verhalen
erover als ik van de hele toestand zelf word. Ik denk dat ik
daarom steeds aan die fijne dingen van vroeger moet
denken. Terugkijken is vaak troostend, dat is beter dan
voortdurend piekeren over vandaag of morgen of volgend
jaar.

Ik heb een nieuwe bezigheid gevonden, die me een beetje
moet opbeuren, en dat is ook de reden dat ik je schrijf.
Het heeft helemaal niets met de oorlog te maken –
godzijdank, zou ik willen zeggen. We zijn hier in Londen
tegenwoordig natuurlijk helemaal van kunst verstoken.
Alles wat een beetje de moeite waard was, is jaren geleden
door de autoriteiten verstopt, en dat kan ik ze niet kwalijk
nemen. Dat burgers het loodje leggen is één ding, maar we
kunnen het niet hebben dat de nationale schatten aan
gruzelementen worden gebombardeerd. De laatste tijd
wordt er veel over gemopperd – zelfs in brieven aan *The
Times*, ja, ja! – omdat iedereen dolgraag eens aan iets
anders wil denken dan aan deze vreselijke oorlog (ik ben
niet de enige) en het zo oneerlijk is dat alle mooie dingen
nog steeds verstopt zijn. Er is al maanden geen grote
aanval op Londen geweest. Men heeft nu besloten dat de
National Gallery elke maand een meesterwerk zal afstoffen
en aan het volk zal tonen, dat er dan in groten getale aan
voorbij mag trekken. Dat zou goed moeten zijn voor het
moreel (dat zeggen ze van alles). Nou, het moreel kan het
heen-en-weer krijgen, ík wil gewoon weer eens iets zien
wat niet bruin, kaki of camouflagegroen is.

Ik heb me plechtig voorgenomen elke maand naar het

uitverkoren schilderij te gaan kijken en jou er alles over te vertellen. Dan heb ik elke maand iets om naar uit te kijken en een reden om jou te schrijven, en dat is alleen maar goed. Wat vind je ervan? Het klinkt beter dan sokken breien voor soldaten of oud metaal inzamelen waar ze Spitfires van kunnen maken. Dat soort dingen heb ik al genoeg gedaan, en ik vraag me af of het helpt. Ik zal dan ook niet meer zo veel aan Charles denken, ik zie hem de laatste tijd toch al zo weinig. Hij is altijd wel met zijn eenheid op pad, een week hier, een maand daar; bij wijze van oefening banjeren ze over het platteland en schieten ze op konijnen en vossen. Maar ik mag niet klagen. Het is tegenwoordig normaal dat we onze dierbaren zo weinig zien. Dat hoef ik jou niet te vertellen, nu jouw Bill god mag weten waar gelegerd is.

Om eerlijk te zijn ben ik al met mijn bezoeken begonnen. Afgelopen woensdag heb ik tijdens mijn middagpauze het eerste schilderij bekeken. Ik werk momenteel als typiste, op een van de ministeries in Whitehall. Het is belangrijk werk, dat zeggen ze tenminste, maar het is en blijft typen. Ik vind het niet erg. Het is beter dan een munitiefabriek in Coventry.

Het is tegenwoordig zelfs een hele toer om de National Gallery binnen te komen. Eerst moet je al die brave dames op Trafalgar Square zien te ontwijken die brochures uitdelen waarin je kunt lezen hoe je taarten maakt van aardappels en wat je niet moet doen met Amerikaanse soldaten. Ik zou eerlijk gezegd liever weten wat ik wél met een Amerikaanse soldaat moet doen. Ik heb er nog niet eens eentje gesproken. Charles zou dat maar niets vinden. En wat Nelson betreft, die staat als vanouds voor zich uit te kijken, alleen hangt er nu een vaandel aan zijn zuil waarop staat dat we allemaal moeten meedoen met de kruistocht, wat dat ook moge betekenen. Ik vermoed dat ze willen dat we oorlogsobligaties kopen, daar gaat het meestal om.

Na al dat tumult lijkt het museum zelf muisstil. Het was eigenlijk best droevig om er na zo'n tijd weer eens te zijn. Vroeger was het zo'n geweldig gebouw, maar daar is nu niet veel meer van over – in elk geval hangt er niet veel kunst. Gelukkig hebben we nu dan het schilderij van de maand en is er af en toe een speciale tentoonstelling, maar de enige andere grote publiekstrekkers zijn de concerten die elke dag tijdens de middagpauze worden gegeven – ik denk dat je daar wel over hebt gehoord. Er treden beroemde artiesten op. Mannen die eigenlijk in een orkest hadden moeten zitten maar nu in uniform optreden. Maar de meeste zalen zijn leeg. Toen ik langsliep, heb ik hier en daar even naar binnen gekeken, en overal lagen stapels gouden lijsten waaruit de doeken waren gesneden. Het zag er ellendig uit. De wanden zitten onder de lichte plekken, je kunt precies zien waar de schilderijen zijn weggehaald. Voor de ramen liggen zandzakken, helemaal tot bovenaan toe, en dat maakt het allemaal nog triester, zeker omdat je de scherven van de gesprongen ramen kunt zien, die elk moment op een onfortuinlijke voorbijganger kunnen vallen.

In de zaal waar het schilderij van de maand hing, was het natuurlijk helemaal niet rustig. Daaruit blijkt wel dat we al veel te lang niets fatsoenlijks meer hebben gezien, anders zouden we niet door het dolle heen raken van een schilderij waarvan we nog nooit hebben gehoord (ik in elk geval niet). Het is niet zomaar een oud gevalletje. Het is van Titiaan, dus het moet wel bijzonder zijn. Hij is immers een van de bekendste Italiaanse schilders. Dat weet ik zelfs. Hij had geloof ik iets met de familie De Medici te maken.

Het is een schilderij van Jezus en Maria Magdalena, en het

heet *Noli me tangere*. Dat deed me meteen aan mijn lessen Latijn denken! Wel pompeus, hoor. Ik weet niet waarom ze het een Latijnse naam moeten geven.

Je zult het misschien mal van me vinden, maar het eerste wat me opviel, waren de kleren van Maria Magdalena. Ik let tegenwoordig altijd op wat vrouwen dragen, en dan reken ik in gedachten uit hoeveel kledingbonnen het hun moet hebben gekost. Maria Magdalena draagt een soortement tuniek van rode stof die wijd om haar heen fladdert, en daaronder een al even fladderend wit hemd. Ik kan me niet herinneren wanneer ik voor het laatst zo'n overvloed aan stof heb gezien. Wij mogen al niet eens meer plooien of zakken hebben, nu vraag ik je, daaruit blijkt toch wel hoe erg het is geworden. Mijn eigen trouwjurk zal zeker niet zo fladderen. Als we ons al een chic gevalletje zouden kunnen permitteren, dan zou dat niet gepast zijn in deze afschuwelijke, sobere tijden. Nee, vraag maar niets, we hebben nog geen datum afgesproken. Charles is er bijna nooit, vandaar. Maar zodra we het weten, ben je de eerste die het hoort.

Ik moet zeggen dat Maria er heel vrouwelijk uitziet, met al die lagen stof rond haar boezem die helemaal tot aan de grond reiken. Het heeft iets vorstelijks. Zo loopt niemand er nog bij, in elk geval niet in Londen. We dragen allemaal broeken en willen laten zien dat we net zo ons mannetje staan als de jongens. Ik vermoed dat de meeste mannen er nogal van schrikken.

Goed, Maria zit dus op de grond geknield en steekt haar hand uit naar Jezus, en ik denk dat hij een beetje terugdeinst – niet omdat hij vervelend wil doen, maar omdat ze niet wordt geacht hem aan te raken. Zo gaat het verhaal namelijk, begrijp je. Niemand kan hem aanraken omdat hij geen normaal mens meer is, hij is dood en verrezen en op weg naar de hemel, en dat is meer dan waarop de meesten van ons kunnen hopen, lijkt me.

Ik denk dat als Maria hem zou aanraken het allemaal heel anders zou lopen, en dat is niet de bedoeling, hè?

Naast het schilderij hebben ze een grote röntgenfoto ervan opgehangen. Daarop kun je zien dat Titiaan eerst een andere versie heeft gemaakt, waarop Jezus zich omdraait en wegloopt. Ik denk dat de uiteindelijke versie veel subtieler is, maar de boodschap is dezelfde. Blijf uit mijn buurt.

Ik weet het niet, Elizabeth, als je er echt over nadenkt, lijkt het allemaal een beetje te veel van het goede, al dat gedoe over niet mogen aanraken. Manieren zijn tegenwoordig niet meer wat ze waren, laat ik het zo zeggen, in elk geval niet hier in Londen. Er wordt heel wat aangeraakt, zeker met al die rondlummelende soldaten op verlof, en het is lang niet altijd gewenst. Je weet nooit of iemand snel aan je gaat zitten friemelen als het licht uitgaat.

Toch deed die hulpeloze blik van Maria me wel iets.

Ik begreep heel goed waarom ze Jezus zo graag wil vastpakken. Ze was volkomen ten einde raad, ze dacht nota bene dat die man op wie ze zo gek is dood was, en nu lijkt hij springlevend, zonder een smetje op zijn lijf. Dat is het grootste wonder van allemaal, maar dat is tegenwoordig ook de wereld waarin ík leef, een wereld vol wonderen. Denk maar eens even aan hoe het hier gaat, elke keer wanneer er een luchtaanval is. Zodra de sirene gaat, zit je ergens vast, voor zolang als het duurt, opgescheept met een stel volslagen vreemden, biddend dat het allemaal goed zal aflopen. En als het sein veilig wordt gegeven, rent iedereen ervandoor om zijn dierbaren te zoeken. De ergste verhalen, maar ook de beste, gaan over mensen die thuis weten te komen en ontdekken dat er geen steen meer op de andere staat – maar dan wordt opeens hun zoon of dochter of vrouw uit het puin gehaald, levend, of komt die de hoek om rennen, ongedeerd. En dan heb je nog al die jongens die achter de vijandelijke linies worden vermist en van wie iedereen denkt dat ze dood zijn, maar die maanden later opduiken in Dover, nadat ze bijna heel Frankrijk hebben doorkruist. Stel je eens voor hoe stevig je hem dan zou omhelzen! Hoe levend hij zich zou voelen als blijkt dat jij dacht dat hij dood en begraven was! Je zou hem nooit meer los willen laten.

De kranten staan vol met zulke verhalen. Daardoor houden de mensen de moed erin. Ik weet niet goed wat ik ervan moet denken. Ik vind dat hun valse hoop wordt gegeven. We weten allemaal dat er voor iedere vermiste die levend opduikt duizenden zijn die niet terugkomen. Je kunt maar beter sterk zijn en van het ergste uitgaan, dat denk ik altijd maar, en ik weet maar al te goed waar ik over praat.

Toen moeder zo ziek was, heb ik me uit alle macht aan haar vastgeklampt, alsof mijn leven ervan afhing, en dat van haar ook, maar dat kon niet voorkomen dat ze stierf. Al deed ik nog zo mijn best, ik kon haar niet terughalen. Maar op een dag, Elizabeth, op een dag zal ik haar misschien terugzien; dan zit ze in een tuin vol rozen en voelt ze weer warm aan.

Het spijt me, Elizabeth, nu zit ik toch nog te somberen. Ik zal je nog iets meer over het schilderij en over Jezus vertellen. Weet je aan wie hij me deed denken? Aan een verse rekruut die zich voor het medisch onderzoek van het leger meldt, zo schriel en onbeholpen. Soms zetten ze dat soort foto's op de wervingsaffiches. God mag weten waarom. Wie valt er nu nog te werven? Het is tegenwoordig verplicht dienst te nemen, zelfs voor meisjes. Ik moet zeggen dat onze jongens af en toe een miezerige indruk wekken. Ik heb met hen te doen.

Ze lijken helemaal niet op de Amerikanen, die zien er altijd zo patent uit. Veel minder vermoeid dan onze soldaten. Onze jongens zijn jaloers op de Amerikanen, en dat kan ik hun niet kwalijk nemen als je ziet hoe sommige meiden zich gedragen. Molly, die op het werk naast me zit en nooit een blad voor de mond neemt, zegt dat het niet de Amerikanen zijn voor wie je moet uitkijken, maar de Canadezen. Die gaan volgens haar veel te snel voor keurig opgevoede meisjes. Dat weet jij natuurlijk al, je bent er met eentje getrouwd. Laat me maar weten of het waar is, of dat ik Molly moet verbeteren!

Ik denk niet dat Jezus het lang had uitgehouden in het leger. Hij lijkt me niet sterk genoeg. Ik kan me voorstellen dat hij dienst zou weigeren of, nog beter, aalmoezenier zou worden. Ze laten de manschappen graag iets doen wat past bij het werk dat ze in het echte leven deden. Charles heeft nooit veel uitgevoerd, maar hij is toch officier geworden. Doordat hij op Eton heeft gezeten, denk ik. Naar het schijnt kan hij erg goed schieten, dus misschien waren al die keren dat hij op fazanten ging jagen toch niet zo'n tijdverspilling als ik altijd heb beweerd.

Ik vond het landschap op het schilderij erg mooi, met glooiende groene heuvels en een helderblauwe zee, en, het allermooiste, er was nagenoeg geen mens te bekennen.

Ik ben bijna vergeten hoe het is om midden in de velden te staan, met in de verte de zee, en bijna geen anderen in de buurt. Het wemelt hier altijd van de mensen, van 's morgens vroeg tot 's avonds laat, en soms ben je ook nog gedwongen een hele nacht in de drukte te zitten. Soldaten, vluchtelingen, evacués die genoeg hebben van het platteland en weer naar huis komen – van alles en nog wat! Als het geen oorlog was, zou ik me nog een echte wereldburger voelen.

Schrijf me terug, want ik wil graag weten of je ook aan mij

denkt. In de tussentijd zal ik aan alle Canadezen die ik tegenkom vragen of ze Bill kennen. Tot volgende maand, en tot het volgende schilderij.

Het beste,

Daisy

'Er is vandaag een pakje voor je gekomen,' had ze tijdens het avondeten tegen Rob gezegd. Zo was het begonnen. Ze had de woorden plompverloren uitgesproken, alsof het haar niet veel kon schelen. Ze zaten op de bank in de woonkamer en aten pasta met biologische tomatensaus uit kommetjes die iemand (ze kon zich niet meer herinneren wie) hun als huwelijkscadeau had gegeven. 'De buren van beneden moeten de postbode hebben binnengelaten. Het pakje is te groot voor de brievenbus. Ik heb het op de keukentafel gelegd.'

'Dank je.'

Hij maakte zijn blik niet los van het televisiescherm. Er was een tijd geweest dat ze het niet erg zou hebben gevonden dat hij na een hele dag op kantoor moe was. Vroeger zou ze met haar rug tegen hem aan hebben geleund, zijn armen om haar heen, en hem haar haar hebben laten strelen. Ze zou hebben geluisterd naar zijn verhalen over collega's die ze nooit zou leren kennen, over deals die waren gesloten en deals die waren mislukt, over uitgedeelde complimenten en verkeerd gevallen opmerkingen. Wat was haar geduld sinds Oliver toch snel opgeraakt.

'Ga je het nog openmaken?'

'Er is geen haast bij.'

'Misschien is het belangrijk.'

'Dat zal wel niet.'

Ze wendde zich ook weer tot de tv. Het kabaal van een nietszeggend programma waarin mensen gierden van de lach, om niets, wist het suizen in haar oren te overstemmen. Langzaam vulden de beelden op het scherm haar gedachten en knabbelde het lawaai iets af van de woede die er tegenwoordig altijd was, vlak onder het oppervlak. Rob hoefde haar soms maar aan te kijken of ze had al zin om te gillen.

Toen het programma eindelijk was afgelopen pakte hij de tv-gids die bij de zondagskrant zat en bladerde die door.

'Er is niets. Alleen de gebruikelijke rotzooi,' zei hij gapend. Hij zette de tv uit zonder haar te vragen of zij nog iets wilde zien. Toen gooide hij de gids op het tapijt. Het boekje dwarrelde allerminst behulpzaam naar beneden, opengeslagen. Hij deed geen moeite om het op te rapen.

Goed, dacht Claire, die de woede in zich voelde opwellen. Nu had ze een reden om zich te ergeren, om luide, afkeurende geluiden te maken terwijl ze de gids zelf opraapte en wachtte op een bedankje dat niet kwam.

'Ik ga naar bed, lieverd,' zei hij zodra ze klaar was met oprapen. 'Ik moet vroeg op, ik heb morgenochtend een vergadering. Ik moet me voorbereiden.'

Het was net tien uur. Zelfs haar moeder zou nog op zijn.

'Hoe vroeg?'

'Een uur of zes. Half zeven, misschien.'

'Oké,' zei ze, op scherpe toon, hoewel ze eigenlijk iets anders wilde zeggen. 'Niet weer' of 'Moet je echt zo hard werken?' of 'Waarom kun je niet een keertje samen met me ontbijten?' Allemaal dingen die ze niet kon zeggen zonder als een zeurend kind te klinken.

Ze vroeg zich af hoe hij zou reageren als ze zoiets zei. 'Als je me zo graag bij je wilt hebben, waarom blijf je me dan afwijzen?' Nee, zoiets zou hij nooit zeggen. Hij zou nooit hardop zeggen wat ze allebei wisten, en dat was dat hij vroeger, voordat het was gebeurd, niet zo hard had gewerkt. Vroeger kwam hij graag op tijd thuis, zodat ze samen konden eten en een wijntje konden drinken. Soms hadden ze gevreeën, vaak hadden ze over de toekomst gepraat. Nu was het simpeler voor hem om de uren thuis slapend door te brengen. Dat kwam door haar. Dat kon ze niet ontkennen. En evenmin tegenhouden. Maar soms werd ze midden in de nacht wakker van de herinnering aan haar baby die op een smerig openbaar toilet langzaam uit haar lichaam was gebloed en dacht ze: waarom zou ik het tegenhouden, waarom zou ik niet zo zijn? Ik heb er alle reden toe.

Ze stond op en liep naar de keuken, waar de steelpan en de snijplank nog op het aanrecht lagen, met de rest van de afwas ernaast opgestapeld. Ze draaide de kraan boven de gootsteen open en hield haar hand onder de straal, wachtend totdat het water warm zou worden.

Rob riep vanuit de slaapkamer: 'Waarom laat je de vaat niet staan, Claire? Je kunt ook morgenvroeg afwassen, voordat je naar je werk gaat.'

'Ik wil het niet nu doen en morgen ook niet, maar iemand zal het moeten doen,' riep ze terug.

Emoties, van het soort dat voortkwam uit verdriet, uit gedachten aan Oliver, deden haar stem trillen en raakten haar midden in haar buik, maar Rob zou alleen de afgemeten ergernis hebben gehoord. Hij zou geen oor hebben voor de ellende die erachter schuilging, of misschien had hij wel genoeg ellende voor een week gehad. Hij gaf in elk geval geen antwoord.

Toch draaide ze de kraan dicht, trok de stop uit de gootsteen en wachtte totdat het water was weggelopen. Het was niet warm genoeg. Er moest al heel lang iemand naar de boiler komen kijken, maar zij kon het niet opbrengen dat te regelen en Rob had nooit tijd.

Ze plofte neer op een van de houten klapstoelen, de enige die in de kleine ruimte pasten, en weigerde te huilen. Zo was de cyclus. Woede. Frustratie. Wanhoop. Tranen. Telkens weer. Ze merkte dat ze de laatste fase naderde, maar deze keer slaagde ze er in elk geval in de tranen tegen te houden door haar vuisten zo stevig te ballen dat ze haar nagels scherp in haar handpalmen voelde dringen. Het werd te laat voor de zoveelste voorspelbare ruzie.

Op zoek naar afleiding pakte ze het pakketje van de tafel. Het had de grootte van een schoenendoos, maar het was minder zwaar dan het leek en niet eens helemaal vol. Ze schudde het heen en weer en hoorde de inhoud met een doffe tik tegen de binnenkant slaan. Rob zat verkeerd met zijn gebrek aan interesse. Pakjes waren altijd interessant. Dat vond ze al sinds ze oud genoeg was geweest om op haar verjaardag bij de voordeur op de postbode te wachten, om te weten wat catalogi vol cadeaus voor goede doelen waren, en om zelf een postwissel te kopen en die als een kerstcadeau naar een bekende te sturen.

Het poststempel op het pakje zei Toronto, en dat was al interessant genoeg. Daar had de oma van Rob gewoond, sinds haar trouwen, nu een halve eeuw geleden. Haar man was tien jaar geleden verdronken tijdens een ongeluk met een boot op het Ontariomeer, en zelf was ze aan het begin van het jaar overleden aan een hartaanval, snel en zonder gedoe voor Robs vader en zijn oom Brian, die allebei al sinds de jaren zestig in Engeland woonden. Haar dood had een einde gemaakt aan elke mogelijke band die Rob met Canada had kunnen hebben, of dat dacht Claire tenminste.

Het adres was getypt, niet handgeschreven, en op de achterkant zat een etiket met de afzender: JENKYNS, SIMPSON & STRAND, ADVOCATEN EN NOTARISSEN. Voordat ze naar bed ging, zou ze Rob vragen of hij ooit van hen had gehoord.

Ze legde het pakje terug op tafel en liep naar de badkamer, waar ze tijdens het tandenpoetsen naar haar eigen spiegelbeeld keek. Er was geen twijfel mogelijk: ze werd hier oud van. Ze deed het kastje boven de wastafel open om de tandpasta op te bergen. Binnen in het kastje was een flesje pillen omgevallen dat nu naar de rand van de plank rolde. Ze zette het rechtop. Foliumzuur. Dat had ze nu niet meer nodig. Ze gooide het flesje met meer kracht dan haar bedoeling was geweest in de vuilnisbak, zodat het tegen het metaal knalde. Toen trok ze een verschoten pyjama aan die ze voor hun trouwen nooit in het bijzijn van Rob had durven dragen en trok zich terug in de duisternis van de slaapkamer.

Rob sliep al, of deed alsof. In het oranje licht van de straatlantaarns dat naar binnen piepte door de kier tussen de gordijnen, die hij weliswaar had dichtgetrokken, maar niet ver genoeg, zag ze dat de spanning in zijn gezicht in zijn dromen was weggevloeid. Ze voelde zich opgelucht. Ze ging naast hem liggen en sloeg een arm rond zijn warme lichaam, vervuld van medelijden met hem en schaamte voor zichzelf. Ze wist niet of hij haar kon voelen. Buiten zongen de vogels nog steeds, hoewel het bijna middernacht was.

Het pakje was drie dagen lang ongeopend op de keukentafel blijven liggen, vervaarlijk balancerend op de rand van de stapel brieven en rekeningen die Claire nooit helemaal wist op te bergen en die Rob niet eens leek te zien. Bij elk ontbijt trok het meer broodkruimels en spetters sinaasappelsap aan, en Claires blik werd er telkens weer naartoe getrokken. *Maak het open. Maak het open. Maak het open.* De woorden gingen steeds sneller door haar gedachten, totdat haar hoofd ervan tolde, maar Rob hoorde er niets van.

'Dat zijn de advocaten van oma,' had hij gezegd toen ze hem naar het advocatenkantoor had gevraagd. 'Mijn vader zei al dat ze misschien contact zouden opnemen. Ze gaan over haar testament. Blijkbaar heeft ze me iets nagelaten. Papieren, denk ik. Zoiets zal er wel in dat pakje zitten.' Op het moment dat hij dat zei, stond hij in de slaapkamer zijn stropdas recht te trekken en zat Claire nog in bed, met haar rug tegen de kussens. Ze keek op dat soort momenten graag naar hem, vroeg in de ochtend, wanneer hij gedwongen was stil te blijven staan en zijn stropdas te knopen en te kijken of zijn overhemd was ingestopt en zijn manchetknopen bij de rest van zijn kleding pasten. Ze voelde zich weer trots op hem wanneer hij er zo netjes uitzag, in de wetenschap dat hij succesvol was, en ze had hem altijd uitgeleide gedaan met een kus, hoewel kussen nu geen rol meer speelden. Niet meer sinds Oliver.

Het was te vroeg voor haar om op te staan. Ze hoefde pas om half tien op kantoor te zijn, en de laatste tijd was ze toch al vaak te laat voor de baan die haar geweldig had geleken toen ze hem pas had, want wie wilde er nu niet voor een internationale kinderliefdadigheidsorganisatie werken? Maar nu, in een tijd waarin niemand zomaar een baan kon vinden, was het laatste wat ze wilde elke dag weer die wanden vol posters van geredde, glimlachende jongens en meisjes zien. Ze wilde niets liever dan ontsnappen.

'Hoe lang laat je het daar nog liggen voordat je het eindelijk eens openmaakt?' Ze probeerde luchtig te klinken, maar zo klonk het niet, zelfs niet in haar oren. *Maak het open. Maak het open. Maak het open.*

'Toe nou, lieverd, ik ben al laat.' Het lukte hem amper zijn ergernis te onderdrukken. 'Ik kan er vandaag toch niets meer mee doen. Er is geen haast bij. Kan het niet tot het weekend wachten? Het is trouwens míjn oma, míjn erfenis. Míjn naam staat op het etiket. Eigenlijk heb jij er niets mee te maken.'

'Maar we zijn getrouwd,' zei ze. 'Het heeft wel met mij te maken.' O god, ze voelde de tranen alweer over haar wangen lopen, langs paden die steeds dieper uitsleten. Het verbaasde haar dat ze nog steeds effect op Rob hadden, die er immers al zo veel had gezien, maar zijn stem werd zachter toen hij haar vertrokken gezicht in de spiegel zag, en hij draaide zich om en keek haar aan.

'Claire, lieverd, huil nu niet, oké? Ik moet nu naar mijn werk. Maak jij het maar open, als je het zo belangrijk vindt. Van mij mag het.'

'Echt?'

'Echt,' antwoordde hij.

Nou, ze wist nog steeds wat hij dacht, ook al wist hij dat niet meer van haar, en zijn gezicht vertelde haar dat hij loog. Hij wilde degene zijn die het papier van het pakje trok om te kijken wat erin zat. Hij vond dat hij daartoe het recht had. En toch was hij bereid haar dat plezier te gunnen. Zoals altijd was hij veel te fatsoenlijk.

Ze verbaasde hen allebei door op te staan en hem ferm op zijn lippen te zoenen en haar armen om zijn donkergrijze pak heen te slaan, zodat haar handen elkaar raakten op zijn rug. Zijn armen gleden als vanzelf om haar heen, en heel even was het oude gevoel weer terug, die ongewone, onevenwichtige intimiteit.

Ze maakte zich van hem los en droogde haar gezicht af aan de dekbedhoes en boog zich toen voorover om hem opnieuw te kussen, maar het was al te laat. Ze kon merken dat een gedachte aan de verdere dag zijn kans had gegrepen en in zijn hoofd was gedrongen, en toen had hij zijn aktetas al gepakt en was de voordeur achter hem dichtgevallen. De huid van haar wangen verstrakte, daar waar de tranen hadden gestroomd.

Ze nam een douche en kleedde zich aan zonder er al te veel over na te denken. Ze hoefde pas over ruim een uur de deur uit, maar ze werd voortgedreven door opwinding, een opwinding die ze sinds die dag niet meer had gevoeld.

De dag van de miskraam.

Want dat was het.

Zeg het nu gewoon, zei ze tegen zichzelf. *Het is maar een woord.*

Maar het riep nog altijd weerzin bij haar op. Het was te lang, te lelijk, te medisch. Toch was het niet het allerergste woord dat ze in het ziekenhuis hadden gebruikt. Er waren ook termen gevallen als 'dilatatie en evacuatie', 'dilatatie en curettage', 'lactatieremming' en nog veel meer. Ze zag nog altijd voor zich hoe de mond van de arts die woorden had gevormd, woorden waarvan ze niets had begrepen, toen niet, hoewel dat inmiddels wel zo was. Ze begon hevig te beven en drukte de gedachten weg, zodat ze geen wortel konden schieten, en vatte moed om de novemberkoude keukenvloer te trotseren. Maar toen aarzelde ze en liet ze haar verwachting groeien door niets anders te doen dan water op te zetten en een kopje troosteloze thee te zetten; ze wachtte totdat het theezakje kwam bovendrijven op het van ketelsteen vergeven water en duwde het vervolgens weer kopje-onder met een flinke scheut melk en keek hoe beide vloeistoffen zich met elkaar vermengden. Pas toen ze dat had gedaan, pakte ze gretig het pakketje van tafel, alsof ze het uit de handen trok van iemand die er niet was. Ze rukte het bruine pakpapier los en scheurde daarbij Robs naam, 'de heer Robert Dawson', keurig doormidden. Het pakje bestond uit een kartonnen doos, speciaal voor dit doel aangeschaft, niet zomaar een hergebruikte schoenendoos. Ze haalde het deksel eraf.

Het eerste wat ze zag, was een zilveren lijstje, versierd met krullen en tierelantijnen en vol donkere vlekken die niet waren weggepoetst. Er zat een zwart-witfoto van een man en een vrouw in.

De man was jong, misschien halverwege de twintig, misschien rond de dertig. Hij had rimpeltjes rond zijn ogen, maar ze vermoedde dat hij die alleen maar had omdat hij tegen de zon in keek. Hij droeg een tweedjasje en een overhemd met open hals dat mogelijk wit was. De vrouw was jonger, misschien begin twintig, en droeg een jurk met een dessin van kleine bloemetjes die door een zacht windje rond haar gladde, blote benen werd geblazen. Ze keek recht in de lens. De man had zijn arm stevig om haar middel geslagen, en ze stonden dicht naast elkaar, zodat er bijna geen ruimte tussen hen in was. Het had iets intiems, zorgeloos. Ze vormden wat haar moeder 'een leuk stel' zou noemen, zoals ze daar tegen de metalen reling van een boulevard geleund stonden, met op de achtergrond het strand en de zee.

De man en de vrouw vielen Claire het eerst op. Daarna keek ze naar de rest. Een deel van het strand, aan de linkerkant, was bedekt met rollen prikkeldraad en een ingewikkeld bouwsel van steigerpijpen die als gebroken schoorstenen uit het zand staken. Op een wazig bord meende ze het opschrift GEVAAR-LIJK MIJNEN te zien. Ze was er zeker van dat ze al eerder een foto had gezien die hier sprekend op leek, misschien in een leerboek van de middelbare school. De Britse kustverdediging tijdens de Tweede Wereldoorlog, daar was dit een foto van. En dus moest de foto na het uitbreken van de oorlog in 1939 zijn genomen, of misschien vlak ervoor, en dan waren dit onge-twijfeld de grootouders van Rob. Er was zeker iets van Robs vader terug te vinden in de levendige blik van het meisje.

Het zou logisch zijn. Robs oma Elizabeth was in Engeland geboren, zo veel wist Claire nog wel. Zijn grootvader was de-gene die uit Canada kwam. Hij was de reden dat ze naar To-ronto was verhuisd, maar ze had hem hier leren kennen. Ja, zo zat het. Als Claire ooit zijn naam had geweten, was die haar ontschoten. Dat vond ze vervelend, nu ze naar zijn gezicht op de foto keek. Rob had haar een keer verteld hoe ze elkaar had-den leren kennen. Zijn opa was naar Engeland gekomen om hier een jaar te studeren of iets dergelijks, en een oude school-vriend had hem een brief meegegeven waarmee hij zich bij de familie van Elizabeth kon voorstellen. Dat deden mensen toen nog. Haar ouders hadden hem uitgenodigd voor de lunch, en tijdens een wandeling door de tuin, na het eten, was Elizabeth door een bij gestoken en had hij de angel uit haar vinger ge-trokken. In die tijd werden mensen nog verliefd door dat soort dingen.

Ze zette het lijstje op de keukentafel, maar dat was geen ge-zicht omdat de tafel door het glanzende lijstje nu net zo goed-koop leek als hij werkelijk was. Ze liep ermee naar de woon-kamer, waar ze het naast een vaas vol roze, blozende tulpen zette die Rob een week geleden voor haar had gekocht maar die nu slap hun kopjes lieten hangen en de bovenkant van de boekenkast met stuifmeel besmeurden. Ze moest de bloemen weggooien, maar ze had gehoopt dat hij nieuwe voor haar zou meebrengen als ze deze maar lang genoeg liet staan. God, wat speelde ze tegenwoordig toch veel spelletjes, vooral met zichzelf. Ze wilde wel zijn bloemen, maar niet hem. Ze haatte hem, maar had hem nodig. Het was allemaal zo ingewikkeld geworden.

Ze richtte haar aandacht op de foto. Dit was liefde in haar eenvoudigste vorm, vastgelegd in een fractie van een seconde, zonder dat de problemen uit het echte leven de kop konden opsteken. De man en vrouw glimlachten allebei, of deden zelfs meer dan dat, omdat de vrouw tijdens een lach was vastgelegd en de man net begon te lachen bij wijze van antwoord. Aan de muur het verst bij haar vandaan had Rob een van hun eigen zwart-witfoto's met hun glimlachende gezichten gehangen, waarop ze net van de skipiste in Zwitserland kwamen en met hun armen om elkaar heen geslagen recht in de camera keken. Liefde begint altijd zo, dacht ze, met open gezichten en omhelzende armen, en wie kan ooit weten waarmee alles eindigt?

Ze liep terug naar de keuken en richtte haar aandacht op de rest van de inhoud van de doos. Een bundeltje papieren, samengebonden met een zijden lint dat misschien ooit blauw was geweest, en een brief op dik, crèmekleurig papier met een watermerk, geschreven door iemand die niet belangrijk genoeg was om Jenkyns, Simpson of Strand zelf te zijn.

Geachte heer Dawson,
Betreft: nalatenschap van Elizabeth Julia Dawson (overleden).
Zoals u wellicht weet, treden wij op als executeurtestamentair voor bovengenoemde overledene en dragen daarmee zorg voor de verdeling van de nalatenschap.
Bijgevoegd treft u onderstaande artikelen aan die u door de overledene zijn nagelaten:

- Zwart-witfoto in zilveren lijst (met waarborgstempel) van mevrouw Dawson en overleden echtgenoot.
- Verzameling brieven geadresseerd aan mevrouw Dawson en afkomstig van haar nicht, mevrouw (?) Daisy Milton, die deze brieven begin jaren veertig vanuit haar toenmalige woonplaats Londen heeft verzonden.

Ik heb het geluk gehad mevrouw Dawson voor haar dood te mogen ontmoeten. Ze vertelde me dat ze tijdens haar jonge jaren bijzonder gesteld was op mevrouw Milton, en aangezien u en uw vrouw nu zelf in Londen wonen, meende ze dat hun correspondentie uit deze periode wellicht voor u beiden interessant zou kunnen zijn.

Ik zou u willen verzoeken een schriftelijke bevestiging van de ontvangst van deze artikelen te zenden aan bovenstaand adres.

Hoogachtend,

Wellicht voor u beiden interessant zou kunnen zijn. Dat schreef de advocaat, dat had Robs oma gedacht. Ja, dacht Claire, daar ben ik het denk ik wel mee eens. Het pakketje boeide haar nu al. De periode op zich was voldoende: begin jaren veertig. Dat betekende de Tweede Wereldoorlog. Toen ze het stapeltje brieven oppakte, wist ze dat ze een stukje geschiedenis in haar hand hield. En brieven... Net als pakjes waren brieven altijd bijzonder, of dat waren ze in elk geval geweest toen zij nog jong was.

In die tijd was post meer geweest dan uitsluitend rekeningen en bankafschriften, toen bood elke ochtend opnieuw de belofte – al werd die slechts zelden vervuld – van een ansichtkaart van haar al lang verdwenen vader die begon met 'lieverd' en eindigde met 'veel liefs'.

Ze trok voorzichtig aan het lint en voelde dat het losraakte. Het gleed soepel tussen haar vingers door, alsof het in de loop der jaren talloze keren was vastgebonden en weer losgemaakt. Toen pakte ze de eerste brief van het stapeltje, alleen de eerste. Het had iets krachtigs en ongelooflijk onvergetelijks, dat moment waarop ze de envelop omdraaide en de zachte kreukels voelde en op de lichtpaarse postzegel een koning zag, George de Zesde, vermoedde ze, in elk geval George-de-zoveelste. Ze stelde zich voor dat ze de flap opende, de brief eruit haalde en in de plooien ervan nog steeds het stof van het gebombardeerde Londen aantrof, dat als zand tussen haar vingers door zou glijden. Ze zei tegen zichzelf dat ze voorzichtig moest zijn. Misschien zou het papier na al die jaren uit elkaar vallen in haar handen.

Heel even vroeg ze zich af of ze niet beter op Rob kon wachten. Per slot van rekening was dit zijn geschiedenis. Zijn oma, niet de hare. Dat had hij zelf gezegd. Het had helemaal niets met haar te maken. Maar hij had ook gezegd dat ze het pakje mocht openen, nietwaar? En zijn oma had gezegd dat het voor hen allebei was... Uiteindelijk kon ze zich niet inhouden. Ze kon er nu toch maar eentje lezen. Anders zou ze te laat op werk komen.

Het eerste wat ze zag, was de datum boven aan de brief. November 1942, meer dan vijfenzestig jaar geleden. Geen adres. De inkt was bruin, maar moest ooit zwart zijn geweest.

Lieve Elizabeth, luidde het begin. *De laatste tijd moet ik zo vaak denken...*

Ze las de brief één keer door, van dat 'Lieve' bovenaan tot het zelfverzekerde, duidelijke 'Daisy' onderaan, en toen las ze hem nogmaals, langzaam, bang dat ze elke keer wanneer ze een velletje omdraaide de vezels van het papier uit elkaar zou trekken. Alleen al het gevoel van het papier onder haar vingers, zo veel dunner en breekbaarder dan die kloeke brief van de advocaat, was als een deur naar een andere wereld – maar het was meer dan dat. Er was ook het idee van de persoon die de brief had geschreven.

Daisy.

Daisy.

Ergens, met een pen in haar hand en een vel vloeipapier naast haar, had iemand gezeten die Daisy heette en die haar vingers voorzichtig over het papier had laten gaan.

Het was een mooie naam, een naam die Claire deed denken aan de zon die een weide bescheen, in de tijd dat er nog weides waren geweest, en aan bloemen, geplukt door kleine vingertjes, tot kettingen geregen. Ze had Rob nooit iets over iemand met die naam horen zeggen, en ook zijn ouders niet, en zelfs niet zijn grootmoeder, tijdens de enige gelegenheid dat ze elkaar hadden ontmoet, lang genoeg om bij Claire een indruk achter te laten van vriendelijkheid en levenslange ervaring, maar meer ook niet. Ze wist wie de Nicky in de brief moest zijn. Robs vader, die tegenwoordig door iedereen Nick werd genoemd. In 1942 moest hij nog een baby zijn geweest. En Bill, ja, dat was het. Zo had zijn opa geheten. Een betrouwbare, standvastige naam.

Die avond kwam Rob later thuis dan haar lief was en vroeg hij haar niet hoe haar dag was geweest. Ze vertelde het hem toch, ze zei dat ze pas tegen tienen op haar werk was aangekomen vanwege een storing op de Victoria-lijn, dat ze met een vriendin had geluncht, en ten slotte, tot het laatst bewaard, vertelde ze hem over het stapeltje brieven met het blauwe lint en de foto op de boekenplank in de woonkamer die hij pas zag staan toen ze hem erop wees. Ze zag een vonk van belangstelling in zijn ogen en wist dat haar eigen ogen, die zo lang dof waren geweest, die glans weerspiegelden.

'Heb je ze gelezen?' vroeg hij. Ze wist dat hij teleurgesteld zou zijn als ze ja zei en het duidelijk werd dat ze niet op hem had gewacht.

'Natuurlijk niet. Daar had ik toch geen tijd voor?' en daarna, nog steeds eerlijk: 'Eentje maar. Alleen de eerste.'

En voordat ze het wist, vertelde ze hem over het schilderij

van de maand en het werk van Daisy, en dat zijn vader toen nog een baby was geweest, en hij zat de hele tijd op te letten. Het ging als een echt gesprek voelen, een gesprek dat liep, zonder dat een van hen echt moeite hoefde te doen, zonder dat er een venijnige opmerking over Claires lippen rolde of er een zucht aan die van Rob ontsnapte. Ze zaten aan de keukentafel, en nu kropen hun handen dichter naar elkaar toe over het grenen blad vol krassen, hoewel ze elkaar niet aanraakten.

'Ik ga die schilderijen bekijken, al die schilderijen die zij ook heeft gezien,' zei ze. 'Dat heb ik besloten. Dan heb ik iets te doen. Je moeder heeft tegen je gezegd dat ik afleiding moet zoeken. Nou, misschien heeft ze wel gelijk. Ik ga aan het begin van elke maand een brief lezen en daarna ga ik het schilderij bekijken, net zoals Daisy heeft gedaan.'

Dat idee was op kantoor bij haar opgekomen, tijdens het werken aan een lange en eentonige analyse van donaties en giften waarvan ze wist dat het hele team haar er dankbaar voor zou zijn maar die door niemand echt zou worden gelezen. Dat soort opdrachten kreeg ze tegenwoordig vaak, uit medelijden, omdat ze het kon doen zonder te hoeven denken aan de echte, levende kinderen voor wie het geld bestemd was. Wat had Daisy ook alweer geschreven? De schilderijen gaven haar iets om elke maand weer naar uit te kijken. Nou, dat kon zij ook wel gebruiken, zo'n reden. Nu al voelde ze het ongewone, gespannen branden van avontuur diep in haar binnenste, en dat was anders dan het doffe gewicht van verdriet en de misselijkheid van paniek.

Ze keek Rob niet aan toen ze hem vertelde wat ze van plan was. Ze wilde hem niet, al was het maar met zijn blik, zien vragen wat dit voor zin had. Ze wilde niet dat hij zou zeggen dat ze niets van kunst wist, hoewel dat de waarheid was, of dat de schilderijen misschien niet eens meer in de National Gallery hingen. Ze wilde niet dat een ander haar eigen twijfels zou verwoorden. Die had ze op haar werk al genoeg door haar gedachten laten gaan, samen met alles wat ze zich van de brief kon herinneren, alsof ze die nog steeds in haar hand hield. Maar hij had niets van dat alles gezegd. Hij had alleen maar gevraagd wanneer ze wilde beginnen.

'Morgen. Ik heb niets anders in mijn agenda staan.' Behalve, dacht ze, bij jou zijn, zwijgend maar samen de krant lezen, en me afvragen wat je denkt, verborgen achter die ritselende, eindeloze pagina's vol letters en altijd weer hetzelfde nieuws. 'De eerste brief is uit november. Als ik nu begin, kan ik ze in dezelfde maand zien als Daisy.' Ze noemde haar nu al Daisy, alsof ze iemand was die Claire wel kende en Rob niet.

'Als je wilt, ga ik met je mee. Dat weet je toch, hè?'

Had hij eigenlijk 'Mag ik ook mee?' willen zeggen, of wilde hij alleen maar beleefd zijn? Er was een tijd geweest waarin ze allebei hadden gezegd wat ze dachten, maar dat was ervóór geweest. Voordat ze hun weg hadden moeten zoeken tussen de scherven van die kapotgevallen, onuitgesproken hoop voor de toekomst. Ze vroeg niet of hij het wilde verduidelijken.

'Dat weet ik,' was alles wat ze zei. Ze voegde er niet aan toe dat ze dit alleen wilde doen, dat ze het alleen kon doen. Dat hoefde niet.

Uit de teleurstelling die zich op zijn gezicht aftekende, bleek duidelijk dat hij de onuitgesproken woorden had gehoord.

Dat had haar hiernaartoe gevoerd, naar *Noli me tangere* en het houten bankje waarop ze zat te kijken naar een schilderij dat een half millennium oud was, vol verlangen naar iemand die haar hand zou pakken en het allemaal goed zou maken. Ze sloot haar ogen en probeerde zich voor te stellen dat Daisy naar binnen liep en het schilderij ook zou zien, maar dat lukte niet. Ze had geen idee wie Daisy was, of hoe ze eruit had gezien, en al helemaal niet wat ze had gedacht. Dat zou vanzelf wel komen als ze meer brieven las, daar was ze zeker van. Sterker nog, ze was vastbesloten het te laten gebeuren. Ze kon Oliver weliswaar niet terughalen uit die afschuwelijke duisternis die hen allebei had getroffen, maar god nog aan toe, als haar verbeelding het haar zou toestaan, zou ze deze Daisy nieuw leven inblazen.

Ze vroeg zich af wie Charles was. Hij was zelfs nog vager dan Daisy. Hij moest haar verloofde zijn geweest, aangezien Daisy er zeker van was dat ze zouden gaan trouwen. Hij vond het niet prettig dat Daisy in Londen zat, of dat was in elk geval de indruk die Claire kreeg. Misschien was het voor iemand als Daisy iets nieuws om eerst ergens te gaan werken, in plaats van meteen te trouwen, en maakte dat idee hem nerveus. Dat maakte sommige mannen nog steeds nerveus, zelfs in deze tijd. En een huwelijk kon ook hard werken zijn, dat wist Claire maar al te goed.

Ze had haar eigen ouders zien worstelen totdat haar vader er ten slotte vandoor was gegaan, op de dag voordat ze vijf zou worden, en de geur van gebak was veranderd in een brandlucht omdat haar verjaardagstaart langzaam uitdroogde en verkoolde in de oven. 'Doe niet zo gek, Claire,' had haar oudere zus Laura altijd gezegd. 'Je kunt je die ruzies niet herinneren, daar ben je veel te jong voor.' Maar Laura had het mis. Ze kon zich alles herinneren. Het geschreeuw, gevolgd door lange stiltes. De eenzaamheid die normaal was geworden. Ze had haar onwankelbare vastberadenheid om niet in hetzelfde patroon te vervallen moeten verdedigen tegenover haar moeder, die haar zodra ze haar verloving met Rob had aangekondigd zenuwachtig en herhaaldelijk had gevraagd of ze wel zeker van haar zaak was. De vastberadenheid had standgehouden, tot nu toe, tot aan Oliver, tot aan een verlies en een liefde die alles op losse schroeven hadden gezet wat haar ooit dierbaar was geweest.

Ze stond op en liep tot vlak voor het schilderij. Ze wilde in die penseelstreken een of ander geheim ontdekken, maar ze kon ze niet eens uit elkaar houden. Daarna verliet ze het museum, via de imposante ingang, en liep daarna langs de trappen naar beneden, het grijze Trafalgar Square op. Ze nam aan dat Daisy ook zo was gelopen. Zelfs nu was het hier druk, veel te veel mensen, maar ze zagen er anders uit dan de menigte die Daisy had beschreven. Nu waren het vooral toeristen, gekleed in hun eigen uniform van jeans en t-shirts en felgekleurde regenjacks die bescherming moesten bieden tegen de dreigende hemel. Ze vroeg zich af wat hen hiernaartoe had gelokt. Misschien de straatmuzikanten, of die ellendige duiven met hun kromme pootjes, of simpelweg de aantrekkingskracht van anderen die net zo waren als zij. Ze vroeg zich af of Daisy hier op de dag van de overwinning had gestaan, samen met duizenden anderen, vervuld van een uitzinnigheid die Claire zich niet kon voorstellen, die niemand zich kon voorstellen, tenzij ze een oorlog van ruim vijf jaar achter de rug hadden en een onzekere toekomst voor zich. Het moest een enorm kabaal hebben gegeven toen al die liefde en hoop, alle geweld en angst, waren veranderd in gejuich en geschreeuw. Ze zat met haar gedachten zo ver weg dat ze te laat merkte dat haar voet de rand van een pas voltooide krijttekening op het plein had beschadigd. Een gele zon, stralend boven velden in onmogelijke kleuren.

'Het spijt me,' zei ze tegen de maker, die vlakbij gehurkt zat naast een doosje met muntjes, die niet allemaal Brits waren. 'Dat was niet mijn bedoeling.'

Hij schonk geen aandacht aan haar en ze voelde die belachelijke tranen opnieuw opwellen, samen met die gedachten die daar tegenwoordig zo vaak mee gepaard gingen, gedachten over hoe eenzaam en leeg ze was, letterlijk leeg. Niemand merkte dat ze van streek was, niemand kon een troostende arm om haar heen slaan, want dit was Londen en wie zou er in vredesnaam zoiets doen? Alleen Rob, en die was er niet omdat ze tegen hem had gezegd dat ze dat niet wilde. Ze bleef weifelend staan, zonder te weten waar ze nu heen moest. Toen begon het te regenen, zodat ze gedwongen was de straattekenaar en zijn al te voor de hand liggende tekeningen achter zich te laten. Ze beende snel weg door de smalle stroompjes gekleurd krijt die zich nu een weg zochten over het plaveisel, blij dat er dadelijk niets anders meer zou zijn dan kale, door voetstappen afgesleten stenen. Om haar heen renden de kleine kinderen die zoeven nog blij hun handen in het koude water van de fonteinen hadden gestoken nu huilend door de motregen terug naar de armen van hun ouders. Claire maakte haar blik van hen los en keek omhoog, naar de rijkelijke versierde, elegante gebouwen van Westminster. Daisy moest hier ergens hebben gewerkt, ergens daar rechts waar de brede Pall Mall uitkwam op het plein. Ze vroeg zich af of ze erachter kon komen waar. Alleen al die gedachte, aan Daisy, opgeborgen tussen de vellen van de brieven, wist haar ondanks de koude bries te verwarmen.

Ze nam de bus terug naar huis en zag vanaf het bovendek de bekende bezienswaardigheden van Londen langzaam voorbijtrekken en steeds donkerder worden onder de laaghangende hemel. De bus reed schommelend over Piccadilly Circus en daarna over Regent Street en Oxford Street, waar het zaterdagse winkelende publiek, verborgen onder paraplu's die hen beschermden tegen wat nu nog maar een paar spatjes waren, sneller bewoog dan het gemotoriseerde verkeer. Ze keek op hen neer door de vette plek die het vermoeide, wanhopige hoofd van een andere passagier op de ruit had achtergelaten en zag hen als een kolkende, ziedende massa bewegen, winkel in winkel uit, in een eindeloze zoektocht naar volkomen onbelangrijke zaken. Na een tijdje werd het minder druk op straat en wist ze dat ze op weg was naar huis, in Kentish Town, op weg naar Rob die een kop thee voor haar zou zetten zonder dat ze het hoefde te vragen, net zoals ze dat vroeger voor hem had gedaan. Wanneer hij haar de kop zou aangeven, zouden hun vingers elkaar heel even raken, en ze zou zich bij elk slokje schuldig voelen omdat ze hem niet meer toestond dan dat. De ondergrondse was sneller geweest, maar ze wilde niet dat Rob zou vragen waarom ze nu al terug was. Ze wilde niet toegeven dat het uitstapje haar van streek had gemaakt. Maar misschien was dat ook niet belangrijk. Ze rechtte haar rug. Dit was per slot van rekening nog maar het begin. Er zouden nog andere schilderijen volgen. Dat moest ze niet vergeten. Ze zou het niet opgeven, nog niet. Een volgende mislukking kon ze nog niet aan.

2

De geboorte van Christus – Botticelli

Kerstmis werd dit jaar gevierd bij de familie van Rob, bij zijn ouders Priscilla en Nick, en niet bij haar moeder. Die was ergens op schildercursus, een activiteit waarmee ze de tijd kon vullen en die leuk zou moeten zijn, maar die ze tegenover Claire als een soort martelaarschap beschreef. 'Ik wil niet dat Rob en jij je verplicht voelen,' had haar moeder gezegd, zonder al te veel overtuiging, toen Claire haar wilde uitnodigen om te komen logeren. 'Je hebt nu je eigen leven. Maak je maar geen zorgen, ik ben niet eenzaam. De cursusleider zei dat er heel veel anderen van mijn leeftijd komen.' Vroeger zou Claire hebben geprobeerd haar over te halen en eindeloos veel uren hebben gestoken in argumenten waarmee ze voor eens en altijd een einde wilde maken aan haar moeders 'Weet je zeker dat ik niet in de weg zal lopen?' Nu had ze slechts de energie om zichzelf aan te sporen en zei ze simpelweg: 'Goed, hoor. Veel plezier. Bel maar als je wilt praten.' Toen ze elkaar voor het laatst hadden gesproken, had haar moeder op een kerstmarkt in München gezeten, met de rest van het kunstklasje, en had ze vrolijk gebabbeld over schaatsen op de *Platz* en warme peperkoek, maar de glühwein had haar zo emotioneel gemaakt dat ze niet had kunnen verbergen dat ze liever bij Claire had gezeten.

Soms vroeg ze zich af of haar moeder zo veel aandacht nodig had omdat haar vader haar had verlaten, of dat dit juist de reden voor zijn vertrek was geweest. Hij had altijd een liefdevolle, hartelijke indruk gemaakt, in elk geval op zijn dochters, al had ze in de loop der jaren begrepen dat hij guller was met cadeaus dan met zijn tijd. Maar had hij ooit genoeg tijd kunnen hebben? Het had niet al te lang geduurd voordat hij een tweede vrouw kreeg, die een hekel had aan de eerste, plus drie kinderen na de enige twee die hij ooit echt had gewild. Claire en haar zus werden verbannen naar de zijlijn van zijn leven, niet meer dan voetnoten, en ze hadden er nooit iets aan kunnen veranderen.

De avond voor hun vertrek had Claire meteen geweten dat ze geen oog dicht zou doen. Dat voelde ze zodra ze het dekbed over zich heen trok en de onmiskenbare greep van paniek voelde. Ze merkte dat ze de eindeloze uren lag te tellen, luisterend naar Robs regelmatige ademhaling, wachtend totdat hij zou bewegen, wensend dat hij zou voelen hoe onrustig ze was en daarop zou reageren. Ten slotte kon ze het niet langer verdragen en porde ze hem wakker, aanvankelijk voorzichtig en daarna met meer kracht, totdat hij naar haar toe rolde en haar in zijn armen nam. De spanning vloeide meteen uit haar weg, en ze wist dat hij haar nog altijd kon kalmeren, in het holst van de nacht, wanneer niets anders hun samenzijn kon verstoren en ze zichzelf kon laten vergeten wat er was gebeurd op die vreselijke avond dat Oliver haar was ontglipt.

'Ik heb geen zin om te gaan,' fluisterde ze, zachtjes, omdat ze niet zeker wist of hij wakker was. 'Ik wil hier blijven, met jou.'

Ze zei tegen zichzelf dat ze hem alles zou vergeven als hij nu zou zeggen 'Als jij dat wilt, dan doen we dat', maar alleen omdat ze wist dat hij niet voor deze proef zou slagen. Nu voelde ze zijn armen dichter om haar heen en hield ze hem op haar beurt steviger vast. Zijn eigen fluistering volgde, loom van de slaap.

Ze moest haar best doen om hem te kunnen verstaan.

'Doe niet zo mal, lieverd. Het is kerst. We kunnen niet zomaar afzeggen. Mijn ouders rekenen op ons, we moeten gaan. Ik dacht dat we het erover eens waren dat we zouden gaan. Ik dacht dat je het niet erg vond.'

'Dat vind ik wel,' zei ze, met een stem die haperde.

'Waarom heb je dan niet eerder iets gezegd?' Hij sprak nu op luidere toon, waardoor ze wist dat hij echt wakker was. Ze voelde dat hij haar in het donker losliet om op de wekker te kunnen kijken. Twee uur. Drie uur. Vier uur. Het moest ergens rond die tijd zijn, te laat of te vroeg.

'Omdat ik niet wil dat jouw moeder zegt dat ik je dwing voor mij te kiezen in plaats van voor haar. Ik wilde niet dat je me onredelijk zou noemen.'

Er viel een stilte, en ze voelde dat hij zich terugtrok. 'Het spijt me,' zei ze. 'Ik kan er niets aan doen. Het spijt me. Ik ben gewoon bang dat ze niet weten wat ze moeten zeggen, of dat ze juist ongevoelig zijn, of overdreven aardig. Ze zullen allemaal vragen wanneer we het weer gaan proberen, en ook al zeggen ze dat niet, dan denken ze het wel. Het is gewoon het idee dat ik daarnaar moet luisteren terwijl ik...'

Het liefste heel erg hard wil schreeuwen en wil zeggen: waarom bewaren jullie je medelijden niet voor Rob? Vraag eens aan hem wat er is gebeurd, en hoe het voelde toen hij me opraapte en vroeg: heb je pijn, Claire, heb je pijn? Laat hem zijn verhaal eens vertellen. Maar dat kunnen jullie hem niet vragen, want hij was er niet. Waarom niet? Je had toch met hem afgesproken? Ja. Ja, dat had ik. Heeft hij dat niet verteld? Ik zat op hem te wachten, zoals we hadden afgesproken. Hij stuurde me een sms'je om te zeggen dat hij iets later kwam. Hij was nog even iets gaan drinken met een klant, maar hij zou zo komen. Dus ik bleef staan waar ik stond, buiten in de kou, en voelde dat mijn baby, Oliver, schopjes gaf, en ik dacht dat Rob wel in de volgende metrotrein zou zitten, of in elk geval in die daarna, en dat hij elk moment de hoek om kon komen. Maar dat was niet zo, en uiteindelijk had ik genoeg van het wachten en draaide ik me om en wilde weglopen. Op dat moment werd ik door straatrovers omvergeduwd. Ze gristen mijn tas weg en lieten me liggen op straat, met mijn gezicht naar beneden. Toen piepte mijn mobieltje, dat in de zak van mijn jas zat, vanwege het berichtje dat de borrel een etentje was geworden en hij me later wel zou bellen. Hij had zijn mobieltje uitgezet. De klant was te belangrijk. En ik lag daar op de grond en hoopte hevig dat een paar geschaafde knieën het ergste waren wat ik hieraan had overgehouden, maar ik kon mijn handen niet van mijn buik wegtrekken. Het gaat wel, het gaat wel, zei ik tegen onbekenden die me overeind hielpen. Ik moest wachten op de politie en had het koud, ondanks de jas van een andere vreemde rond mijn schouders. Het politiebureau. En toen het ziekenhuis. De scan die niets liet zien. Het stilgevallen hart van Oliver, nog steeds in mijn lichaam. Genoeg melk in mijn borsten, maar geen baby die ik kon aanleggen. Is dat geen mooi kerstverhaal? Vragen jullie je nu nog af waarom ik kwaad ben? Waarom ik liever hem de schuld geef dan mezelf?

Rob had de lamp op het nachtkastje aangedaan en ze hield haar hand voor haar ogen tegen het felle licht. Met dat plotselinge scherpe licht was ook de haat teruggekeerd, en toen ze begon te huilen, zat er woede achter de tranen, geen verdriet. Rob sloeg zijn armen om haar heen, maar nu was zij degene die zich los probeerde te wurmen en naar de rand van het bed schoof. Hij wilde haar niet laten gaan en begon haar zachtjes te strelen, liet zijn handen langs haar zijden op en neer gaan, net als vroeger. Toen hij zijn hand op de ronding van haar buik wilde leggen, waar Oliver had moeten zijn, hikkend en heen en weer bewegend en wachtend op zijn geboorte, gooide ze de dekens van zich af en liep de slaapkamer uit, hem alleen achterlatend, bleek van de slaap, gefrustreerd achterovervallend. Ze ging op een van de houten stoelen aan de tafel in de woonkamer zitten en weigerde koppig de meer gerieflijke bank op te zoeken. Voor haar stond het zilveren lijstje met de zwart-witfoto en de twee glimlachende gezichten. Waarom waren ze zo gelukkig geweest, vroeg ze zich af, en waarom kan ik me niet zo voelen? Naast de foto lag Daisy's tweede brief. Ze had hem al zo vaak gelezen dat ze wist wat erin stond, maar ze pakte hem opnieuw, wreef de vermoeidheid uit haar ogen en wist dat ze, door hem nogmaals te lezen, een andere plek kon bereiken dan deze woning, dit leven, deze pijn zonder einde.

december 1942

Lieve Elizabeth,
Er is ons (wederom!) verteld dat we dit jaar geen kerstkaarten mogen sturen, dus je zult het met deze brief moeten doen – en geloof me, het is vandaag de dag al moeilijk genoeg om aan dit vreselijke papier te komen. Laatst klopte er een hele kudde vrijwilligsters bij me aan met de vraag of ik nog oude boeken had voor het goede doel. Het is zo'n vreselijk idee dat Hitler in Duitsland de boeken verbrandt en dat wij er hier pulp van maken. Ik wil me niet al te schuldig voelen omdat ik je schrijf; ik schrijf gewoon heel klein, en het is al erg genoeg dat ik dat moet doen.
Weet je nog, die goede oude Kerstmissen van vroeger, toen iedereen in zijn mooiste kleren fatsoenlijk ingepakte cadeautjes kwam brengen en een paar glaasjes sherry bleef drinken, terwijl de kerkklokken luidden? Nou, zo is het niet meer, en dat er geen klokken meer zijn, is wel het minst erge. Het is donker en stervenskoud en je kunt zelfs niet meer de ingrediënten voor een *mince pie* krijgen. Er ligt bijna niets meer in de winkels, maar toch is het een drukte van jewelste in Oxford Street. Volwassen kerels gaan op de vuist voor piepkleine en veel te dure popjes. Is het niet vreselijk dat een vader niet eens voor zijn

dochtertje een cadeautje kan kopen dat een mooie herinnering kan worden als het verkeerd met hem afloopt? Het enige speelgoed dat er wel in overvloed is, bestaat uit vreselijke dingen als tanks en vliegtuigjes – er zijn zelfs uniformen in kindermaten! Dat is het enige wat ze nog spelen, oorlogje. Ik kan het ze niet kwalijk nemen. Sommige mensen doen echt hun best en proberen de boel te versieren – slingers rond het luchtafweergeschut en dat soort dingen – maar je zult het wel met me eens zijn, dat is niet hetzelfde. Slingers op wapens, nu vraag ik je! Kerstbomen met zulke korte stammetjes dat ze in de schuilkelders passen. Waar gaat dat heen?

De National Gallery dacht ongetwijfeld dat we behoefte hadden aan iets feestelijks, want het schilderij van deze maand is *De geboorte van Christus*. Van Botticelli. Het is eerlijk gezegd een wonderlijk schilderij, maar het heeft iets lichts waardoor ik me minder somber voelde. Het is om te beginnen erg vol. Dat was het eerste wat me opviel. Het wemelt van de engelen, er zitten er alleen al drie op het dak van de stal, en ook nog aan de zijkant en boven het dak. Ze hebben allemaal olijftakken in hun handen, als teken van vrede – niet dat er snel vrede zal komen. Ze dragen roze, gele en groene gewaden en dat maakt het allemaal nogal opzichtig. Wat een vreemd idee, hè, dat Botticelli al die eeuwen geleden waarschijnlijk gemakkelijker aan gele verf kon komen dan een kunstenaar van nu. Aan alles is gebrek, de mensen praten over niets anders. En niet alleen over het tekort aan papier. Er is een tekort aan alles. Het is allemaal vreselijk vermoeiend.

Naast de engelen zijn ook de herders en de drie wijzen aanwezig, en de bekende dieren uit de stal. Vooral de ezel is erg goed gelukt, en ik moest lachen toen ik de os zag. De ezel staat zo ongeveer in de kribbe om te kunnen zien wat de reden voor al die opschudding is, maar het lijkt de os allemaal koud te laten. Die staat gewoon wat te herkauwen, met een tamelijk verveelde uitdrukking op zijn gezicht. Je moet heel wat doen om indruk te maken op een rund, hè?

Al dat gedoe vanwege een klein wurm dat de eerste paar weken nog niet eens zal kunnen glimlachen! Het is natuurlijk te verwachten dat Maria er erg blij mee is, ze is per slot van rekening de moeder. Ze zit het kind dan ook aan te kijken met hetzelfde bewonderende gezicht dat jij moet hebben getrokken toen je Nicky voor het eerst zag, al denk ik niet dat jij er biddend bij zat. Maar al die anderen! Zo gaat dat nu eenmaal met baby's, nietwaar, als ze er eenmaal zijn, draait de hele wereld om hen en heeft iedereen het er maar druk mee. Iedere pasgeborene wordt als een god in wording behandeld, en ik ben bang dat ik niet goed begrijp waarom. Eerlijk gezegd heb ik nogal met Maria te doen. Denk je dat ze beseft hoezeer haar leven zal veranderen? Wat een vreselijk vooruitzicht. Ik durf te wedden dat je nu zit te grinniken, Elizabeth, en tegen jezelf zegt dat ik op een dag wel beter zal weten, maar ik weet eerlijk gezegd niet of dat wel zo is. Ik ben bang dat ik te veel van onze oude vriendinnen heb zien verdwijnen toen er eenmaal kindertjes kwamen.

Denk nu niet dat ik niet weet waar ik over praat. Ik weet er alles van, geloof me. Maria ziet er bijvoorbeeld helemaal niet uit als een vrouw die net een kind heeft gebaard. Ze is veel te kalm. Ik mis het zweet en de tranen, en het bloed. Een dag nadat mevrouw Jones van boven haar derde zoon had gekregen, ben ik bij haar op kraambezoek gegaan, en echt, ze zag er vreselijk uit, en sindsdien is het niet veel beter geworden. Als ik heel erg moe ben, denk ik soms even aan haar en troost ik me met de gedachte dat het veel erger had kunnen zijn. En wat betreft de rest van het schilderij: waar is de luieremmer? Jezus ligt nota bene op een wit laken, ik ken geen moeder die zo gek zou zijn. De baby is ook veel te schoon, zeker als je bedenkt dat ze in een stal zitten, al lijkt die stal eerder op een grot, als je hem wat beter bekijkt. Op zo'n plek kun je een baby nog geen vijf minuten stralend schoon houden, maar toch ziet Jezus eruit alsof hij net uit zijn badje komt. Waar zijn de tranen, waar is de snotneus? Dat zou ik wel eens willen weten.

De arme Jozef lijkt uitgeput te zijn door al het gedoe, en dat kan ik hem niet kwalijk nemen. Hij zit voorovergebogen op de grond, met zijn handen rond zijn hoofd, en doet alsof het einde van de wereld nabij is. Hij lijkt wel een oude man in plaats van een kersverse vader. In de lucht boven de stal zie je goud. Ik denk dat het de hemel moet voorstellen, maar toen ik dat zag, kon ik alleen maar denken: is dat echt? Dat zou best kunnen, toch? Het zou bladgoud kunnen zijn. Ik heb het aan een van de suppoosten gevraagd, maar hij had geen idee. Er staan voortdurend twee suppoosten bij, voor het geval er opeens een luchtaanval is. Als dat zo is, moeten ze meteen het schilderij pakken en er zo snel mogelijk mee naar de schuilkelder rennen. Ik vraag me af of het publiek (oftewel ik) het eerst naar binnen mag of dat we moeten wachten. Ik denk dat we moeten wachten. Maar ze moeten natuurlijk voorzichtig zijn met onze nationale kunstschatten, en het museum is vaak genoeg geraakt om zo'n dreiging serieus te nemen.

Helemaal onder aan het schilderij zie je allemaal kleine wezentjes door de modder kruipen en in gaten in de grond vallen. Ze zien eruit als groteske, harige monstertjes. Sommige hebben vleugels met schubben of hanenpoten, of kleine hoorntjes, net geiten. Ik had geen idee wat die lelijke beestjes moesten voorstellen en vatte al mijn moed en vroeg aan de man naast me of hij het wellicht wist. Hij was een van die mensen aan wie je meteen ziet dat ze er verstand van hebben, of die in elk geval de indruk wekken dat ze dat hebben. Misschien kwam het door de snit van zijn pak, of de manier waarop hij stond.

Voornaam, zo zag hij eruit. Hij vertelde me dat het duivels waren, die door de engelen waren verdreven, en dat leek me een heel geloofwaardige verklaring. Toen vroeg hij of ik het een mooi schilderij vond, en ik zei van wel, zeker vanwege de os (!), en toen moest hij lachen en zei hij dat hij dat prettig vond om te horen, want hij had geholpen het uit te kiezen. Op dat moment had ik natuurlijk geen flauw idee wie hij was, maar die avond zag ik een foto van hem in de krant staan en besefte ik dat hij sir Kenneth Clark was. De directeur van de National Gallery, voor het geval je dat nog niet wist. Nou, je kunt je wel voorstellen hoe spannend ik het vond dat ik met hem had gesproken. Hij vond mijn vraag vast erg onnozel.

Charles was mee naar het museum, dat was aardig van hem, al bleef hij vooral achter in de zaal staan. Hij had vrij onverwacht vierentwintig uur verlof gekregen en besloot die te gebruiken om mij op te zoeken, ook al moest hij daarvoor een verschrikkelijke reis naar Londen maken. Maar ja, reizen is tegenwoordig altijd een verschrikking. Ik weet niet of hij het schilderij mooi vond, maar we hadden in elk geval iets om over te praten, en ik denk dat hij daar net zo blij mee was als ik. Het is erg moeilijk, nu ik hem zo weinig zie. Tegen de tijd dat ik eraan gewend ben dat hij er is, moet hij alweer weg. Ik mis hem wel, even, maar al snel is het weer net als voor zijn bezoek. Ik in mijn uppie. Soms vraag ik me af of het niet simpeler is als ik hem helemaal niet meer zie en dat hele gedoe van verliefd zijn uitstel totdat die hele oorlog voorbij is. Het spijt me, Elizabeth, je vindt me vast vreselijk egoïstisch nu jij en

Nicky er alleen voor staan, en ook nog eens in een vreemd land! Ik hoop maar dat ze daar aardig voor jullie zijn.

Nadat we *De geboorte van Christus* hadden bekeken, begon Charles over trouwen en een gezinnetje stichten. Echt, de moed zonk me in de schoenen. Arme Charles. Hij heeft veel te veel tijd om over dat soort dingen na te denken, dat is het hele probleem. Eerst zei ik tegen hem dat we zeker nog een jaar moeten wachten voordat we gaan trouwen, en toen flapte ik eruit dat ik niet eens weet of ik wel meteen aan kinderen wil beginnen. Ik ben bang dat zulke dingen bij hem niet zo goed vallen. Het was niet de eerste keer dat we een dergelijke discussie hadden (of moet ik nu eerlijk zijn en het gewoon een ouderwetse ruzie noemen?). Hij snapt niet dat ik daarmee niet wil zeggen dat ik hem niet wil; het betekent gewoon dat ik nog niet aan zo'n leven toe ben. Snap jij het wel? Ik weet het niet, maar als je nog steeds hier zou wonen en Bill niet had leren kennen, zou je denk ik wel begrijpen wat ik bedoel.

Maar goed, volgens mij is het allemaal aan Botticelli te wijten. Na één blik op die stal wist ik al dat het niets voor mij is, in elk geval nog niet nu. Het lijkt me een doodeng idee om een baby in je armen te houden, en dat denk ik niet alleen omdat ik mevrouw Jones in het kraambed heb gezien. Het komt omdat alles nu anders is, en dat vind ik prettig. Ik werk, net als al die andere vrouwen. We zitten niet thuis met de kinderen, maar houden het land draaiende, of zo voelt het in elk geval. Ik zie meisjes van mijn leeftijd, en jonger – en ook veel ouder – tegenwoordig van alles doen. Ze knippen kaartjes in de bus, lopen met brancards, rijden met mobiele keukens in het rond, werken bij de spoorwegen, alles. Ik heb het gevoel dat ik er deel van ben, al zit ik alleen maar achter de schrijfmachine. Ik heb mijn eigen leven, en dat is doorgaans een fijn leven. Dat wil ik nog niet opgeven, niet voor een kind dat maandenlang niets anders doet dan dag en nacht huilen, en ook niet voor een eindeloze hoeveelheid wasgoed en een man die altijd maar op oefening is. Dat kan Charles vergeten, en dat heb ik hem ook gezegd.

Charles zei dat ik vóór de oorlog nooit dat soort dingen zei, en dat is ook zo. Hij zegt dat we, als Hitler er niet was geweest, nu al getrouwd waren geweest. Daar heeft hij gelijk in. Dan waren we nu man en vrouw, en dan had ik niets te doen. Ik zal eerlijk zijn, er was een tijd dat ik niets liever wilde dan een fatsoenlijke vent, een mooi huis met een tuin en genoeg geld om een gezin met een of twee kinderen te onderhouden en ze net zo'n opvoeding te geven als wij hebben gehad – maar op een bepaald moment ben ik veranderd, en dat is Charles niet ontgaan. Charles is niet de enige die vindt dat ik een nestje moet bouwen. Toen ik pa vorige week sprak, was hij behoorlijk streng tegen me. Hij denkt dat ik in Londen uit de band spring en dat ik met tweeëntwintig al niet meer aan de man kan komen. Tegelijkertijd ziet hij me nog steeds als een klein meisje met een gesmokt jurkje en rode lintjes in haar vlechten. Arme pa. Hij heeft nooit echt geweten wat hij met me moet beginnen, in elk geval niet sinds de dood van mama. En arme Charles. Ik heb met hem te doen, echt waar, en dat moet niet. Niets is erger dan medelijden hebben met een man. Bij elk bezoek aan Londen merk je dat het hem te veel is. Hij kent de weg niet, hij weet niet waar hij me mee naartoe kan nemen. Hij is er niet aan gewend, niet zoals ik. Daar kan hij niets aan doen, maar is het niet onvoorstelbaar dat ik hier maandenlang elke nacht weer de bommen naar beneden hoorde komen en wist dat er een kans was dat ik de volgende ochtend niet zou halen, terwijl hij veilig ingekwartierd zat met drie maaltijden per dag en geen enkele reden om wakker te liggen? Ik heb meer van deze oorlog gezien dan hij, dat is gewoon zo, en daar schaamt hij zich voor.

Ik vond het niet fijn om hem gedag te zeggen nadat we zo'n ruzie hadden gemaakt. Dat voelt niet goed, niet als hij alleen maar iemand wil die hem lachend uitzwaait op het station, maar zo gaat dat tegenwoordig, nu een of twee dagen verlof het beste is waarop een man kan hopen. Wie heeft er nog tijd om het bij te leggen en goed te maken? Hij is nu weer weg, en ik weet niet wanneer ik hem weer zal zien. Ik word er een beetje somber van, dus schrijf alsjeblieft terug als je kunt, met vrolijk nieuws. In de tussentijd hoop ik met heel mijn hart dat je een fijnere kerst zult hebben dan wij hier.

Veel liefs,
Daisy

'Robert! Wat heerlijk dat je er bent!' Zodra Rob het portier van de taxi had geopend, nog voordat hij Claire kon helpen uit te stappen, kwam Priscilla al in haar rubberlaarzen vanaf de zijkant van het huis aangelopen om hen te begroeten – of beter gezegd, dacht Claire, om hém te begroeten.

'Hoe was de reis? Geen vertragingen, hoop ik.' Ze trok hem in haar armen en kuste hem vastberaden op zijn wang. Haar eigen wangen waren rood van de kou en haar lippen waren schilferig. Ze moest buiten hebben staan wachten totdat ze een auto hoorde, wachtend op Rob en de tijd dodend met wat een mens in de winter aan werk in de tuin kon doen.

'Het ging allemaal voorspoedig. Wat fijn je weer te zien, mam!' Hij had zijn arm al om haar heen geslagen, en ze liepen samen de oprit op van het elegante boerenhuis in Hertfordshire waar hij sinds zijn zesde had gewoond en dat al generaties lang geen echte boerderij meer was. Ze waren onmiddellijk moeder en zoon, opnieuw verenigd, nauw verbonden door die onvergelijkbare en uitzonderlijke band die Claire zo wreed was ontnomen. Ze bleef samen met de tassen achter, vergeten op het grind.

'Dat is dan achttien pond, mop,' zei de chauffeur, ongeduldig, en ze besefte dat dit de tweede keer was dat hij haar om het bedrag vroeg.

'Sorry,' antwoordde ze. Ze sloeg haar blik neer en zocht in haar portemonnee naar een briefje van twintig waarvan ze zeker wist dat het er moest zijn maar dat nu opeens was verdwenen.

'Laat mij maar.' Ze keek opgelucht op toen ze de stem van Nick hoorde. Hij bezat nog altijd een zweem van het accent waarmee hij was opgegroeid en dat Rob nooit had gehad. Het maakte hem tot een Canadees, ook na twintig jaar Hertfordshire en een Brits paspoort.

'Dat hoeft niet.' Ze stond nog steeds in haar tas te rommelen, maar toen keek ze op en staakte haar poging zodra ze de lach op zijn gezicht zag. 'Oké. Dank je, Nick. Dat is erg aardig van je.'

'Ik doe het graag. Je bent immers mijn favoriete schoondochter.'

'Je hebt er maar een!'

'Inderdaad, en die is mijn favoriet. Goed, kom mee naar binnen, dan schenk ik een gin-tonic in. Ik denk dat je daar wel aan toe bent.'

Ze merkte dat ze teruglachte, aarzelend, en dacht dat er misschien een kans zou zijn om meer over Daisy te weten te komen. Daisy en Elizabeth waren nichtjes geweest; dat had de advocaat in zijn brief geschreven. Nick wist vast alles over haar. Dit bezoek hoefde geen tijdverspilling te zijn.

Iets dergelijks zei ze later die avond ook tegen Rob, toen ze lagen te rillen onder het ijskoude beddengoed en wachtten totdat de elektrische deken hen zou opwarmen – wat niet gebeurde.

In dit huis had ze het nooit warm, zelfs niet als het hoogzomer was. Het had iets kils, van zichzelf, dat zich in haar botten nestelde zodra de voordeur achter hen dichtviel. Ze wilde Rob vast op de kast krijgen, dat moest wel, want anders zou ze dat soort dingen niet zeggen. Anders zou ze simpelweg 'welterusten' hebben gemompeld en daarna hebben geprobeerd de kou te verdrijven door in slaap te vallen.

'Waarom vind je het wel tijdverspilling als we bij mijn familie op bezoek gaan en is het anders als het de jouwe is?' zei hij.

'Omdat jouw familie niets om me geeft. Waarom zouden ze ook? Mijn familie vindt jou in elk geval nog aardig. Bovendien sleep ik je er niet voortdurend heen. Ik kom er zelf bijna nooit, maar jij probeert me wel altijd hiernaartoe te krijgen.'

'Het is een prachtig huis. Jij bent degene die altijd zegt dat je weg wilt uit Londen en van het platteland wilt genieten, en hier zijn we dan. Je bent mijn vrouw, Claire, weet je nog? Dat maakt je deel van mijn familie. Je zou je hier thuis moeten voelen.'

'Nee, Rob, ik ben hier gewoon te gast. En misschien wil ik me niet thuis voelen.'

Er viel een korte stilte. Ze wist wat er nu zou komen, en hij stelde haar niet teleur. 'Als dit over mijn moeder gaat, dan wil ik graag dat je haar nog een kans geeft. Er is vast genoeg waarover jullie met elkaar kunnen praten, maar je moet er wel moeite voor willen doen.'

'Hoezo? Dat doet zij ook niet.' Al wist ze dat dit strikt genomen niet helemaal waar was. Toen Priscilla had gehoord dat Claire in verwachting was, had ze echt moeite gedaan om te ontdekken wat ze met elkaar gemeen hadden, en Claire had gemerkt dat ze ervoor open had gestaan, dankbaar dat ze niet langer werd gezien als een vrouw die een zoon had afgepakt, maar als een vrouw die voor een kleinkind zou zorgen. Al was dat nu natuurlijk allemaal voorbij.

Ze begonnen bijna zonder inspanning ruzie te maken. Het

was een van die ruzies die ze al honderden keren eerder moesten hebben gehad, en ze kenden allebei het patroon. De woorden rolden moeiteloos over hun lippen, alsof ze het over het weer hadden. Het was niet meer dan een afleiding van de zwaardere onderwerpen waarover ze eigenlijk hadden moeten bekvechten, maar die waren gemakkelijk te negeren. Rob maakte er op de simpelste manier een einde aan: door zich om te draaien en van haar weg te rollen, zodat er een koude vlaag tocht midden op het bed neerdaalde. Claire ging op haar rug liggen. Wat een tijdverspilling was het toch. Ze merkte dat ze aan Daisy moest denken, die zichzelf niet had kunnen tegenhouden en tegen die onbekende Charles had gezegd dat ze niet wilde trouwen, nog niet, en nog geen kinderen wilde. Wat had ze daarmee willen bereiken? Charles moest zich, net als Rob, beledigd en afgewezen hebben gevoeld. Maar Claire wist dat het soms onmogelijk was zelfs de pijnlijkste dingen voor je te houden; soms moest het er gewoon uit en besefte je pas later dat een stilte, hoe ongemakkelijk ook, beter was geweest. Ze voelde een vlaagje van medelijden en begrip voor Daisy, en dat gevoel hielp haar in slaap te vallen.

Ze had de National Gallery voor de tweede keer bezocht op de woensdag voor kerst, toen het museum tot 's avonds open was. Ze was vroeg van kantoor vertrokken, zoals de meeste collega's in deze tijd van het jaar deden, maar Rob zat nog steeds op zijn werk, en ze wist dat hij thuis zou komen met de problemen van die dag afgetekend op zijn gezicht, of anders wel de problemen van later die avond. Ze klaagde niet langer over zijn afwezigheid. Ze wist dat die hun allebei wel beviel.

Het verbaasde haar niet dat het museum vrijwel verlaten was. De meeste mensen wilden op de valreep nog wat cadeaus kopen, in die laatste fase van grijpen en kopen die zo kenmerkend was voor deze tijd van het jaar. Daar had je meer aan dan naar een stelletje oude schilderijen kijken, dachten ze waarschijnlijk.

Ze was via Convent Garden naar het museum gelopen, en alle winkels rond het plein hadden stuk voor stuk omzet gedraaid, zelfs die waar je doorgaans geen klanten zag. Telkens wanneer er een deur openging, golfden vlagen hitte en ingeblikte kerstliedjes naar buiten, gevolgd door massa's mensen met tassen, sjaals en steeds leger wordende portemonnees. Het leek zo bespottelijk, vond Claire toen ze door de ruiten naar binnen keek en al die bankbiljetten en munten, vooral bankbiljetten, van hand tot hand zag gaan – maar het leek de meeste mensen erg gelukkig te maken, in elk geval totdat ze thuis waren en de optelsom maakten en zich afvroegen voor wie ze dit allemaal hadden gekocht. Er was niets mis met je gelukkig voelen, dat had Claire ook nooit gedacht, al was ze er zelf niet meer toe in staat. Ze kocht in een opwelling een plastic bekertje met glühwein van een man achter een houten karretje en liep toen doelbewust verder, de drommen mensen achterlatend rond de felverlichte kerstversiering, even dwaas als motten.

Verderop werden de straten stiller, en somberder. Ze huiverde onder haar jas, hoewel het een dikke jas was en ze ook nog een muts en een sjaal droeg, en ze bleef het bekertje vasthouden zodat ze haar vingers kon warmen. Ze nam af en toe voorzichtig een klein slokje omdat ze niet wilde dat het kleverige rode drankje langs de zijkant van het bekertje zou lopen. In de tijd van Daisy was het ongetwijfeld veel donkerder geweest dan nu, en het moest haar vanwege de verduistering de grootste moeite hebben gekost om de weg naar huis te vinden, zonder het licht van straatlantaarns en etalages, misschien alleen geholpen door het zwakke schijnsel van een zaklantaarn met een doek eromheen gewikkeld. Zelfs in de steegjes waar de lantaarns niet zo fel brandden, kon Claire zich amper voorstellen hoe het moest hebben gevoeld om bijna geen hand voor ogen te kunnen zien en omringd te zijn door een duisternis die misschien alleen werd verbroken door wat gefluit of voetstappen, of de arm van een vreemde die langs Daisy's jas streek en haar meer moest hebben laten schrikken dan de sirenes van het luchtalarm. Claire had zelden een dergelijke duisternis meegemaakt, behalve misschien tijdens bewolkte avonden op het platteland. Bij die gelegenheden had ze de duisternis ervaren als een zwaar, verstikkend gewicht dat niets aantrekkelijks had. In de winter, wanneer Daisy zich in de drukte mengde om voor donker thuis te kunnen zijn, moesten de dagen erg kort hebben geleken, en de avonden erna moesten een eeuwigheid hebben geduurd. Ze vroeg zich af of Daisy dat jaar wel cadeautjes had gekregen. Ze hoopte maar van wel. Charles zou toch wel iets hebben verzonnen? Zo'n type leek hij haar wel, betrouwbaar; misschien iets te betrouwbaar voor Daisy.

Ze liep vlug de treden bij de ingang op, voortgedreven door de snelle windvlagen die zo hard aan de kerstboom op Trafalgar Square rukten dat de lampjes rammelden. Eenmaal binnen merkte ze dat haar lichaam godzijdank meteen op de warmte reageerde en begon te ontspannen, en ze probeerde dat aangename gevoel zo lang mogelijk vast te houden. De vrouw bij de informatiebalie vertelde haar waar *De geboorte van Christus* hing en gaf haar een plattegrond mee die ze zorgvuldig bekeek, met haar hoofd gebogen, zodat ze geen oogcontact hoefde te maken met de suppoosten. Toch voelde ze dat ze naar haar keken toen ze alleen door al die verlaten zalen liep en dat ze zich afvroegen waarom ze hier was, en niet in Selfridges of John Lewis of thuis bij haar man kerstkaarten zat te schrijven of cadeautjes inpakte. Het elektrische licht had een warme, oranje gloed, maar toen ze onder de glazen koepel door liep, voelde ze dat de duisternis van boven naar binnen probeerde te kruipen en zich om haar heen wilde wikkelen. Ze schudde het gevoel van zich af en liep verder.

Ze was verbaasd dat de schilderijen die Daisy hier meer dan een halve eeuw geleden had gezien nog steeds in de National Gallery hingen. Daar was *De geboorte van Christus*, precies zoals Daisy het doek had beschreven, met Maria, Jozef en Jezus in het midden, aan alle kanten omringd door engelen. Ze zag meteen iets wat Daisy niet had gezien, of in elk geval niet in haar brief had genoemd, en dat was dat de drie belangrijkste figuren veel te groot waren in verhouding tot de rest. Waarschijnlijk had de schilder dit gedaan om aan te geven hoe belangrijk ze waren, want het ging hier immers om het gezin van God op aarde. Ze vond het fijn dat het haar was opgevallen en hoopte dat ze het bij het rechte eind had.

Maria was natuurlijk beeldschoon – dat kon ook niet anders – in haar roze gewaad en haar blauwe mantel met kap; kleuren die terugkwamen in de punten van de vleugels van de engelen die over het doek zweefden, een kring aan de hemel vormden en haar van alle kanten omringden. Ze deed Claire qua gezichtsvorm en haarkleur denken aan de vrouw op een ander doek van Botticelli dat ze jaren geleden tijdens het interrailen door Europa in de Galleria degli Uffizi in Florence had gezien.

Aanvankelijk had ze het vreselijk gevonden dat dat museum niet gratis was, zoals de musea thuis, maar dat veranderde zodra ze, met talloze andere bezoekers, oog in oog stond met *De geboorte van Venus*, die natuurlijke en tegelijkertijd bescheiden naakte vrouw die sierlijk op de rand van een schelp stond en langzaam over de golven naar de kust dreef. Ze was zelfs zo onder de indruk dat ze, net als talloze andere bezoekers, bereid was nogmaals in de buidel te tasten voor een reproductie uit de museumwinkel, een poster die ze de volgende dag per ongeluk liet liggen in het bagagerek van de stoptrein naar Rome.

En daar was Jozef, in een blauw gewaad en een gele mantel, zijn hoofd zo kaal als dat van een monnik, omkranst met een randje grijs krulhaar. Daisy had geschreven dat hij er uitgeput uitzag. Zelf vroeg ze zich, nu ze iets beter keek, af of hij niet simpelweg wanhopig was omdat dit kind, dat niet eens van hem was en eindelijk ter wereld was gekomen, ook nog eens moest worden opgevoed. Maar nee, dat kon niet, niet in de tijd van Botticelli. Zo zou niemand ertegenaan hebben gekeken. Nu was het anders. Nu bestond de maatschappij uit gebroken gezinnen, die je geacht werd 'samengesteld' te noemen, en deelden ouders de voogdij in een wereld waarin het bijna normaal was geworden om een kind op te voeden dat, al deed je nog zo je best om te doen alsof, niet echt van jou was.

Misschien was Jozefs wanhoop simpelweg het gevolg van wat zo duidelijk in Maria's ogen te lezen was: dat haar leven van nu af aan niet langer om hem zou draaien, maar vooral – of uitsluitend – om de baby, en daarna om de jongen, en daarna om de man die hij zou worden, terwijl de vader was veroordeeld tot een rol op de achtergrond, waar hij in stilte oud kon worden. Claire had dat vaak genoeg zien gebeuren, want iedere vrouw die ze kende leek niet alleen een kind te krijgen, maar ook zichzelf te verliezen. Het stel dat zo verliefd was geweest en er niet aan had getwijfeld dat een kind de bekroning van hun liefde zou zijn, ontdekte plotseling dat ze helemaal geen stel meer waren en in een vader en een moeder waren veranderd, met ergens tussen hen in altijd weer dat vreemde ding dat hen met elkaar leek te verbinden en tegelijkertijd uit elkaar wist te houden. De echtgenoot werd al snel als een tweede kind behandeld, dat vooral in de weg liep en alleen zijn nut kon bewijzen als er een tweede stel handen nodig was, en het duurde nooit lang voordat de man zich liever terugtrok dan telkens te moeten aanhoren dat hij het verkeerd deed, al bleef hij wanhopige pogingen doen om de vonk aan te wakkeren die er ooit was geweest en die zijn vrouw alleen wilde zien wanneer ze het tijd vond voor een tweede kind.

Zou Rob dat ook zijn overkomen? Tijdens haar zwangerschap had ze gezworen dat zij het anders zou aanpakken en nooit tegen hem zou zeggen dat hij het verkeerd deed omdat hij het toevallig anders deed dan zij. Maar god mag weten hoe ze dat had moeten voorkomen. Dat was andere vrouwen ook niet gelukt. De hele week werken en dan op vrijdag snel naar huis, zodat er nog net tijd was om de baby voor het slapengaan voor te lezen, en in het weekend rondjes lopen door het park, steevast onder het waakzaam oog en de strikte aanwijzingen van een vrouw. Dat moet je zo niet doen. Wees voorzichtig. Ondersteun zijn hoofdje. Verschoon zijn luier. Til hem op. Leg hem neer. Laat hem slapen. Maak hem wakker. Doe niet zo ruw. Ze had het allemaal al vaker gezien en gehoord. Misschien had Jozef al meteen begrepen hoe het zat en geweten dat het voor hem het beste zou zijn als hij alles vanaf de zijlijn zou gadeslaan.

En toch, toen ze echt goed naar het kindje keek – wat ze pas als laatste deed omdat ze het zo lang mogelijk wilde uitstellen vanwege de gevoelens die het onvermijdelijk bij haar zou oproepen – en de blik van Maria volgde die naar het gezichtje ging, besefte ze wat ze al die tijd al had geweten, en dat was dat ze, net als Maria, haar blik onmogelijk kon losrukken.

Hoewel de baby helemaal niet op een rode, gerimpelde pasgeborene leek en uiterst kalm op een wit laken lag, deed zijn aanblik haar oprecht en lichamelijk pijn, alsof er kleine nagels aan haar klauwden. Natuurlijk was het niet meer dan logisch dat het kind de middelpunt van Maria's wereld vormde en dat al het andere in het niet viel naast zijn stralende gezichtje. Dat kon toch ook niet anders? Hij zou elke minuut van haar dag bepalen en haar gedachten voortdurend vullen. Daarnaast was er toch geen plaats meer voor iets of iemand anders? Diep in haar hart wist Claire dat ze dat intense gevoel waarschijnlijk met open armen zou hebben verwelkomd, met even weinig aandacht voor Rob als Maria voor Jozef leek te hebben.

En dan te bedenken dat zij en Rob eigenlijk deze kerst hadden moeten oefenen met het in- en uitklappen van de nieuwe kinderwagen, gierend van de lach omdat het zo'n gedoe was, dat ze hun eerste doos luiers hadden moeten kopen en zich hadden moeten afvragen hoe ze de baby het beste van het ziekenhuis naar huis konden brengen. Ze had iets roods en rekbaars gedragen, een mengeling van fluweel en lycra die ze op de afdeling met positiekleding van een van de grote warenhuizen had gevonden, en niet hetzelfde zwarte jurkje als vorig jaar. Mensen hadden dingen moeten zeggen als 'Pas maar op, straks komt het nog te vroeg' en 'Een kerstkindje, zou dat niet enig zijn?' en hadden niet omzichtig om de sherry heen gedraaid, zich afvragend of ze haar iets moesten aanbieden of niet, want voor hetzelfde geld was ze misschien weer zwanger en was het nog te vroeg om het zeker te weten.

En dan te bedenken dat zij in januari omringd had moeten zijn door iedereen die hun zoontje wilde zien (al zou ze hem stiekem vooral als háár zoontje hebben gezien) en ze tegen hen allemaal had moeten vertellen dat ze zich nog nooit van haar leven zo trots had gevoeld, dat ze haar vriendinnen had moeten vragen of ze hem ook even wilden vasthouden, heimelijk hopend dat ze nee zouden zeggen, en dat zij degene had moeten zijn die niet langer bang was dat haar afwezige vader en moeilijke moeder elkaar in de gangen van het ziekenhuis tegen het lijf zouden lopen omdat ze nu zelf een gezin had dat haar aandacht opeiste, en trouwens, zodra ze Oliver zagen, zouden ze toch door een gedeelde vreugde worden verenigd?

En dan te bedenken dat dat allemaal niet zou gebeuren, dat ze zich die gevoelens alleen maar kon voorstellen maar ze nooit echt had ervaren.

En Daisy had niets van een kind willen weten! Claire kon het bijna niet geloven. Dat kwam omdat Daisy niet beter wist, concludeerde ze, omdat ze geen idee had hoe het was om een kind te willen, laat staan het te verliezen. Het verlies van een kind maakte je pas echt duidelijk hoe graag je het wilde, meer dan je ooit had kunnen denken. Een kind verliezen. Ze had zo'n hekel aan die uitdrukking, al was dat wat mensen zeiden omdat ze toch iets moesten zeggen. Er waren bepaalde woorden nodig. Maar in haar oren klonk het nog altijd belachelijk, alsof ze Oliver toevallig ergens had laten liggen en hij nog altijd kon opduiken, afgeleverd bij het busstation of teruggebracht door de politie.

Ze dwong zich aan iets anders te denken, en Daisy was degene die in haar gedachten opkwam: vol enthousiasme over al die dingen die veranderden, uiterst opgewonden over het soort banen dat de meeste vrouwen tegenwoordig probeerden te vermijden. Claire kon een wrang lachje niet onderdrukken, en het kon haar niet schelen dat een passerende bewaker haar nieuwsgierig aankeek. Per slot van rekening was ze zelf het product van dat alles en zat ze met tegenzin vijf dagen per week op kantoor omdat er voor hun hypotheek nu eenmaal twee inkomens nodig waren. Charles had Daisy een huisje op het platteland en een tuin en een gezin willen geven, met name dat gezin, en Daisy had er niets van willen weten. Maar Daisy was toen veel jonger geweest – tweeëntwintig, volgens de brieven – dan Claire nu was en dat was een heel verschil. Tegen de tijd dat ze dertig zou zijn, net als Claire, zou ze er heel anders over denken. Dan zou ze wel een huis willen, en iemand om dat mee te delen, en zou ze doodsbang zijn om alleen te blijven.

Opeens wilde ze niets liever dan in de woning zijn die ze samen met Rob had uitgekozen, omringd door al hun spullen; het behang, de meubels, elke lepel, ieder boek en elke vaas die zich in de loop der tijd hadden samengevoegd tot iets wat een thuis kon worden genoemd. Ze draaide het schilderij haar rug toe en liep de zaal uit. Haar hakken tikten gehaast op de houten vloer en klonken nog luider toen het hout plaatsmaakte voor marmer. Toen stond ze opeens buiten en liep ze nog sneller, door de steeds feller wordende kou.

Toen ze de sleutel in het slot stak, wist ze dat Rob niet thuis was. Pas toen besefte ze dat ze heel erg graag had gewild dat hij er was. Ze had een geopende fles rode wijn willen aantreffen en in het trappenhuis gegrilde kip willen ruiken. Ze belde hem op zijn werk, en toen hij opnam, nadat het toestel vijf keer was overgegaan, vroeg ze zich af of hij net had zitten lachen, met iemand die zij niet was. Hou op met lol maken als je ook hier had kunnen zijn, wilde ze zeggen. Dat is je huis niet, dat is alleen maar de plek waar je werkt. Maar dat zei ze niet, ze zei slechts dat ze hoopte dat hij niet al te laat thuis zou zijn en dat ze zou proberen op hem te wachten. Het had geen zin voor één persoon te koken, en Rob at op kantoor, waar eten werd besteld als er moest worden overgewerkt, en dus maakte ze voor zichzelf een kommetje muesli en besefte ze te laat dat er daardoor morgen geen melk meer zou zijn voor het ontbijt. Daar was nu niets meer aan te doen. Ze plofte neer op de bank, onder een deken, en zette de tv aan. Daarna, met alleen de brieven van Daisy als gezelschap, wachtte ze totdat de geluiden en kleuren al het andere zouden verdrijven.

Eerste kerstdag.

Nog maar twee dagen te gaan, nog twee dagen vol onoprechte gesprekken en lauwwarm badwater. Rob maakte haar wakker met een cadeau dat was verpakt in glanzend papier vol rendieren met rode neuzen dat hij van zijn moeder had geleend. Het was een zwaar boek dat hij tijdens de treinreis op de heenweg had moeten meezeulen en nu weer terug naar Londen kon zeulen. Het was een goede keuze, een soort encyclopedie, met hoofdstukjes over alle bekende kunstenaars. Er was natuurlijk een stukje over Titiaan, en over Botticelli, en die las ze alle twee. Ze vroeg zich af wat het volgende schilderij zou zijn. Het was bijna tijd voor de brief van januari, ze hoefde niet lang meer te wachten. Dat vond ze een fijn idee, en toen Rob uit de badkamer kwam, was het niet moeilijk hem een zoen te geven.

'Zullen we deze keer naar de vroege kerkdienst gaan, en niet naar die voor het hele gezin?' zei ze. Ze wist dat ook dit een test was, maar het was een kans om iets met hun tweetjes te doen. Misschien zou dat genoeg zijn om de rest van de dag door te komen.

Hij voelde haar stemming aan en zei niets over de avond ervoor, maar kuste haar slechts licht op het voorhoofd, alsof ze een kind was in plaats van zijn vrouw, en zei: 'Ik vind alles best. Als je vandaag maar vrolijk probeert te zijn, voor mij.'

Probeerde ze dat? Ze meende van wel, zo veel als van haar kon worden verwacht. Maar tegen de tijd dat ze aanschoven voor het ontbijt ging het al mis.

'Katie en James kijken er zo naar uit om jullie weer te zien,' zei Priscilla, die met de pot koffie en een rekje toast om Rob heen darde. 'Ze willen dolgraag de kleine Joy laten zien. Het is zo'n lief kindje. Ze huilt bijna nooit.'

Ze konden Claire geen donder schelen, die Katie en James, een stel uit het dorp dat ze slechts vagelijk kenden. Ooit had er een band tussen hen kunnen zijn – mensen die niets met elkaar gemeen hadden, konden door de gedeelde ervaringen van bevallingen en ouderschap in vrienden voor het leven veranderen – maar nu was er niets wat hen bond. En het laatste wat ze wilde, was hun baby zien. Dat moest Priscilla toch ook begrijpen. Ze wisten van Oliver, iedereen wist het. Ze was vijf maanden zwanger geweest toen het gebeurde en had mensen niet eens meer hoeven te vertellen dat ze een kind zou krijgen. Ze had niet langer kunnen verbergen dat hij in aantocht was en had dat ook niet gewild. Ze wilde het aan de hele wereld vertellen. Priscilla had het goede nieuws even enthousiast verkondigd als Claire zelf. Maar al te snel daarna moest het gedempte gefluister zich door de straten van het dorp hebben verspreid, steeds luider, de mededeling dat ze het niet was, niet meer. Niet nu. Priscilla zou nog geen oma worden. Omdat Claire geen moeder zou worden. Ze wisten het allemaal. Natuurlijk wisten ze het. Ze zouden naar haar kijken en zich afvragen of ze iets moesten zeggen. Ze concentreerde zich op haar kommetje muesli.

'Ik heb gezegd dat jullie voor de familiedienst naar de kerk komen, dus jullie zullen hen daar wel zien.'

'Nou mam,' zei Rob, 'eigenlijk dachten we erover om voor de verandering eens naar de vroege dienst te gaan. Dan is het wat rustiger.'

Claire wist meteen dat hij niet beslist genoeg was geweest. Priscilla moest net als zij zijn aarzeling hebben gehoord.

'Nonsens, Robert, dat gaat natuurlijk niet. Al zou je nu meteen vertrekken, dan zou je nog niet op tijd zijn, en je kunt natuurlijk niet halverwege binnen komen vallen. En je vader en ik dan? We kunnen niet met ons tweeën naar de familiedienst, niet zonder jullie. Het zou zo jammer zijn als jullie vrienden niet eens de kans krijgen om even hallo te zeggen. Ze komen allemaal.'

Claire wilde dat Rob zou zeggen dat ze hier helemaal geen vrienden hadden. Hij had haar vaak genoeg verteld dat hij had staan popelen om iedereen met wie hij was opgegroeid vaarwel te zeggen. Er viel een korte stilte toen Priscilla en zij allebei zwijgend bleven wachten. Totdat de fluitketel op het fornuis begon te fluiten, waren de enige geluiden die van hun ademhaling, kort en gespannen, terwijl ze zich opmaakten voor de strijd.

'Nou, ik denk dat het niet zo heel erg belangrijk is wanneer we precies gaan,' zei hij ten slotte. 'Claire, wat vind jij?'

Ze zei niets. Zijn moeder was degene die antwoord gaf. 'Ga toch met ons mee, Robert. Je bent hier tegenwoordig nog zo zelden. Wanneer krijg ik nu de kans met je te pronken?'

Zo zelden, en dat komt door Claire, luidde het onuitgesproken verwijt. Want voordat zij op het toneel was verschenen, was hij heel vaak naar zijn ouders gegaan.

Nu keek iedereen natuurlijk naar haar, ook Nick. Ze kon slechts twee dingen doen. Een scène trappen in hun keuken in Shakerstijl, of zich gedragen zoals ze altijd deed en doen alsof het haar niets kon schelen en zeggen: goed, dan gaan we allemaal samen. Laat Nick maar rijden, dan gaan wij wel achterin zitten tussen de wegenkaarten en de kapotte paraplu's. Doe maar wat jullie willen, denk maar niet aan mij.

'Goed,' zei ze.

Ze gingen gezamenlijk de kerk binnen en waren door de smalle ingang gedwongen vlak naast elkaar te lopen, alsof ze een echte familie waren. Binnen wemelde het van de kinderen. Claire zag overal kinderen door de gangpaden rennen, met cadeaus die al uren tevoren waren geopend en nu elk moment konden worden afgedankt. De meisjes droegen fluwelen jurkjes met brede linten of roze zijden met pailletten, in beide gevallen met glimmende schoentjes eronder. De schoonmaakster van de kerk zou nog weken bezig zijn alle glitter uit het middenpad te vegen. De jongens waren, van peuter af, gekleed in gestreepte overhemden die in beige broeken waren gestopt en zagen er precies zo uit als ze er over twintig en dertig en veertig jaar ook uit zouden zien. Ze stonden allemaal te lachen, te schreeuwen of te huilen. Soms was moeilijk te zeggen wat het verschil was. Toen de gezangen eindelijk werden ingezet, zongen de ouders niet goed mee omdat hun kroost zo hun aandacht afleidde en de muziek niet luid genoeg was om het geroezemoes te overstemmen. Het was niet erg geweest als ze zelf kinderen hadden gehad, of als Claire zwanger was geweest, zoals ze had moeten zijn. Dan zou ze ernaar hebben gekeken en hebben gedacht: *dit ben ik. Ik maak hier deel van uit.* Nu had ze zin om te schreeuwen. *Kan iemand alsjeblieft zeggen dat ze stil moeten zijn?* Maar dat deed niemand, en waarom zouden ze ook? Natuurlijk kon ze het niet begrijpen, dat was ook niet te verwachten, ze had immers zelf geen kinderen.

Ze wist het uit te houden totdat de preek begon. Tijdens een zeldzaam moment van stilte, van het soort dat soms ook ongevraagd valt tijdens een chic diner of een cocktailparty, was de stem van de geestelijke helder en duidelijk te horen. Hij sprak over vergiffenis.

'Vergeef ons onze schulden, zoals ook wij vergeven onze schuldenaren.'

'De Heer zei ons mild en barmhartig te zijn en elkander te vergeven.'

'Neem geen wraak en eis geen straf.'

Rob. Rob. Rob. Hij was de enige die ze zag, en ze kon er niet meer tegen. Op het ergst mogelijke moment, toen de dominee alle kinderen onder de tien vroeg om naar voren te komen en een minichocoladereep te komen halen – al ging het met kerst, voegde hij er met een gemaakt klinkend lachje aan toe, natuurlijk niet echt om de cadeautjes – merkte ze dat haar benen in beweging kwamen. De banken om haar heen liepen leeg, het middenpad stond vol kinderen en hun ouders, en ze baande zich een weg in de tegenovergestelde richting, naar de zware eiken deur van de eeuwenoude kerk. Ze worstelde met de zware grendel en kreeg hem ten slotte open, zodat ze kon ontsnappen, de ijzige ochtendkou in, het berijpte kerkhof op. Ze liet de deur op een kier staan omdat ze wilde dat de kou zich meester zou maken van al die verrekte warmte.

Vergeef hem. Kon ze dat maar. Maar het deed te veel pijn.

In het begin had ze het geprobeerd, toen ze nog steeds in shock was en in dat ziekenhuisbed lag, met een buik die onder haar kleren kleefde van de gel van de echo. Toen had het nog zo simpel geleken.

'Het spijt me,' had hij gezegd, met zijn handen eerst voor haar gezicht en toen op haar pijnlijke buik, en zijn lippen nog steeds bevlekt van de rode wijn. 'Ik had er moeten zijn. Ik had tegen die klant moeten zeggen dat ik een afspraak met jou had. Ik had mijn telefoon niet uit moeten zetten. Ik heb niet nagedacht. Kun je me vergeven?'

'Natuurlijk. Je kon niet weten dat dit zou gebeuren. Dat kon niemand weten. Ik hou toch van je?'

O ja? Vroeg ze hem haar dat te vertellen? De woorden waren over haar lippen gerold alsof ze het meende. Maar ze had ook van haar ongeboren kind gehouden, met een felle, kwade liefde die pas was gekomen toen het al te laat was. Toen de schok eenmaal in verdriet was veranderd, merkte ze dat ze het hem helemaal niet had vergeven. Bij lange na niet. Het gaf haar een zekere macht in hun huwelijk die ze helemaal niet wilde bezitten. Ze wist niet hoe ze de balans moest herstellen. Rob de schuld geven, Rob bekritiseren. Dat was zo veel gemakkelijker geworden dan van hem houden.

Nu ze hier op het harde gras stond, met eeuwen aan doden diep onder haar voeten, voelde ze dat een spinnenweb van hoofdpijn zich rond haar hersens wikkelde. Wanhopig drukte ze haar vingers tegen haar slapen.

Rob kwam achter haar staan. Zijn voetstappen klonken hard op de bevroren aarde.

'Ik heb je gezegd dat ik niet wilde gaan,' zei ze. Ze hield haar gezicht van hem afgewend en staarde zonder iets te zien naar de akkers achter de kerk. 'Waarom heb je niet naar me geluisterd?'

'We hebben het er al eerder over gehad. We hadden geen keuze.'

'En vanmorgen? Hadden we toen ook geen keuze?'

'Het spijt me.' Dat zei hij tegenwoordig voortdurend. Ze liet hem altijd wel ergens zijn excuses voor aanbieden. Die woorden hadden voor geen van hen beiden nog enige betekenis.

'Waarom vroeg je me wat ik ervan vond terwijl je dat allang wist? Het zijn jouw ouders. Als er iets is wat we niet doen, dan moet jij hun dat vertellen. Waarom kon je nu niet eens een keertje mijn kant kiezen?'

Ze draaide zich om en zag hem achter haar staan. Hij haalde zijn handen door zijn haar en keek uiterst gefrustreerd. Ze wachtte totdat hij, wederom, zou zeggen dat het hem speet. Maar deze keer deed hij dat niet.

'Omdat ik dat niet altijd kan doen,' zei hij. 'Omdat ik er doodmoe van word. Ik doe wat ik kan om je te steunen. Jezus, Claire, wanneer is dit nu eens voorbij?'

'Dat weet ik niet,' zei ze, en door het gewicht van de pijn in haar hoofd viel ze tegen hem aan. Op het moment dat hij haar vastpakte om te voorkomen dat ze zou vallen, begonnen de klokken te luiden en zwaaide de deur van de kerk open en rende die eindeloze hoeveelheid kinderen naar buiten. Ze zag Katie en James. Ze keken naar hen, met een verwelkomende glimlach van herkenning. James droeg een draagzak waaruit het hoofdje van Joy stak, bekroond door een zelfgebreid mutsje. Katie had een luiertas, haar handtas en het blaadje met de dienst van vandaag in haar handen. Ze zag er moe uit. Claire zag dat er een vierkant katoenen doekje vol vlekken van haar schouder viel. Ze bukte zich langzaam om het op te rapen.

Rob keek naar Claire en zei toen, eindelijk enig begrip tonend: 'Kom, dan wachten we in de auto.'

De gebruikelijke familieleden meldden zich voor de grote kerstlunch. Nicks broer Brian en zijn vrouw. Hun dochter Emma en haar man Mike, die ongeveer van dezelfde leeftijd waren als Claire en Rob. Poppy, de driejarige dochter van Emma en Mike. Emma's groeiende bolle buik, waar Claire haar ogen niet van af kon houden maar waarover niemand in haar bijzijn iets durfde te zeggen. Priscilla's gebrekkige moeder, die vijftien kilometer verderop in een verzorgingstehuis woonde en daar door Nick was opgehaald. Hij was stilletjes weggeslopen en langer weggebleven dan strikt noodzakelijk was; lang genoeg, dacht Claire, voor een biertje en een glas sherry in de dichtstbijzijnde pub die open was. Nu was de moeder voorzichtig in een hoek van de woonkamer neergezet, alsof ze een duur stuk Chinees porselein was, en werd ze vooral over het hoofd gezien. Zesentachtig jaar oud, verschrompeld tot bijna niets in haar allerbeste jurk. Als Daisy nog leefde, zou ze nu ook van die leeftijd zijn, bedacht Claire, die naar Priscilla's moeder glimlachte maar niet wist wat ze moest zeggen. Op wat voor manier zou Daisy oud geworden zijn?

Tegen het einde van de dag trof Claire Nick in de keuken,

waar hij een broodje kalkoen klaarmaakte en probeerde te ontsnappen aan de familiegrappen en de geforceerde gezelligheid
van bordspelletjes. Het was donker in de keuken doordat alleen de lamp op de tafel brandde en het licht vreemde schaduwen wierp die langs de balken leken te kruipen. Ze schrokken
van elkaar.

'Wil je ook wat?' Hij wees met het voorsnijmes naar het karkas en naar een verminkt brood.

'Nee, dank je.'

'Dat zeg je toch niet om beleefd te zijn? Dat hoeft niet, hoor.'

'Nee, ik hoef echt niks.'

Er viel een stilte waarin Nick rondscharrelde, de mayonaise
terugzette in de koelkast en het mes in de gootsteen gooide,
waar het met een plons in water viel dat niet langer warm was.
Het was een opluchting, deze relatieve rust, na een dag die zo
luid was geweest.

'Mag ik je iets vragen?' zei ze.

Nick ging op een van de keukenstoelen zitten, die onder
hem begon te kraken. 'Zeg het maar.'

'Ik wil graag wat meer over Daisy weten.'

Hij dacht even zwijgend na, met de boterham halverwege
zijn bord en zijn mond. 'Daisy? Wie is Daisy? Toch geen ex
van Rob? Ik kan me niemand met die naam herinneren. Maar
je hoeft je over hen geen zorgen te maken, hoor. Ze stelden
niet veel voor.'

Claire wist dat ze nu hoorde te glimlachen, maar de teleurstelling was te groot. Ze moest zich beheersen om niet weg te
lopen en probeerde het nog een keer. 'Nee, dat is het niet. Daisy
was familie van je moeder, haar achternaam was Milton. Tijdens de oorlog stuurde ze je moeder brieven uit Londen, en je
moeder heeft die bewaard. Ze heeft ze aan Rob nagelaten. Volgens de advocaat was Daisy een nicht van haar.'

'O ja, nu weet ik het weer. De Daisy uit haar testament. Dus
jullie hebben de brieven gekregen? Ze zeiden dat ze die rechtstreeks naar Rob zouden sturen.'

'Ja, die hebben we gekregen. Ik wilde er graag iets meer over weten.'

Ze wachtte totdat hij zou vragen waarom. Omdat ze iets voor me begint te betekenen, had ze kunnen zeggen. Maar dat vroeg hij niet. Hij zweeg simpelweg, kauwde even en zei toen: 'Eerlijk gezegd kan ik me niet herinneren dat ze het ooit over een Daisy heeft gehad. Volgens mij heb ik die naam voor het eerst gehoord toen ik met de advocaat het testament doornam. Ik vraag me af of ze wel echt nichtjes waren, want ik heb er nooit iets over gehoord. Als ze zo dik met elkaar waren, dan zou ze er vast wel eens iets over hebben gezegd. Vreemd, vind je niet? Ze moet die brieven al die jaren hebben bewaard, maar ze heeft me ze nooit laten zien. Maar zo is het leven, hè? Het gaat allemaal om het hier en nu. Dat zei ze altijd tegen me, en verdomd als het niet waar is. Wat er gisteren is gebeurd, of vanmorgen of vorige week, en wat je volgende week gaat doen; verder dan dat komen de meeste mensen niet. Pas na haar dood realiseerde ik me dat ik haar nooit iets heb gevraagd over het leven dat ze voor mijn geboorte leidde.'

'Zo zijn kinderen, die denken altijd alleen maar aan zichzelf,' zei Claire. Ze probeerde te glimlachen.

'Tja, kinderen zijn nooit geïnteresseerd in dat soort dingen. Rob is net zo, hij denkt er nooit aan. Pas wanneer je zo oud bent als ik ga je nadenken over waar je vandaan komt, en dan is het vaak te laat om nog iets te weten te komen. Ze heeft me natuurlijk wel een paar dingen verteld, maar ik denk dat ze begreep dat ik toen geen interesse had. En na haar verhuizing naar Canada moet ze sowieso grotendeels het contact met haar eigen familie hebben verloren. De wereld was toen veel groter dan nu en ze zaten erg ver weg, al waren ze daar natuurlijk wel dichter bij de familie van mijn vader. Ze was in Engeland geboren, maar ze kwam hier pas weer op bezoek nadat Brian en ik hier allebei waren gaan wonen. Kun je je dat voorstellen? Ik neem aan dat zij en Daisy elkaar een tijdlang hebben geschreven, maar dat het contact op een bepaald moment is verwaterd. Ze heeft de brieven vast bewaard als een aandenken aan haar oude leven.'

'Had ze het wel eens over de oorlog?'

'Soms. Ik weet dat ze zich schuldig voelde omdat ze er niet echt bij betrokken was geweest. Ze liep geen gevaar, begrijp je, al gold dat niet voor mijn vader. Het was een tijd van grote saamhorigheid, en die heeft zij gemist. Ik weet nog wel dat ze er graag boeken over las. Ik heb er een paar voor haar gekocht, over Londen tijdens de Blitz en dergelijke. Meer kan ik je niet vertellen. Het spijt me.'

'Het is niet belangrijk,' zei ze. Ze staarde door het keukenraam naar de volslagen duisternis. Haar gezicht moest haar hebben verraden.

'Dat zou ik niet willen zeggen,' zei Nick. 'Je kijkt alsof het wel belangrijk voor je is. Weet je, ik zal kijken of ik meer te weten kan komen. Zal ik dat doen? Het kan alleen even duren.'

'Ja, graag,' zei ze. 'Ik vind het niet erg als het even duurt. Er was ook iemand die Charles heette. Ik weet zijn achternaam niet, maar ik denk dat hij belangrijk was. Daisy schrijft over hem. En over een huis dat Edenside heet.'

'Nou, daar kan ik je wel mee helpen. Edenside is het huis waar mijn moeder is opgegroeid. Haar ouders kochten het toen ze nog een klein meisje was. Het was een kast van een huis, ergens in het noorden, en het moet veel te groot voor hen zijn geweest. Ze had namelijk geen broers en zussen, ze was enig kind. Het huis staat er nog. We zijn er met moeder gaan kijken toen ze hier een keer op bezoek was. Wat een huis! Er staan nu bungalows omheen, maar je kunt het vanaf de weg nog steeds zien, en het was behoorlijk chic. Ze vertelde ons dat er vaak etentjes waren, dat mensen kwamen jagen, dat er af en toe een bal was. Dat kun je je tegenwoordig niet meer voorstellen. Ik weet niet zeker of ze het allemaal wel zo leuk vond. Ik kreeg de indruk van niet. Ze ging er immers maar al te graag vandoor toen ze mijn vader leerde kennen.'

'Die heette Bill, hè?'

'Inderdaad. Ik ben onder de indruk.'

'Dat staat in die brieven. Daisy noemt zijn naam.'

'O ja? Nou, misschien moet ik ze dan ook maar eens lezen.'

Er viel weer een stilte. Claire verfrommelde gedachteloos een papieren servetje dat was versierd met hulstblaadjes en een gouden randje. Ze wilde dolgraag dat hij meer zou vertellen. Voor het eerst vroeg ze zich af hoe het voor Elizabeth moest zijn geweest om Daisy's te brieven te lezen terwijl ze zelf getrouwd, met een kind, alleen in een vreemd land zat. Er moesten momenten zijn geweest waarop ze er alles voor over had gehad om terug te kunnen zijn in Engeland en samen met Daisy de oorlog te doorstaan, in plaats van altijd maar aan de zijlijn te zitten en elke dag het nieuws in de kranten te lezen, biddend dat haar man veilig zou terugkeren. Misschien was ze wel jaloers geweest op Daisy en haar achteloze afwijzing van het huwelijk en het ouderschap en al die andere dingen die nu Elizabeths wereld vormden. Misschien was dat de reden dat ze de brieven ergens achter in een la had gelegd en verder was gegaan met haar eigen leven en dat van Daisy aan Daisy had gelaten.

Opeens nam Nick weer het woord. 'Claire, ik wilde je nog zeggen hoe erg ik het vind, hoe erg we het allebei vinden, van de baby. Het moet het ergste en pijnlijkste zijn wat je ooit is overkomen.' Hij klonk beschaamd, maar ook overtuigd. Hij meende in elk geval wat hij zei. Dat hoorde ze.

'Nou, dat soort dingen gebeuren,' zei ze. 'Niemand kon er iets aan doen.' Ze was gewend geraakt aan die woorden. Ze rolden gemakkelijk genoeg over haar lippen. Ze kon ze alleen niet geloven.

'Rob heeft ons verteld wat er is gebeurd. Ik weet dat hij zich heel erg rot voelt.'

En terecht, Nick, terecht. Ze hoefde het niet hardop te zeggen. Uit haar gezichtsuitdrukking bleek wel hoe ze zich voelde.

'Priscilla had al wat spulletjes gekocht voor de baby, wist je dat? Een beer met een touwtje eraan die begon te grommen als je eraan trok, een rompertje voor in het ziekenhuis. Dat soort dingen.'

'Het spijt me,' zei ze.

'Dat hoeft niet. Ik wil alleen dat je weet dat ze het heel erg vindt.'

Ze keek hem niet aan toen ze antwoord gaf. 'Ik had ook een rompertje voor hem gekocht. Wit, met een eendje op de voorkant. In de winkel hebben ze het voor me ingepakt, in wit zijdepapier met blauwe hartjes erop. Ik heb het weggegooid, met doos en al. Ik vond het zo'n vreselijk idee dat het in de la lag.'

Nick boog zich voorover om een arm om haar heen te slaan, maar onwillekeurig deinsde ze terug.

Ze ging eerder dan Rob naar bed, met als excuus de hoofdpijn die inderdaad nog altijd aan haar knaagde. Hij bleef nog even scrabbelen met de rest van de familie, en ze had toch al een hekel aan dat spel. Op weg naar bed bleef ze even staan voor de kamer waar de bedden voor Poppy en haar ouders waren opgemaakt. De deur stond half open, en ze hoorde de sniffende ademhaling van het kind en geritsel toen het rusteloos heen en weer schoof tussen de gesteven witte lakens en dekens die waren gekocht toen Rob net zo oud was geweest als zij, of misschien nog jonger. Toen Claire zelf in bed kroop en haar benen vol kippenvel onder de lakens schoof, dacht ze eraan hoe warm en levend en klein Poppy was, en dat ze niets liever wilde dan haar in haar armen nemen.

3

Een vrouw en haar dienstmeid op een binnenplaats – Pieter de Hooch

Nee.

Dat zei ik toch al?

Nee.

In haar droom duwde ze hem van zich af, en toen waren haar ogen open en was ze opeens wakker en deed ze hetzelfde. Rob lag boven op haar, naakt, en kuste haar en streelde haar borsten. Het enige wat ze voelde, was haar lichaam dat zich verzette en haar geest die slechts één woord riep. *Nee.* En toen, wakker, kwamen de woorden eruit.

'Nee, Rob. Ik ben er nog niet aan toe. Hoe vaak moet ik dat nog zeggen?'

Een paar tellen lang voelde ze zijn gewicht boven op haar en keek ze recht in zijn ondoorgrondelijke ogen. Toen rolde hij van haar af, en ze vermoedde dat hij minachting voor haar voelde.

'Ik dacht dat je een kind wilde.'

'Ja, maar...' Ze voelde dat ze letterlijk voor hem ineenkromp, naar de rand van het bed. Een kind. Ja. Een kind met Rob? Misschien. Ze wist het niet zeker. Nog niet, niet nu ze nog werd verteerd door wanhoop en hij door frustratie. Hoe kon het met een kind dat uit zulke gevoelens voortkwam goed aflopen wanneer zelfs een kind dat in liefde was verwekt kon sterven?

'Toe nou, Claire. Vind je niet dat we hierover moeten praten? Hoe lang gaat dit nog duren? Dat wil ik graag weten.' Hij leunde achterover tegen de kussens, met zijn armen achter zijn hoofd, en staarde naar het plafond en de goedkope papieren lampenkap die ze al tijden wilden vervangen. Door zijn naaktheid leek hij akelig kwetsbaar. Ze trok het dekbed over hem heen.

'Ik weet het niet. Niet lang meer.' Ze stak een hand uit naar de schouder die het verste weg was. Hij schudde die af.

'Dat heb ik vaker gehoord. Vorige week en de week daarvoor en de week daarvoor. Sterker nog, nu ik erover nadenk, kan ik wel zeggen dat ik het voortdurend hoor.'

'Je zet me onder druk. Dat vind ik niet prettig.' In haar stem was een vleugje hysterie te horen. Het was waar. Het idee om hem in haar lichaam te voelen, zijn lijf hard van woede, maakte haar bang. Ze wilde niet dat het zo zou zijn.

'Nou, als je echt nog een kind wilt, lijkt dit me niet de beste manier. Jezus, toen we het de vorige keer probeerden, kon je gewoon niet van me afblijven.'

'Zeg dat soort dingen alsjeblieft niet.'

Een stilte. De hoop dat hij het zou opgeven en haar met rust zou laten. Toen opnieuw zijn stem, luid weerkaatsend tegen de magnoliakleurige wanden.

'Weet je zelfs nog wel wanneer we voor het laatst hebben gevreeën?'

'Een tijdje geleden,' zei ze, omdat ze niet wilde zeggen wat ze allebei wisten: dat het vier maanden geleden was, of nog langer, de tijd die nodig was om de laatste zomerse warmte plaats te laten maken voor hartje winter. Toen was ze nog zwanger geweest, en ze hadden grappen gemaakt over hoe ze het zouden moeten doen als ze echt dik werd. 'De dokter heeft gezegd dat we drie maanden moeten wachten.'

'Ik ben niet achterlijk, Claire,' antwoordde hij. 'De dokter zei dat we drie maanden moesten wachten voordat je weer zwanger mocht worden. Hij bedoelde niet dat we drie maanden niet mochten neuken. En we weten trouwens allebei dat het al veel langer geleden is.'

'Gebruik dat soort woorden toch niet. Je weet dat ik dat niet prettig vind. De dokter zei dat we geduld moeten hebben, weet je nog? Hij zei dat we het rustig aan moeten doen en het eerst moeten verwerken. Volgens hem kan het soms een tijdje duren. Dat weet je gewoon niet. Dat is bij iedereen anders.'

'Ik denk dat het tijd wordt dat je iets beter je best doet.'

'Waarvoor? Om met jou te willen vrijen?'

'Ja.' Zijn stem klonk nu ontdaan van hoop, verslagen.

'Is het dan niet jouw schuld als ik niet wil?' Ze hoorde zelf dat ze steeds gejaagder begon te klinken.

Toen hij weer iets zei, klonken zijn woorden kalm en weloverwogen, alsof hij ze in gedachten talloze malen had geoefend en dit de eerste keer was dat hij ze hardop hoorde.

'Ik weet dat je het gevoel hebt dat ik je in de steek heb gelaten, Claire. Ik dacht niet na, ik ben stom geweest. Dat weet ik. Maar ik heb mijn best gedaan om het goed te maken. Ik heb het maandenlang goedgevonden dat je zo rot tegen me deed, dat maakte me geen donder uit. Ik geloof niet dat jij er gelukkiger van wordt en het maakt mij kapot. Meer kan ik niet doen. Het is nu aan jou. Als je mij de rest van je leven verwijten wilt maken, dan moet je dat zelf weten, maar...' Nu was hij degene die stilviel. Hij had het moeilijke stukje bereikt, de woorden waarover hij zelfs in gedachten, tijdens het repeteren, altijd was gestruikeld.

'Maar dan?' zei ze.

'Dan moeten we allebei accepteren dat we niet bij elkaar zullen blijven. Niet voor altijd.'

Een groot deel van haar had die woorden zo graag willen horen, had hem zo graag willen horen bekennen dat die ene gebeurtenis hun leven samen kapot kon maken. Maar nu merkte ze dat ze opeens naar adem hapte. Onverwacht dook het beeld van haarzelf in haar trouwjurk in haar gedachten op. De kerk, met zijn houten banken en stenen vloer die door al die voetstappen van gelovigen was uitgesleten. De belofte. De ringen. Haar vader, lang en trots, die haar naar het altaar leidde. Haar moeder, die een stukje verder naar achteren zat, in een iets te opzichtige jurk met hoed die een zelfvertrouwen moesten uitstralen dat niet van haar gezicht af te lezen was, en die naar de deur keek voor het geval zijn tweede vrouw, die wel was uitgenodigd maar de uitnodiging tactvol had afgeslagen, had besloten toch te komen. Vrienden, in die tijd heel veel, die hun het allerbeste wensten. Rob, die overdreven stond te stralen in een gehuurd jacquet, haar hand in de zijne, en haar daarna kuste tussen de late narcissen en de vroege tulpen. De bruidsmeisjes die over het glooiende gazon naar beneden tuimelden, zodat hun zijden jurkjes vol grasvlekken kwamen te zitten en de brokken vruchtentaart en glazuur alle kanten op rolden.

'Wil je dat dan?' vroeg ze ten slotte, zacht en bijna kalm.

'Nee, en dat weet je ook wel. Ik wil je nog altijd nodig hebben, Claire. Ik wil nog altijd van je houden. Maar ik zie wel in dat het daarmee misschien eindigt. En jij? Je moet ook van mij kunnen houden. Anders werkt het niet.'

Nu maakten die zonovergoten bruiloftsherinneringen plaats voor andere. De arts die telkens weer de sonde over haar buik bewoog, om het zeker te weten. De woorden waarvan ze wist dat ze zouden volgen. *Het spijt me. Er is niets.* De misselijkmakende waarheid dat ze Oliver nooit meer zou voelen en dat er niets meer in haar binnenste was, behalve wanhoop.

Rob moest hebben geweten waaraan ze dacht. 'Je moet niet denken dat ik het ben vergeten, Claire. Dat is niet zo. Ook als jij er niet zou zijn om me eraan te herinneren zou ik er elke dag aan denken. Waarom ik niet op het geplande tijdstip ben weggegaan, waarom ik je niet eerder heb laten weten dat ik niet zou komen. God, we hebben het er vaak genoeg over ge-had. Maar het is nu eenmaal zo gelopen, daar kan ik niets meer aan veranderen. Als het die dag anders was gelopen, als het een gewone dag was geweest, dan zou het er allemaal niet toe doen. Dan zou je je hoogstens hebben geërgerd, en terecht, maar meer ook niet. Ik heb mijn uiterste best gedaan om te aanvaarden wat er is gebeurd, maar jij kunt dat gewoon niet. Maar je zult wel moeten, Claire. Je moet een manier verzinnen om het te verwerken. Het was onvermijdelijk. Weet je niet meer dat de dokter dat heeft gezegd? De miskraam was onver-mijdelijk. Niet tegen te houden.'

'Nee,' zei ze. 'Dat moet je niet zeggen. Het was alleen maar onvermijdelijk omdat jij er niet was. Je was er niet om ons te beschermen. Als jij er was geweest, was dit nooit gebeurd.'

Hij was nu kwaad, zoals zij soms, vaak, ook kwaad was, maar hij was het zelden – en nu wel. Ze voelde zijn lijf naast haar verstrakken. 'God nog aan toe, ik heb je in de steek gelaten. Dat weet ik ook wel. Dat doen mensen voortdurend. Dat soort dingen gebeuren. Had een van ons beiden kunnen weten wat de gevolgen zouden zijn? Denk je niet dat ik anders had ge-reageerd als ik dat had geweten? Ik zou meteen naar je toe ge-komen zijn. Maar dat betekent niet dat het nu mijn schuld is. Wat dacht je van die jongens die je tas hebben gestolen? Die jongen die je een stomp in je buik heeft gegeven, of die andere, die je omver heeft geduwd? Als je toch iemand de schuld wilt geven, geef hun dan de schuld. Stel dat het toch wel was ge-beurd, dat het niets met mij of met hen te maken heeft? Heb je daar al eens aan gedacht? Sommige dingen gebeuren nu een-maal, goede en slechte dingen, dingen die je nooit kunt voor-spellen omdat het toeval is. Hoe denk je dat ík me voelde? Toen ik mijn mobieltje aanzette en al die berichtjes zag? Ik wist dat je gewond was, ik zag je in dat ziekenhuisbed liggen. Je bent mijn vrouw, en het enige wat ik wilde, was dat jou niets zou overkomen. Dus ja, ik voel me schuldig. Wil je dat soms horen?

Ja, ik voel me verantwoordelijk. Maar ik sta niet toe dat je doet alsof ik ons kind heb gedood.'

Ze wilde niets liever dan iets pakken en dat naar zijn hoofd gooien, zodat hij de vreselijke pijn in haar binnenste zou voelen die ze maar niet kon kwijtraken en waarvan hij niets begreep. Maar ze had niets om mee te gooien, en daarom stak ze haar handen uit en duwde zijn blote lichaam van zich af. Het leek bijna alsof hij bang werd van haar aanval. Maar als ze had gekund, zou ze zichzelf pijn hebben gedaan, want zíj had die avond willen afspreken, hoewel ze wist dat de kans klein was dat hij op tijd kon komen; zíj had haar tas niet snel genoeg losgelaten toen ze merkte dat iemand die wilde stelen omdat haar instinct haar vertelde dat ze hem vast moest houden. En zíj was degene die voor Oliver had moeten zorgen en hem had laten gaan, hem gewoon had laten gaan, zonder te beseffen hoe gemakkelijk dat zou gaan en hoe kwetsbaar hij was. Maar ze kon zich er niet toe zetten dat te zeggen, en daarom nam ze haar toevlucht tot maaiende armen, woede en tranen in plaats van tot woorden.

Zo heetten ze elkaar welkom in het nieuwe jaar.

januari 1943

Lieve Elizabeth,

Gelukkig nieuwjaar, en het allerbeste voor 1943. Heel erg bedankt voor de gekonfijte vruchten. Ze zijn gisteren aangekomen en helemaal niet geplet. Ik probeer er zo lang mogelijk van te genieten, al moet ik bekennen dat ik er ook een paar naar Charles heb gestuurd. Zoiets is tegenwoordig een luxe, en we mogen niet alles voor onszelf houden.

Er zijn heel veel mensen die zeggen dat de oorlog zijn laatste jaar in gaat, maar dat hebben we vaker gehoord. Ik geloof er geen sikkepit van. Ik wou dat ik het kon, maar dat is niet zo. Niet dat het de laatste tijd slecht gaat; er is opbeurend nieuws, zoals Charles het noemt, maar dat is niet genoeg. Bij elke winst die wordt geboekt moet ik denken aan de mannen die hun leven ervoor hebben gegeven.

De laatste tijd moet ik steeds vaker aan dat soort dingen denken omdat Charles eindelijk wordt uitgezonden. Ik vermoed dat ze hem naar Noord-Afrika sturen. Dat is vast geen groot geheim, hè? Daar gaan ze tegenwoordig allemaal naartoe. Ik zal hem heel lang moeten missen, waarschijnlijk totdat het allemaal voorbij is, en wie weet hoe lang het nog gaat duren. Ik voel me tamelijk schuldig omdat ik het eigenlijk niet zo erg vind dat hij gaat, en vanwege dat schuldgevoel schrijf ik hem zo vaak mogelijk. Ik heb geen idee hoe lang het duurt voordat hij mijn post krijgt, laat staan die vruchten. Eerlijk gezegd verwacht ik niet dat hij die ooit nog krijgt. De kans is groot dat ze ergens in een hoekje van een magazijn zullen wegrotten en ratten zullen aantrekken. Nou ja, het is het proberen waard. Arme Charles. Ik weet zeker dat hij een ellendige tijd tegemoet gaat. De woestijn, dat is niets voor hem. Hij kan niet eens op blote voeten over het strand lopen en hij kan al helemaal niet tegen de zon. Ik zie telkens voor me dat hij voortdurend bezig is het zand uit zijn kistjes te schudden.

Toen ik deze maand de trappen voor het museum op liep moest ik denken aan de vorige keer dat ik daar liep, samen met Charles, arm in arm, en dat we toen samen zo'n pret hadden. Maar toen moest ik er natuurlijk ook aan denken dat we, op weg terug naar Trafalgar Square, over onze gezamenlijke toekomst hebben gekibbeld. Volgens Charles kan ik me altijd vooral de nare dingen herinneren. Ik wou dat ik meer op hem leek. Hij zegt dat hij zich altijd alleen de leuke dingen herinnert.

Het schilderij van deze maand is van Pieter de Hooch, een Hollandse kunstenaar uit de zeventiende eeuw. Dat stond op het bordje. Ik hoop dat ik zijn naam goed heb geschreven – als je het zeker wilt weten, moet je hem maar opzoeken in de encyclopedie. Het schilderij heet *Een vrouw en haar dienstmeid op een binnenplaats*, en dat is ook wat je te zien krijgt. Een dienstmeid in een lange grijsgroene jurk met een wit kraagje en een wit mutsje op haar bruine haar, gehurkt boven een schaal vis die voor haar op de grond staat. Achter haar zie je een metalen pomp waaruit het water in een bak eronder stroomt, en een emmer en een bezem, zo'n bezem die is gemaakt van takken die rond de steel zijn gebonden, als bij een heksenbezem. Naast haar staat een tweede vrouw, die met een hand naar haar wijst en haar duidelijk een opdracht geeft. Dat is haar bazin, in een keurig zwart jasje dat met wit is afgezet en een grijze rok die tot bijna op de grond reikt. Ze heeft de moederlijke uitstraling van een vrouw met volwassen kinderen. Brede heupen, bedoel ik, en ze straalt gezag uit. Ik kreeg de indruk dat die meid hard moest werken.

En daar weet ik alles van. Het valt de laatste tijd niet mee. Werken, werken, werken. Het lijkt wel alsof we niets anders meer doen. En het houdt niet op als ik van kantoor vertrek, want er is altijd wel iets te doen. Het nieuwste is jassen maken van oude dekens. Kun je je dat voorstellen? Alle meisjes, ik ook, die over Piccadilly paraderen in hun oude picknickkleed, alsof het de laatste mode uit Parijs is. We moeten het doen met wat we hebben, dat zegt iedereen. Je mag niets weggooien, want misschien kun je er ooit nog iets anders van maken. Ik ben nu al bezig voor de verjaardag van Molly, volgende week, en dat betekent dat we een heleboel wortels en aardappels – en natuurlijk het rantsoen aan eieren van deze week – in iets moeten

veranderen wat voor een taart kan doorgaan. Soms heb ik
het er best moeilijk mee en denk ik aan hoe het vroeger
was, toen we ons nergens druk over hoefden te maken en
we 's avonds heerlijk op het terras van Edenside konden
zitten, met bloemen in ons haar en een glas limonade in
ons hand. Ik weet dat het egoïstisch is, maar ik kan er
niets aan doen. Toch voelde ik me iets beter toen ik dat
schilderij zag. Daaruit bleek wel dat het leven altijd al hard
werken is geweest en dat ik het niet slechter heb dan
andere vrouwen, en waarschijnlijk zelfs beter dan de
meeste.

Op het eerste gezicht leken er alleen vrouwen op het
schilderij te staan, maar toen ik beter keek, zag ik nog
iemand, een man die de binnenplaats nadert maar nog wat
verder weg is. Hij is helemaal in het zwart gekleed, tot aan
zijn hoge hoed toe. Alleen zijn kraag is wit. Daarom
werken ze dus allebei zo hard, dacht ik. Ze proberen alles
op orde te krijgen voor de heer des huizes. De vrouwen
zijn druk bezig, maar hij kuiert ontspannen voort, met
zijn handen op zijn rug, volkomen zorgeloos. Ik denk dat
de vrouwen niet eens weten dat hij eraan komt, maar ze
vermoeden ongetwijfeld dat hij onderweg is, en ik durf te
wedden dat ze een en al aandacht zijn zodra ze zijn
voetstappen horen. Zo is het leven van een huisvrouw,
nietwaar? Ervoor zorgen dat alles klaarstaat voor als de
man thuiskomt. Schort aan, het eten op tafel, de
avondkrant netjes gevouwen en het speelgoed van de
kinderen in een hoek geveegd, en dat allemaal in ruil voor
een goedkeurend knikje. Het bespottelijke is dat de
vrouwen op dit schilderij zich uitstekend kunnen redden,
maar dat je toch het gevoel hebt dat er zonder de heer des
huizes iets ontbreekt.

Het draait altijd om de mannen, nietwaar, zelfs als ze er
niet zijn. Alles wat we doen, doen we om de mannen aan

het front te helpen, en als ze weer terug zijn, kunnen we ze verder verzorgen. Noem eens een vrouw die niet zit te wachten totdat ze die klop op de deur hoort, of die voetstappen op de trap die aangeven dat de man aan wie ze heeft gedacht weer thuis is! We doen allemaal ons best een zo gewoon mogelijk leven te leiden, maar wat we vooral doen, is de tijd doden, altijd weer met dat lege, nerveuze gevoel vanbinnen omdat je niets anders kunt doen dan wachten. Er zijn vrouwen die denken dat ze zo de dood op afstand kunnen houden, door voortdurend aan hun man te denken. Dat is niet zo. De dood komt toch wel, als dat je lot is; dat is de enige les die ik van al deze waanzin heb geleerd.

Natuurlijk dacht De Hooch niet aan dat soort dingen toen hij die vrouwen schilderde. Wie weet, misschien hoopt die vrouw wel dat haar man nog uren wegblijft. Het is alleen zo dat letterlijk alles me aan die verdraaide oorlog doet denken. Toch is het een interessant schilderij, en voor de verandering nu eens geen religieus onderwerp. De kleuren zijn helder en schoon, en er is nergens stof te zien, er valt geen pleisterwerk van de muur, er zijn geen bakstenen vol barsten. Heeft Londen er ook ooit zo uitgezien? Tegenwoordig is het één grote ruïne, hoewel de autoriteiten hun best doen alles zo snel mogelijk op te ruimen.

Naast het schilderij hadden ze ook een aantal foto's van andere werken van De Hooch opgehangen, zodat er meer te zien was dan de vorige keren. Dat moet de bezoekers enige context verschaffen, zei de toelichting. Dus nu weet ik dat De Hooch heel veel binnenplaatsen heeft geschilderd en dat er heel vaak een dienstmeid te zien is, altijd een dienstmeid die de tekenen van rijkdom mag poetsen maar zelf geen cent bezit. Dat is nog zoiets wat voorgoed verleden tijd is, vermoed ik. Er zullen hierna geen dienstmeisjes en dagmeisjes en dergelijke meer zijn, of in elk geval niet zoals vroeger. Vrouwen willen zo'n leven niet meer, niet nu ze hebben gezien dat je ook in een fabriek kunt werken en een eigen huisje kunt hebben in plaats van alleen maar een bed in het huis van een ander. Is er verder nog nieuws? Het is akelig koud en ik probeer niet langer buiten te zijn dan strikt noodzakelijk is. Zelfs op mijn kamers ben ik erg voorzichtig met de verwarming; als ik het elektrische kacheltje op een hogere stand zet, voel ik me meteen zo belachelijk schuldig en spilziek. Het is maar goed dat jij daar niet meer aan hoeft te denken. Afgelopen nacht heeft het flink gevroren. Ik was laat thuis en de avond was zo helder. Alles baadde in het maanlicht, zodat ik mijn zaklantaarn niet eens nodig had. En het was zo stil! Ik had de straat voor mezelf alleen, gewoon ik en dat vreemde witte licht dat me de weg wees naar mijn voordeur. Daardoor leek de bomkrater op de hoek bijna mooi, en het was de eerste keer dat ik erlangs liep en niet dacht: wanneer gaan ze dat nu eens opruimen? Je merkt waarschijnlijk wel dat de simpelste dingen me tegenwoordig kunnen opfleuren. Natuurlijk kreeg mijn gezonde verstand weer de overhand zodra ik binnen was en kon ik alleen maar denken dat het de perfecte avond was voor een luchtaanval. Ik ben voor de zekerheid met mijn kleren aan gaan slapen, maar het bleef rustig. Zoals ik al zei, een mens denkt voortdurend aan die verrekte oorlog.

Wat denk je, moet ik me achter Charles aan laten sturen? Vrouwen zitten tegenwoordig overal, wist je dat? Ik hoef niet in Londen te blijven wachten. Ik zou ergens kunnen zijn waar het veel spannender is. Maar ik wil pa niet alleen laten. Hij vindt het al erg genoeg dat ik hier zit, en niet bij hem thuis. Hij is eenzaam, hoewel ik niet eens zo ver weg zit. Bovendien heb ik hier mijn leven, min of meer, al voelt

het soms alsof ik alleen maar mijn tijd uitzit. Of ontbreekt
het me diep vanbinnen soms gewoon aan moed?
Heel veel liefs,
Daisy

Claire was veel te vroeg van huis gegaan, terwijl Rob nog onder
de douche stond. Ze riep 'Dag' naar hem over het geluid van
het stromende water heen en wist dat ze, als hij haar kon horen
en haar een afscheidszoen wilde geven, al de deur uit zou zijn
tegen de tijd dat hij de badkamer had verlaten. Maar er kwam
geen antwoord, geen poging tot een zoen, alleen een deur die
tussen hen dichtsloeg. Om kwart voor tien was ze op Trafalgar
Square. Dat betekende dat de National Gallery nog niet eens
open was. De nietszeggende gevel leek nietszeggender dan ooit
en de deuren die aan een bankkluis deden denken zaten stevig
dicht.

Ze liep met opzet heel langzaam naar de hoofdingang, zig-
zaggend over het plaveisel, en probeerde zo de laatste slepende
minuten door te komen en de kou te negeren. Bij het wakker
worden had ze gezien dat het buiten mistig was, en er hing nog
steeds nevel in de lucht, al was die nu minder dik dan toen ze
de gordijnen in de slaapkamer had opengetrokken en naar dat
rokerige niets had gekeken. Ze keek op naar het grijs, langs
Nelson die boven op zijn zuil bijna niet te zien was, en dacht
aan al die vliegtuigen die nu niet zouden opstijgen vanaf
Heathrow, aan al die kwade mensen die als werkbijen rond de
terminals zouden krioelen. Toen richtte ze haar aandacht weer
op de grond, op de leeuwen van Trafalgar Square voor haar,
die nog steeds bedekt waren met waterdruppels maar er zoals
altijd indrukwekkend en voornaam bij zaten, rustend op hun
enorme poten, nog heel even verlost van de tastende en weg-
glippende handen van voorbijgangers. De National Gallery to-
rende boven alles uit, met haar Griekse pilaren die naar de
open ruimte voor hen reikten. Claire besefte dat ze het gebouw

nooit echt goed had bekeken. Precies in het midden rees een volmaakt ronde koepel op, omringd door scherpe vierkanten en driehoeken, versierd met een patroon dat op pauwenveren leek, en vol details die waren verborgen onder het vuil. Indrukwekkend, en ook functioneel, maar niet echt mooi, althans niet in haar ogen.

Ze keek even op haar horloge, concludeerde dat de deuren elk moment open konden gaan en legde de rest van de weg met doelbewuste passen af. Ze keek uit naar dit schilderij, dat Daisy blijkbaar mooi had gevonden, en wilde als eerste binnen zijn. Maar het museum was nog gesloten, en ze moest zich bij de andere wachtenden opstellen die boven aan de trappen verspreid stonden, klaar voor de eerste toeristische attractie van een lange dag. Ze nam een positie vlak bij de deur in en schoof de laatste paar seconden ongeduldig met haar leren laarzen over de zwart-witte mozaïekvloer heen en weer en telde de stukken kauwgom die erop waren uitgespuugd. Sommige waren oud en ingelopen, andere nog romig en vers. Zwart en wit. Maar zo waren dingen nooit, dat had haar moeder tegen haar gezegd toen ze nog een kind was en alles oneerlijk leek. De waarheid lag altijd ergens in het midden. Ze dacht aan Robs beschuldiging: *je doet alsof ik ons kind heb gedood*. Dacht ze dat echt, dat hij een moordenaar was? Nee, natuurlijk niet, niet echt, niet wanneer ze helder nadacht. Haar verdriet zei dat soort dingen. Dat kon rare dingen doen, verdriet. Dat had ze nooit geweten. Dat had ze nooit hoeven weten. Met het verdriet kwam deze wanhopige, lichamelijke behoefte om iemand de schuld te geven, iemand die er zou zijn wanneer ze uithaalde: Rob. De enige die er altijd was.

Het eerste wat Claire, net als Daisy, opviel, was dat dit een vrouwenwereld was, net zoals de wereld van Daisy dat was geworden. De Hooch had een tafereel geschilderd dat geordend en beheerst was. Er was geen spoor van haast of chaos, noch van vuil of rommel; er waren alleen klare, nette lijnen, en een dienstmeid die deed wat haar werd gezegd. Als er mannen op die binnenplaats waren geweest, dacht Claire, dan zouden die hebben rondgelummeld en in de weg hebben gelopen. Dan hadden er overal kapotte dingen gelegen die hoognodig moesten worden gerepareerd en die de vrouwen beslist niet weg mochten gooien. Claire kreeg soms de indruk dat mannen een zekere achteloze slordigheid als een ereteken met zich meedroegen, gewoon om vrouwen langzaam gek te krijgen. Die ochtend had ze op weg naar het museum in de ondergrondse tegenover een man gezeten die zijn nagels zat te knippen en de stukjes gewoon op de vloer van het treinstel liet vallen, zonder acht te slaan op de blikken die ze hem over de rand van haar krant toewierp, alsof het er helemaal niet toe deed. Zelfs toen hij allang was uitgestapt, met in zijn hand een bos bloemen voor een vriendin of een echtgenote, had Claire nog steeds naar die ongelijke, vieze stukjes nagel zitten staren, niet in staat het onaangename raspende geluid van de nagelschaar uit haar gedachten te bannen. Een vrouw zou zoiets nooit doen. Nee, vrouwen waren bijna altijd netter en zorgvuldiger dan mannen.

Het vreemde was dat het mannen niets leek te kunnen schelen. Ze kon zich nog herinneren dat ze een keer in de keuken bezig was geweest het aanrecht af te nemen en theewater op te zetten en zich had afgevraagd hoe ze de kalkaanslag rond de kraan weg kon krijgen en of ze de gasrekening wel hadden betaald, en al die tijd had Rob alleen maar zitten kijken. Toen ze hem er op de man af naar had gevraagd – lachend, want dit was al een hele tijd geleden gebeurd – had hij tegen haar gezegd dat hij het helemaal niet erg vond dat hij geen tien dingen tegelijk kon doen. En de meeste dingen waarover zij zich druk maakte, hoefden toch niet te worden gedaan. Ze wist dat ze daar nu niet meer om zou lachen. Ze zou waarschijnlijk gaan schreeuwen. Ze had haar gevoel voor humor verloren, ergens tussen het ziekenhuis en hier.

Nu ze naar de vrouwen op het schilderij keek die van alles moesten doen – het huishouden bestieren, schoonmaken, koken – voelde ze de zure smaak van verbolgenheid in zich opwellen. Er was niets veranderd. Voor het gros van de vrouwen zag het leven er nog steeds zo uit, en meestal was er nog altijd sprake van een man die zich pas liet zien wanneer al het werk gedaan was, net als de heer des huizes op dit doek, soms dankbaar, soms niet, maar altijd in de veronderstelling dat alles klaar zou zijn wanneer hij thuiskwam. Bijna zonder na te denken pakte ze haar mobieltje om Rob een sms'je te sturen met de vraag of hij de vaatwasser al had uitgeruimd. Ze wist dat het antwoord nee luidde omdat hij dat soort klusjes altijd tot het allerlaatste moment uitstelde en pas begon wanneer hij haar sleutel in het slot hoorde en wist dat ze het wel van hem zou overnemen. Toch had ze meteen spijt van haar berichtje omdat ze maar al te goed wist dat het een schoolvoorbeeld was van het zielige gezeur waaraan ze vroeger altijd zo'n hekel had gehad.

Snel stopte ze het toestel zo diep mogelijk weg in haar tas, zodat ze Robs reactie kon vermijden, maar tegelijkertijd vroeg ze zich af of niet reageren niet veel erger zou zijn. De vrouwen voor haar zaten nog steeds opgesloten op hun binnenplaats, in een gouden lijst, met de rest van hun leven voor altijd buiten bereik. De vrouw des huizes en haar bediende moesten een zekere vriendelijke verstandhouding hebben gehad, al zou elke aarzelende poging tot vriendschap zonder twijfel aan het einde van de dag de goot in zijn geveegd, samen met het vuil van de vloer.

Claire kon zich niet voorstellen dat Daisy een dergelijk leven zou accepteren, een leven zo ver van de energie die uit elke straat in Londen leek te sijpelen, een leven vervuld van de saaiheid van altijd weer diezelfde vier muren die haar geest uiteindelijk zouden afstompen. Daisy moest zich tot de stad aangetrokken hebben gevoeld in de hoop daar iets, of misschien zelfs iemand anders, te kunnen vinden. Ze moest hebben beseft dat haar leven niet zo hoefde te zijn als ze altijd had gedacht en dat ze het kon veranderen, en dat de gevolgen nog ver weg waren. Claire had vaker dat soort verhalen over de oorlog gehoord, niet alleen over de laatste oorlog, maar ook over die ervoor: dat de mannen ver weg tegen de vijand hadden gevochten en dat de vrouwen net als Daisy hun eigen strijd hadden gestreden, eentje waarvan de mannen niet eens beseften dat hij gaande was, en dat de vrouwen daardoor hun vrijheid hadden gewonnen, of in elk geval een deel daarvan.

Ze vroeg zich af of Daisy geen verkeerde conclusie had getrokken over de andere persoon op het schilderij, de geheel in het zwart geklede man die langzaam dichterbij kwam. Misschien was hij niet de heer des huizes, maar een boodschapper van het slechte nieuws waarvan de kwade duisternis aan de hemel reeds een voorbode was, en beseften de vrouwen niet dat er iets was wat hun levens ingrijpend zou veranderen – ten goede of ten kwade, dat was niet te zeggen. Die vrouwen, die leefden binnen de beslotenheid van bakstenen muren, konden niet weten welke gevaren er buiten op de loer lagen, net zomin als Claire dat wist, die toch veel meer vrijheid had dan de dienstmeid en haar meesteres ooit hadden kunnen hebben of zich zelfs maar hadden kunnen voorstellen.

Ze schrok en draaide zich om toen ze opeens een luide tik hoorde, maar het was alleen maar een oudere dame die haar leesbril op de grond had laten vallen. Claire raapte de bril op en gaf hem aan de vrouw. Ze vroeg zich, niet voor het eerst, af of Daisy nog leefde: zo ja, dan zou ze nu ver in de tachtig zijn en haar best doen om de dagen door te komen, dan zou ze haar bril laten vallen en hopen dat die niet gebroken was, en denken aan haar leven van lang geleden. Ze zou zich afvragen hoe het met Elizabeth ging, en waarom ze het contact hadden verloren. Misschien. Waarschijnlijk niet. Mensen hadden immers niet het eeuwige leven, al wilden ze dat nog zo graag – maar niet meer wanneer puntje bij paaltje kwam en ze breekbaar waren, bang om incontinent te worden, en ze al hun vrienden van vroeger hadden verloren. Haar eigen grootouders waren daar een goed voorbeeld van. Ze waren allebei niet ouder dan in de zeventig geworden, wat niet veel goeds voorspelde voor haar eigen levensduur.

Ze probeerde zich voor te stellen dat Daisy en zij elkaar ontmoetten, oud en jong, en een gesprek voerden over de schilderijen en het leven dat Daisy in die tijd had geleid. Misschien zouden ze zelfs samen naar de National Gallery kunnen gaan. Heel even zag ze zichzelf voor zich, glimlachend, een nog altijd elegante grijze vrouw voortduwend in een grijze rolstoel die was opgehaald bij de informatiebalie aan de andere kant van die eindeloos lange houten vloeren. De blikken van de andere bezoekers die zo veel zeiden als: wat enig, ze neemt haar oma een dagje mee uit, ik vraag me af of het een bijzondere gelegenheid is? Maar nee, Daisy zou inmiddels wel dood zijn. Anders zou er elk jaar wel een kerstkaart zijn gekomen, af en toe een verjaardagskaart, of misschien zelfs wel een brief of een cadeautje wanneer er een oude herinnering was komen bovendrijven en de nostalgie naar buiten sijpelde.

Ze keek weer naar het schilderij en concentreerde zich op talloze zorgvuldig weergegeven details. Rechts stond het gebouw waaraan de pomp was opgehangen. Het leek nog het meest op een stal, met een dak van eenvoudige spanten waartussen takken waren gestoken, en een houten deur die was opengezwaaid. De muren waren netjes met witkalk bestreken, maar vlak boven het erf, dat met oneven bakstenen was geplaveid, waren ze groezeliger. Achter de vrouwen stond een laag muurtje waarover een lap hing, en daarachter was een huis van meerdere verdiepingen te zien, met een rood dak, donkere ruiten en bijgebouwen. Er was niet veel van te zien omdat het huis deel uitmaakte van de buitenwereld, een wereld waardoor de meester zich onbekommerd kon voortbewegen terwijl de

vrouwen zich thuis over hun oneindige hoeveelheid huishou-
delijke taken bogen. De vrouwen vingen niet meer dan een
glimp op van een geheel ander bestaan, waarin geen anderen
waren dan die naderende man maar dat toch, bijna, vol beloft-
es leek, juist omdat er zo weinig van te zien was; en hoe minder je van iets wist, had Claire ontdekt, des te aantrekkelijker
het werd.

Zo moest de wereld ooit zijn geweest, bedacht ze, maar nu
was dat niet meer zo, nu waren vrouwen overal en kon je bijna
niet aan hen ontsnappen. Ze was het met Daisy eens dat de
beide vrouwen op dit schilderij leken te wachten, of ze dat zelf
beseften of niet. Zaten vrouwen niet altijd ergens op te wachten, niet in staat het heden te aanvaarden omdat ze altijd aan
de toekomst dachten? Werden ze aan de ene kant niet voortdurend voortgedreven door de hoop dat het weldra beter zou
worden, en aan de andere kant gekweld door de angst dat het
juist erger zou worden?

Later vroeg ze zich af of ze Dominic zou hebben ontmoet als
Rob en zij die ochtend geen ruzie hadden gemaakt. Stel dat ze
in bed waren gebleven en hadden gevreeën? Dan zou ze later
in de National Gallery zijn aangekomen, na het ontbijt dat haar
man voor haar had klaargemaakt, of zou ze die dag misschien
helemaal niet zijn gegaan. Stel dat ze het schilderij minder
mooi had gevonden en zich eerder had omgedraaid, of dat ze
juist langer was blijven kijken omdat het haar zo beviel? Dan
zou Dominic er hoogstwaarschijnlijk niet zijn geweest. Alle
sporen van hem zouden in de door klimaatbeheersing gere-
gelde lucht zijn opgegaan.

Ze hoefde na het bekijken van het schilderij niet het drukke
café naast de winkel binnen te gaan. Ze hoefde niet in die lange
rij te staan, met pijn in haar rug vanwege die langzame, aarzelende tred die bij musea en tentoonstellingen hoorde, wachtend totdat ze een latte kon bestellen. Maar dat deed ze alle-

maal wel. Ze had 'Ja' kunnen zeggen toen het Poolse meisje met de keurige witte blouse en het lange zwarte schort dat achter de toonbank stond haar vroeg of ze de koffie mee wilde nemen. Maar ze zei 'Nee', en daardoor eindigde ze met een veel te hete porseleinen mok in haar hand bij de kassa, geërgerd kijkend naar al die volle tafeltjes waaraan vrienden en familieleden zaten, om ten slotte aan een vreemde die in zijn eentje zat te vragen: 'Is deze stoel nog vrij?'

Hij keek op. Blauwe ogen, uitnodigend. 'Ja, hoor. Ga zitten. Wacht even, dan haal ik mijn krant weg.' Hij vouwde de krant netjes op en stak hem in een schoudertas die naast zijn stoel op de gladde granieten vloer stond.

'Bedankt. Ik wilde niet storen.'

'Het geeft niet.'

'Toch bedankt.'

Ze vouwde haar handen rond de mok en voelde de damp tegen haar gezicht slaan, en dat deed haar denken aan een gezichtsbehandeling die ze een hele tijd geleden had gehad. Dat soort dingen deed ze tegenwoordig niet meer. Ze blies op de dampende koffie, zodat die sneller afkoelde. Ze wist dat hij nog steeds naar haar keek, dat voelde ze, want ze had haar ogen half gesloten. Daardoor was ze zich heel erg van zichzelf bewust, maar het was te laat om ergens anders te gaan zitten. Dat zou raar zijn. En dus bleef ze zitten, met haar blik gericht op de lichte houten tafels met het goudkleurige metalen randje.

'Ben je hier voor de tentoonstelling van Botticelli?' Zijn stem was opvallend en zelfverzekerd. Het was een stem die haar nu al vertelde dat hij op kostschool had gezeten, en daarna in Oxford of Cambridge had gestudeerd, of misschien wel aan St Andrew's of in Durham. Ze wist dat hij bepaalde woorden zou uitspreken met een lange 'a' die als een tevreden zucht klonk, en niet met een korte. Hij leek niet te merken dat hij regels overtrad aangaande het delen van een tafel met een vreemde, wat niemand immers graag deed. De regels zeiden dat je de ander moest negeren, dat je net moest doen alsof je een boek las of je agenda naliep, of, tegenwoordig, een e-mailtje verstuurde vanaf een of ander elektronisch apparaat. Je mocht je nooit echt op je gemak voelen, geen oogcontact maken, en je moest je verplicht voelen zo snel mogelijk weer te vertrekken – veel sneller dan wanneer je alleen had gezeten.

Door die vraag moest Claire hem wel aankijken, in elk geval uit beleefdheid, zei ze tegen zichzelf. Hij had bruin, weerbarstig haar dat bij de oren iets te lang was, een effect (want effect had het) dat waarschijnlijk het nodige werk had gekost. Die ogen, zo uitnodigend, niet-bedreigend en toch uitdagend. Wat stoppels, maar niet te veel, en het was immers zaterdag. Hij droeg een t-shirt met een uitbarstende vulkaan op de voorkant dat ongetwijfeld uit een winkel kwam die 'retro'- of zelfs 'vintage'-kleding verkocht. Het shirt zag er pasgestreken uit, net als zijn spijkerbroek. Hij leek geen advocaat. Ze wist niet goed wat hij wel leek.

Eindelijk gaf ze een antwoord. 'Nee. Is die er dan?'

Hij trok een meewarig gezicht. 'Nou, dat dacht ik dus, maar ik had me in de datum vergist. Die tentoonstelling liep tot vorige week. Maar er hangen wel een paar Botticelli's in de zalen. Dan ga ik die maar bekijken.'

Claire wilde eigenlijk alleen maar 'Ah' of 'Mmm' zeggen, meer niet. Dan zou hij zich weer op zijn krant richten of op zoek gaan naar schilderijen, of in het ergste geval teleurgesteld zijn over haar gebrek aan reactie op zijn vriendelijkheid, dat er toch al niet toe deed omdat hij een vreemde was. Maar in plaats daarvan zei ze: 'Ik heb er een maand geleden eentje gezien.'

'Welke?'

'*De geboorte van Christus.*'

'Een interessante keuze, als ik dat mag zeggen. *De geboorte van Christus* is vrij ongewoon.'

'O ja? Het leek me wel passend, vlak voor Kerstmis.' Dat was alles wat ze kon bedenken. Wat had Daisy ook alweer in haar brief aan Elizabeth geschreven? En waar waren al die andere gedachten die bij haar waren opgekomen toen ze voor het schilderij had gestaan? Op dat moment hadden die zo belangrijk geleken. Over kunst praten was niet eenvoudig, of misschien maakte deze man het niet eenvoudig. Hij klonk alsof hij wist waar hij het over had, net als die man die Daisy was tegengekomen, sir Kenneth Clark. Om dat soort mensen hing een bijna voelbare autoriteit heen, en nog iets anders, waar minder gemakkelijk een vinger op te leggen was.

'Wist je dat dat het enige schilderij is dat Botticelli daadwerkelijk heeft gesigneerd?' zei hij nu. 'Daarom zijn kunsthistorici er zeker van dat het van hem is. Ze zijn het nooit eens over dat soort dingen: wie wat heeft gemaakt, wat er is gebeurd met verdwenen werken. Je zult het misschien niet willen geloven, maar ze kunnen zich er behoorlijk over opwinden.'

'Ben jij dat ook? Kunsthistoricus?' vroeg ze.

Hij lachte. 'Nee, tegenwoordig niet. Ik heb in mijn jonge jaren kunstgeschiedenis gestudeerd, totdat ik besefte dat ik vooral veel over kunst las en er niet meer echt van genoot. Maar ik zit nog steeds in het wereldje. Ik werk voor een veilinghuis. En jij?'

'Ik ben me er nog maar pas in gaan verdiepen,' zei ze, en omdat ze niet wilde dat hij zou denken dat ze er helemaal niets over wist, begon ze hem iets te vertellen waarvan ze vermoedde dat Rob het niet eens wist – omdat ze niet echt alles over elkaar wisten, dat wisten mensen nooit, zelfs niet wanneer ze al jaren bij elkaar waren en er geen herinneringen leken te zijn die ze nog niet met elkaar hadden gedeeld. 'Ik heb vroeger op school een tijdje geschilderd, maar toen ik in mijn eindexamenjaar zat, ben ik nooit meer in het tekenlokaal geweest. Sterker nog, nu ik erover nadenk, vermoed ik dat ik al bijna vijftien jaar geen kwast meer in mijn handen heb gehad.'

'Zelfs niet om je slaapkamer te schilderen?' Een glimlach.

Een rechtstreekse blik. Haar eigen blauwe ogen weerspiegeld in die van hem.

'Nee,' zei ze. 'Dat soort dingen doet mijn man allemaal. Hij is praktisch ingesteld. Schilderen, behangen, dat soort dingen. Je kent dat wel. Dat doet hij als hij geen advocaat is.'

Er viel een stilte. Die te lang duurde. Claire merkte dat ze met een opgelaten gevoel naar haar trouwring zat te kijken, en naar de verlovingsring die ze ernaast droeg, en die allebei nog zo nieuw waren dat het dragen nog geen sporen had nagelaten. De solitaire diamant fonkelde nog steeds, zij het minder fel dan toen Rob hem voor het eerst aan haar vinger had geschoven, met handen die net zo trilden als de hare, en zij had gezegd, zonder een moment te aarzelen en zonder dat hij veel hoefde te zeggen: 'Ja, ik wil met je trouwen. Natuurlijk wil ik dat.' Ze had de diamant willen laten schoonmaken. Ze draaide beide ringen rond en keek toen, schuldbewust, naar zijn handen. Hij droeg niets. Ze ging snel verder: 'Ik heb besloten één keer per maand de National Gallery te bezoeken om te zien wat ik mezelf kan leren. Het is iets nieuws voor me.' Ze zei niets over Daisy.

De man keek haar nog altijd aandachtig aan, en ze concentreerde zich op haar koffie. Die was nu onaangenaam koud.

'Dat schilderij van Botticelli dat je hebt gezien,' zei hij ten slotte. 'Dat gaat niet alleen over de geboorte van Jezus, in tegenstelling tot de meeste doeken met dat onderwerp. Botticelli dacht dat het einde der tijden nabij was en dat het niet lang zou duren voordat de aarde zou worden vernietigd. Hij wilde die kant ook laten zien.'

'O,' zei ze. 'Dat wist ik niet. Dat zou ik nooit hebben geraden.' Ze voelde zich teleurgesteld en zelfs beschaamd, alsof haar iets was ontgaan wat overduidelijk was. Ze vroeg zich af of Daisy, die een echte oorlog had meegemaakt, wel had geweten dat ze naar een schilderij keek dat totale vernietiging voorspelde. Ongetwijfeld niet. Als dat zo was geweest, had ze het beslist niet zo'n goede keuze voor het schilderij van de maand gevonden.

'Hij had het natuurlijk mis. De wereld gaat gewoon door.'

O ja, dacht ze, is dat wel zo?

'Ik ben trouwens Dominic.'

'Ik ben Claire.'

Ergens bij haar voeten voelde ze haar mobieltje trillen in haar handtas. Dat moest Rob zijn. Bijna niemand belde haar op dit nummer omdat ze zo zelden opnam.

'Kan ik je nog een kop koffie aanbieden, Claire?'

'Ja,' zei ze. Het mobieltje hield op met trillen. 'Graag, Dominic.'

Pas toen ze voor haar voordeur stond en in haar tas naar haar sleutels zocht, keek ze naar haar mobieltje. Er was een voicemail en een sms'je.

Vlak voor de deur luisterde ze naar het berichtje, terwijl de wind het scherpe gruis van de straat tegen haar benen blies. Het was afkomstig van Sarah, die die avond zou komen eten, met haar man David en nog een ander stel. Ze zei dat David ziek was en niet kon komen, en bovendien moest hij in het weekend nog stapels papieren voor zijn werk doornemen. Sarah zou natuurlijk wel komen, maar in haar eentje, als dat goed was, en ze zou niet al te laat weer weggaan, zodat ze bijtijds thuis zou zijn – dus eigenlijk, dacht Claire, zou ze er vrijwel helemaal niet zijn. Ze vroeg zich af of de excuses leugens waren. Nu werd zij geacht Sarah terug te bellen en te zeggen dat ze er alle begrip voor had, en dat Sarah misschien zelf ook beter thuis kon blijven. Maar dat deed ze niet. Het was gemakkelijker als er iemand was in plaats van helemaal niemand. Bovendien werden Sarah en de andere gasten geacht vrienden te zijn, echte vrienden, mensen die Rob en zij op de universiteit hadden leren kennen en met wie ze ooit van die eindeloze uren hadden doorgebracht die vanzelf overgingen in dagen waarop ze alles met elkaar hadden besproken. Na Oliver was haar greep op de banden tussen hen verslapt en had ze een afstand zien ontstaan. Sommige vrienden hielden het dapper vol, omwille van herinneringen die hun vertelden dat Claire ooit (maar nu even niet) fijn gezelschap was geweest, op feestjes had staan dansen, altijd als eerste een uitstapje had voorgesteld en te veel over haar werk had gepraat omdat ze dat zo leuk vond. Uiteindelijk was hun bezorgdheid, die als drijfzand aan haar trok, even verstikkend geworden als haar verdriet en had ze nog meer haar best gedaan om hen op afstand te houden. Oliver was voor haar genoeg. Geen van hen kon dat begrijpen. Niemand had de kleine emotionele ruimte kunnen vullen die ze had laten ontstaan – totdat de niet-echte Daisy was verschenen, die alleen maar naar Claire toe kwam wanneer Claire haar riep, maar die tegelijkertijd elke dag een beetje meer ruimte voor haarzelf maakte.

Het sms'je was van Rob. GEREGELD. OOK BOODSCHAPPEN GEDAAN. Even begreep ze het niet, maar toen wist ze het weer. Hij had het over de vaatwasser, die nu blijkbaar was uitgeruimd. Het was vreemd, maar vanwege haar gesprek met Dominic had ze daar helemaal niet meer aan gedacht. Er waren heel veel dingen waaraan ze tijdens dat gesprek niet meer had gedacht. In de allerminst veelbelovende omgeving van het overvolle café had hij haar op de een of andere manier weten af te leiden van al die dingen die doorgaans haar gedachten vulden, de kleine dingen als het betalen van de gemeentebelasting en het kijk-en-luistergeld, en de grote dingen als Oliver – en Rob. Hij had haar niet op de man af gevraagd wat ze deed, zoals de meeste kennissen deden. Noch had hij, op weloverwogen en bezorgde toon, gevraagd hoe het met haar ging, zoals de meeste vrienden deden. In plaats daarvan hadden ze gebabbeld over tentoonstellingen, boeken en de nieuwste films, net zoals de mensen aan de tafeltjes om hen heen, en net zoals zij en Rob ooit hadden gedaan voordat ze getrouwd waren, toen ze nog vroeg waren opgestaan om ergens te gaan ontbijten en aan de huisgenoten te ontsnappen die ze eigenlijk waren ontgroeid.

Claire had op weg naar de stad het kunstkatern van een van de zondagskranten gelezen. Dat had ze in een van de treinstellen van de ondergrondse gevonden, waar iemand het had weggegooid, en ze had even geaarzeld voordat ze het oppakte. Nu was ze blij dat ze dat had gedaan. Daardoor had ze het gevoel dat ze indruk kon maken met haar kennis, zelfs al was er geen reden om indruk te maken op een vreemde, en nog minder reden om een vreemde haar mobiele nummer te geven, wat ze wel had gedaan, en instemmend te reageren toen hij 'Dit moeten we nog eens doen' had gezegd. Al was hij nu geen vreemde meer. Hij was een veilingmeester die Dominic heette en die verstand had van Botticelli, en ongetwijfeld ook van Titiaan, en die zelfs kon tekenen en soms naar de National Gallery kwam om – naar eigen zeggen slechte – schetsen van schilderijen te maken. Ze was blij dat hij niet meer van haar wist dan dat ze getrouwd was. Ze was blij dat ze zijn nummer niet had genoteerd. Ze was blij dat het er allemaal niet toe deed omdat ze hem toch niet meer zou zien. Toch had het eventjes geleken alsof er een wonder gebeurde, want ze had zich zo anders gevoeld, alsof zij en dat wat ze zei het enige was wat ertoe deed, en verder niets.

Zijn berichtje kwam binnen op het moment dat ze over de drempel stapte en het gewicht van het gewone leven zwaar op haar schouders drukte. Het stond in de inbox van haar mobieltje, naast dat van Rob. LEUK OM JE TE LEREN KENNEN. HOU CONTACT. DOMINIC X. Dus nu had ze toch zijn nummer. OOK LEUK OM JOU TE LEREN KENNEN. Dat was het antwoord dat ze intoetste, met de deur van de woning nog steeds open. Geen x. Door het schuldgevoel over de haast waarmee ze had geantwoord, en niet door de boodschappen of de vaatwasser of hun ruzie, rende ze naar Robs armen toen ze eenmaal binnen was en kuste hem zacht, en echt, op zijn lippen.

'Wat een verrassing,' zei hij glimlachend. Zijn ogen verraadden veel ingewikkelder emoties. Onzekerheid. Schrik. Twijfel of deze nieuwe stemming lang zou duren. Claire zag geen blijdschap in zijn ogen. Ze kuste hem opnieuw, in de hoop in elk geval een zweem van opluchting aan te treffen.

'Ik zou dit vaker moeten doen,' zei ze. 'Net als vroeger.'

Toen ik je wel tien, twintig, dertig en nog veel meer keer kuste voordat we zelfs maar waren opgestaan. Toen ik elke morgen wanneer je naar je werk ging 'Ik hou van je' zei en het meende. Toen ik me niet kon voorstellen met hoeveel gemak je me zou verraden, of ik jou.

'Er is geen haast bij, bedoel ik. Ik wilde je vanmorgen niet onder druk zetten. Dat was echt niet mijn bedoeling. Ik snap heus wel dat het tijd kost.' Hij bedoelde dat als beloning voor de kus, dat simpele gebaar, maar het voelde als meer dan dat. Het voelde als respijt. Zelfs toen ze 'Dank je' zei en haar hoofd tegen zijn borst vlijde, wist ze al dat hij haar meer tijd alleen zou gunnen.

Hij streelde haar over haar haar terwijl ze haar gezicht tegen hem aan verborg. 'Je ruikt naar koffie en taart,' zei hij, 'en ik heb honger.'

Hij had net zo goed Dominics naam kunnen zeggen, want Dominic was degene die de laatste kop koffie voor haar had gekocht, en toen, daarna, een stuk Moskovisch gebak, waarvan Claires vingers nog altijd kleefden. Ze maakte zich meteen van hem los.

'Vond je het een mooi schilderij?' vroeg hij, en ze wist dat hij zich vastklampte aan de bijna toevallige intimiteit die ze hem had geboden.

'Ja,' begon ze, maar toen merkte ze dat ze zich niets anders kon herinneren dan het kolkende grijs van de dreigende lucht boven de twee vrouwen. Ze haalde bijna huiverend haar schouders op en ging verder: 'Het was oké. Kom, we moeten nog een hoop voorbereiden voor vanavond.' Ze stonden in de keuken en ze keek naar de boodschappen die hij op een van de werkbladen had uitgestald. 'Heb je citroenen gekocht voor de kwarktaart?'

Hij zweeg even en maakte toen een kermend geluid. 'Sorry. Ik wist dat ik iets was vergeten.'

'Ik ga er wel even een paar halen. Ze hebben er vast genoeg in de winkel om de hoek.' Gewoonlijk, of wat voor gewoonlijk moest doorgaan, zou ze er een enorm punt van hebben gemaakt. Vroeger zou ze alleen maar hebben geglimlacht en zouden ze het samen hebben opgelost door hand in hand terug naar de winkel te gaan, terwijl zij hem veel meer over haar ochtend vertelde dan hij eigenlijk wilde weten. Nu draaide ze zich simpelweg om, met haar jas nog aan, en liep ze weer naar buiten, wetend dat Rob haar teleurstelling moest hebben gevoeld, ook al had ze niet geschreeuwd of gehuild, en dat hij vanbinnen weer een beetje meer was gekrompen.

Voordat ze die avond naar bed ging, las ze nogmaals het sms'je van Dominic en haar antwoord aan hem en keek ze meerdere malen of hij haar misschien had geantwoord, maar dat was niet zo. Ze sloeg zijn nummer op, onder de D van Dominic omdat ze zijn achternaam niet wist, en omdat iets haar nu al vertelde dat ze het opnieuw zou gebruiken.

4

Apollo en Daphne – Pollaiuolo

'Laten we vandaag iets doen samen,' zei Rob. 'Laten we naar Kew Gardens of naar Richmond gaan.'

Ze hadden beide plekken al eerder samen bezocht en daar verstrengeld rondgelopen, verrukt door de schoonheid van hun omgeving; ze waren ergens gestopt voor een kopje thee, hadden foto's gemaakt waarvan ze wisten dat ze die nooit zouden afdrukken wegens tijdgebrek, en hadden cadeautjes voor elkaar gekocht als aandenken aan de dag. Ooit waren er zo veel van zulke momenten geweest, dacht Claire, en daardoor aarzelde ze, half uit bed, met haar benen op de grond. Ze was vroeg en onverwacht wakker geworden, vanwege een ongeduld dat trok aan haar ledematen, die desondanks bleven liggen in plaats van met een beweging de stilte te verbreken. Een specht tikte ritmisch tegen een van de bomen in de gezamenlijke tuin. Het geluid voelde als het begin van hoofdpijn.

'Het spijt me, Rob, maar dat gaat niet,' zei ze ten slotte, na zo'n lange stilte dat hij wel moest hebben geweten dat haar antwoord nee zou zijn. 'Ik heb je gisteravond al verteld dat ik vandaag naar Daisy's volgende schilderij ga kijken.'

'Dat kun je toch ook morgen doen? De Gallery is op zondag open.'

'Nee, ik heb mezelf beloofd dat ik vanochtend zou gaan. Het is vandaag 1 februari. Ik ga naar het schilderij van februari kijken.'

'Daar heb je de hele maand de tijd voor. Het is echt geen ramp als je niet vandaag gaat. Die brief gaat nergens naartoe, en dat schilderij ook niet. De wereld vergaat heus niet.'

Hij zei het luchtig, om haar aan het lachen te maken, maar ze lachte niet. Toen ze antwoordde, klonk haar stem gespannen. 'Het is mijn project, Rob. Ik heb besloten dat ik het zo wil doen. Ik wil niet dat je voorkomt dat ik het afmaak.'

'Ik zeg niet dat je ermee moet stoppen. Ik dacht alleen dat je voor de verandering misschien eens iets met je man zou willen doen, gewoon met ons tweetjes, ergens anders dan thuis. Is dat nu zo'n vreselijk idee?'

Hij deed zijn best, te veel, en Claire vroeg zich af hoe hij erin slaagde zo geduldig te blijven. Ze wist dat het haar niet zou zijn gelukt. 'Nee, natuurlijk niet,' zei ze. 'Maar kunnen we het niet even laten rusten en het er later nog eens over hebben?'

'Ja, natuurlijk. Dat kan wel.'

Omdat ze toen wist dat hij haar haar zin zou geven, kon ze echt glimlachen, bijna volkomen ongedwongen.

'Dank je, Rob. Dit betekent heel veel voor me, dat weet je.'

'Dat weet ik,' zei hij, en toen, op zachtere toon: 'Ik weet alleen niet waarom.' Dacht hij dat ze dat niet had gehoord, of wilde hij niet dat ze het zou horen? Ze dacht er niet verder over na. Ze had geen tijd voor discussies, niet vandaag. Ze had tegen Dominic gezegd dat ze de National Gallery elke maand bezocht, en het was precies een maand na haar bezoek aan het schilderij van De Hooch. Daarom wilde ze er vandaag weer naartoe. Als hij haar wilde zien, wist hij waar hij haar kon vinden. Bij die gedachte ging er een rilling door haar heen die bijna schokkend was. Ze probeerde die emotie niet te begrijpen omdat het al gevaarlijk genoeg voelde, en hoe meer ze erover nadacht, des te sneller, zo wist ze, zou ze erdoor worden meegesleept. Haar moeder had, met haar eigen mislukte huwelijk ver achter haar, Claire een paar laatste wijze woorden meegegeven voordat ze met Rob naar het altaar liep. Toen had ze die niet willen geloven. 'Dat je getrouwd bent,' had haar moeder gezegd, 'betekent nog niet dat je je niet tot anderen aangetrokken kunt voelen. Je moet er alleen op een andere manier mee omgaan dan vroeger.' En toen, wanhopig: 'Probeer het beter te doen dan wij.' Slechter kan bijna niet, had Claire op dat moment gedacht, maar dat was voordat ze wist dat ze moest leren leven met beelden van het bestaan dat ze had moeten hebben, beelden die veel sterker leken dan de werkelijkheid en die voortdurend achter haar gesloten oogleden werden afgespeeld. Voordat ze wist hoe diep het verlangen tot vluchten kon zijn. Wanhoop was te sterk voor geluk en had dat gevoel met een enkele klap vernietigd.

Ze gooide het dekbed van zich af en liet haar man alleen achter in het bed waaruit de warmte van de nacht in een oogwenk verdween. Vanuit de deuropening zag ze dat hij terugviel in de kussens en zijn ogen sloot voor wat, zo hoopte ze, slaap was.

Ze ontbeet in een cafeetje verderop in de straat omdat ze niet wilde eten bij het geluid van de huilende peuter van de benedenburen, die altijd op dit uur van de dag leek te janken. Claire was in het begin een tijdje bevriend geweest met zijn moeder. Ze hadden gekletst over wat ze in de volgende fase van haar zwangerschap kon verwachten, en dat ze samen naar het park konden gaan als Claires baby er eenmaal was. Ze had zich voorgesteld dat ze daar liepen, Oliver slapend in de buggy, het oudere kindje op de schommel, steeds hoger. Sinds de miskraam hadden ze elkaar niet echt meer gesproken. Wat de vrouw ook zou hebben gezegd, Claire zou maar één ding hebben gehoord: *ik heb een kind en jij hebt het jouwe verloren. Hier is mijn zoon, waar is die van jou?* Er was een tijd geweest dat het jongetje naar Claires armen was gekropen, daarna wankelend gelopen, en ten slotte gerend, maar ook dat was veranderd. Nu was hij op zijn hoede wanneer ze in de buurt was, alsof hij beter dan zijn moeder begreep wat er binnen in haar was gebeurd.

Ze zat in het café op een stoel van goedkoop plastic dat de indruk moest wekken dat de stoel van riet was, met een kop thee voor zich, en keek naar de eindeloze stoet uiteenlopende voorbijgangers aan de andere kant van de ruit waarop in lichtgevend groen de aanbiedingen waren geschreven, verkeerd om, zodat ze van buitenaf konden worden gelezen. In een hoek van het raam vloog een vlinder onbeholpen langs de condens die door de klanten en de aanhoudende stoom uit de koffiemachine was veroorzaakt. Hoe vaker het beestje met zijn vleugels klapperde, des te natter en zwaarder het werd, en des te breder zijn jachtige spoor over het glas. Ze dacht niet dat de vlinder het in zijn eentje zou redden, niet zonder hulp, en daarom ging ze bij vertrek op haar tenen staan en ving ze hem in haar lege plastic bekertje en nam hem mee naar de lelijke straat buiten waar ze hem losliet door het bekertje boven het plaveisel om te draaien. Best wel stom. Ze zag ook wel dat de vlinder het niet zou redden. Aanvankelijk vloog hij niet eens weg. Hij zou waarschijnlijk doodvriezen. Vlinders in februari, dat kon toch niet? Maar hij kon beter bevriezen, in vrijheid, dan sterven in de warmte van menselijk zweet. Het gevoel van opgesloten zitten, dat vond ze het ergste wat er was. Zelfs als klein meisje had ze niet graag verstoppertje gespeeld en was ze uit de buurt gebleven van kasten en de donkere hoekjes achter deuren en onder bedden.

Ze gooide het bekertje in een vuilnisbak en liep naar de ondergrondse. Net toen ze op de roltrap stapte, piepte haar mobieltje. Het was een sms'je, van Dominic.

GA VANDAAG NAAR HET MUSEUM. JIJ OOK?

Ze aarzelde. Moest ze antwoorden? Ze besloot het niet te doen: ze wilde weten hoe het voelde om de touwtjes in handen te hebben, om degene te zijn aan wie werd gevraagd: 'Heb je mijn berichtje ontvangen?' Dat gevoel had ze bij Rob nooit. Ze liet zich altijd door hem meeslepen, volgde hem waar hij ging, al vanaf de dag dat ze elkaar hadden leren kennen, toen zij zonder al te veel enthousiasme Engels had gestudeerd en hij – hij zat in hetzelfde jaar als zij – al een contract als stagiair bij een Londens advocatenkantoor had getekend. Toen al was hij zelfverzekerd geweest en had hij precies geweten wat hij wilde. Nou, kijk eens wat dat hun had opgeleverd. Dat zou nu gaan veranderen. Zij nam de touwtjes in handen. Zij ging bepalen wat er gebeurde. Toch kon haar vastberadenheid niet verhinderen dat ze langs de overige treden van de roltrap naar beneden rende en de eerste de beste trein nam die het station kwam binnenrijden, ook al zat die vol passagiers die gingen winkelen in Oxford Street en kwam er een minuut later een volgende trein. Normaal gesproken zou ze daarop hebben gewacht.

Ze had Daisy's brief in haar tas, zorgvuldig opgeborgen in de originele envelop. Dit was de eerste envelop met een groot stempel met GEOPEND VOOR ONDERZOEK erop. Ze nam aan dat die iets met censuur te maken had. De brieven waren immers naar het buitenland verstuurd, naar Canada. Dat betekende dat ze niet de eerste vreemde was die ze las, dat iemand lang geleden en eerder dan zij de vellen had omgedraaid, nog voordat Elizabeth dat had kunnen doen, en net als Claire op zoek was gegaan naar geheimen. Ze had de brief gisteravond thuis al gelezen, maar ze wilde hem nogmaals lezen, bij het schilderij dat Daisy had beschreven. Dat zou iets speciaals hebben.

februari 1943

Lieve Elizabeth,
Het schilderij van februari is weer een Italiaans werk. De maker heet Pollaiuolo, en dat is nogal een mondvol, vind je niet? Het is ook vrij oud. Ze zeggen dat het rond 1470 is

gemaakt, en het heet *Apollo en Daphne*. Aan hoeveel muren zal het hebben gehangen voordat ik het hier kwam bekijken? Aan tientallen, denk ik. En nu zal het wel voor altijd in het bezit van de National Gallery blijven.

Het is een erg klein schilderij. Het is zelfs zo klein dat ik niet begrijp waarom ze dit hebben gekozen. Ik dacht dat de National Gallery kunst aan het grote publiek wilde tonen, maar soms maken ze het wel moeilijk. Ik kon het niet goed zien, niet met al de mensen eromheen. Maar ze zullen dit wel gemakkelijker kunnen vervoeren, en tegenwoordig mag je blij zijn met wat je kunt krijgen. Je kent het verhaal vast nog wel. Apollo valt ten prooi aan een gekmakend verlangen naar de nimf Daphne. Ze wil niets van hem weten en vraagt haar vader om hulp (hij is, net als de meeste personages uit de Griekse mythen, een of andere god van de tweede garnituur). Hij redt haar door haar in een laurierstruik te veranderen. Zo wordt Apollo voor de gek gehouden en kan Daphne ontsnappen. Onbeantwoorde liefde, Elizabeth, is dat niet zo oud als de mensheid zelf? Wat steken we toch veel energie in het najagen van wat we niet kunnen krijgen! Dat houdt de wereld waarschijnlijk aan de gang.

Moeder zei altijd dat je nooit de perfecte balans kunt vinden, zelfs niet in een huwelijk. De een zal altijd net ietsje meer van de ander houden. Toen begreep ik natuurlijk nog niet wat ze bedoelde. Ik dacht dat de liefde heel erg eenvoudig was, want het was zo gemakkelijk om van haar te houden. Ik had nooit gedacht dat ik haar soms nog eens zou haten als ze er niet meer zou zijn, alleen maar omdat ze me in de steek heeft gelaten door dood te gaan. Alsof ze daar iets aan had kunnen veranderen! Nu begrijp ik dat ook wel. En kijk eens naar Charles. Die heeft me uiteindelijk wel gekregen, maar ik heb het hem niet bepaald gemakkelijk gemaakt. Eén aanzoek was niet

genoeg, maar ik denk dat twee wel voldoende moet zijn.
Al laat ik hem zelfs nu nog wachten.

Het schilderij toont Apollo in een tamelijk gewaagde leren
tuniek die nog niet eens tot halverwege zijn dijen reikt.
Zijn gouden lokken dansen rond zijn schouders. Hij
draagt gouden sandalen met bandjes en zijn halsdoek
wappert achter hem aan, om aan te geven hoe snel hij is.
Eerlijk gezegd denk ik niet dat Daphne zonder hulp van
haar vader aan hem had kunnen ontkomen, want Apollo
heeft haar al vastgepakt en zijn benen zijn min of meer
verstrengeld met de hare. Ze loopt op blote voeten en heeft
lang blond haar; ik vind dat ze een beetje een
poppengezichtje heeft. Op het eerste gezicht is ze
fatsoenlijker gekleed dan Apollo. Haar donkerblauwe
tuniek reikt tot aan haar enkels, maar heeft wel een
uitnodigend split waardoor je een groot deel van haar
welgevormde dij kunt zien. Rond haar middel draagt ze
een dunne bruine gordel die meteen los zou schieten als
Apollo er even aan zou trekken.

Het vreemdste van dit schilderij is dat Daphne al bezig is
in een laurierboom te veranderen. Ze houdt haar armen
boven haar hoofd, maar die zijn voor het grootste deel
geen armen meer: het zijn takken met bruine bladeren,
takken die nota bene net zo groot zijn als zij. Ik denk dat
dat niet anders kon, want zo gaat het verhaal nu eenmaal,
maar het arme kind ziet er bespottelijk uit, met die dingen
boven haar hoofd. Het lijken net tennisrackets. Ik denk dat
je zeker zou hebben geglimlacht als je het had kunnen
zien, maar ik moet bekennen dat ik begon te schateren. Ik
kon er niets aan doen.

Eerlijk gezegd denk ik dat Daphne het slechter had
kunnen treffen dan met Apollo; iets in haar gezicht wekt
de indruk dat ze zich afvraagt of hij misschien toch de
moeite waard is. Te laat, Daphne, te laat!

Ik stond nog steeds te lachen toen iemand me op de schouder tikte. Ik draaide me om en zag een tamelijk knappe man staan die me een handschoen toestak, alsof hij een hoveling was en ik... Nou ja, geen prinses, maar dan toch in elk geval iemand met een zekere positie in het koninklijk huishouden. Hij stond bijna te buigen, en ik moet zeggen dat het een vrij charmant effect had. Ik pakte de handschoen aan, want die was natuurlijk van mij, die had ik zoals wel vaker op de grond laten vallen, en natuurlijk was dit die handschoen met een gat erin, al hebben ze tegenwoordig allemaal gaten. Toen zei hij: 'U hebt werkelijk prachtige handen. Ik zou u graag eens willen schilderen.' Hemeltje, Elizabeth, kun je je iets mooiers voorstellen? Het was net een droom. Ik was heel erg in mijn nopjes, dat begrijp je natuurlijk wel, maar ik nam aan dat hij volslagen krankzinnig was. Dat is hij niet. Hij is echt een kunstenaar.

Ik weet niet precies hoe het heeft kunnen gebeuren, maar voordat ik het wist, zat ik samen met hem aan de lunch die we hadden gekocht in de kantine die ze in de National Gallery hebben ingericht. We hadden allebei een kop gloeiend hete thee en deelden een paar broodjes met ham en chutney, op de marmeren trappen, waar we iedereen in de weg zaten. Hij vroeg me of ik de schilderijen mooi vond, en ik vertelde dat ik elke maand ga kijken en jou er dan een brief over schrijf. Dat vond hij een geweldig idee, en hij vroeg of ik *Apollo en Daphne* mooi vond. Ik ben bang dat ik niet goed wist wat ik moest zeggen, zeker omdat hij heel veel verstand van dergelijke dingen had, en dus zei ik niet zo veel, behalve dan dat ik niet veel over kunst weet en me er sinds kort in ben gaan verdiepen. Toen keek hij een beetje teleurgesteld, en dus vertelde ik hem dat het schilderij me aan het lachen had gemaakt, en waarom, en toen moest hij ook lachen. Daardoor kreeg hij een heel ander gezicht. Lang niet zo serieus als ik eerst had gedacht. Sterker nog, ik denk dat je wel met hem kunt lachen. Maar ik had liever iets gezegd wat meer indruk had gemaakt. Volgende keer zal ik beter mijn best doen.

Hij werkt op dit moment in Londen vanwege opdrachten voor een of ander comité. Dat is bezig iets aan te leggen wat hij 'een artistiek verslag van de oorlog' noemt – zodat we niet alleen dodenlijsten en veldslagen als herinnering aan de verschrikkingen hebben. En dit comité heeft dus verschillende kunstenaars opdracht gegeven interessante dingen te schilderen. Ik heb geen idee hoe ze bepalen wat interessant is en wat niet, maar het klinkt allemaal erg belangrijk. Ik zei tegen hem dat ik me afvroeg of zoiets verschrikkelijks en saais als een oorlog wel enige artistieke waarde kan hebben, maar ik ben bang dat ik hem daarmee een beetje van zijn stuk bracht. Maar hij zegt dat hij kan bewijzen dat ik ongelijk heb, als ik hem de kans wil geven.

Hij heet trouwens Richard, Richard Dacre. Dat had ik je eerder moeten vertellen, maar dat maakt denk ik niet veel uit.

Ik heb nog niets van Charles gehoord, maar ik blijf hem schrijven.

Voor nu geen nieuws meer.

Veel liefs,

Daisy

Nu Claire op een houten bankje voor Pollaiuolo's *Apollo en Daphne* zat, vroeg ze zich af of Daisy het schilderij wel helemaal goed had begrepen. Er was zo te zien niet veel waarom je kon lachen. Ze vond Daphne vooral droevig kijken, alsof de nimf elk moment in tranen kon uitbarsten. Misschien had de plotselinge angst die haar had overvallen toen Apollo naar haar toe kwam, als de paniek van een naïef meisje dat tijdens een eerste schoolfeest de lippen van een jongen lichtjes langs de hare voelt strijken, kunnen verdwijnen als ze hem een kans had gegeven. Maar dat had ze niet gedaan, ze had meteen haar vader om hulp gevraagd en hem gesmeekt haar te helpen ontsnappen, om vervolgens, net toen de benen van Apollo sterk en warm tegen de hare drukten, langzaam te worden gegrepen door het gevoel dat ze nu voor eeuwig in zichzelf gevangenzat. Op dat moment moest ze hebben beseft wat ze had opgegeven. De liefde van een god, de liefde van een man, en zelfs de troostende omhelzing van een vader waren nu allemaal voor eeuwig verdwenen achter takken en bladeren.

Ook het gezicht van Apollo had iets wanhopigs. Hij probeerde haar tevergeefs vast te houden en weg te trekken van haar lot, of in elk geval haar gezicht voor altijd in zijn herinnering op te nemen. Hij probeerde haar te redden, voor zichzelf maar ook van haarzelf, door zich aan haar vast te klampen alsof hij niet van plan was haar te laten gaan, nog niet. Het was allemaal zo zinloos, want de kracht van de woedende vader was te sterk voor de verliefde jongeling, maar hij deed in elk geval zijn best, net zo hard als ze Rob zijn best had willen zien doen. Was hij het maar met me blijven proberen, dacht ze, had ik hem maar kunnen zeggen dat hij het nog even moest volhouden en dat alles dan wel goed zou komen tussen ons. Maar dat wist ze niet zeker. Eigenlijk was ze bang dat ze al zo veel verschilde van de vrouw met wie hij was getrouwd dat ze hem niet meer dichtbij zou laten komen en daar al helemaal niet meer om zou vragen, en dat haar eigen metamorfose was voltooid. In dat geval was er voor geen van hen beiden nog hoop. En wat Daphne betreft, die had een belangrijke les geleerd. Wees voorzichtig met wat je wenst, want je weet nooit op welke manier je wensen zullen uitkomen.

Dat was een ongemakkelijke gedachte, die zoals alle ongemakkelijke gedachten het beste kon worden verdrongen. Daarom dacht Claire in plaats daarvan aan Daisy, die naar ditzelfde gebouw was gekomen om het schilderij te zien waarnaar zij nu keek. Ze deed haar ogen half dicht en verwachtte bijna dat ze Daisy zou zien naderen als ze ze weer zou openen, en dat Daisy haar hand uit zou steken en zou zeggen: 'Wat een genoegen om u te ontmoeten, en wat fijn dat u hebt willen komen.' Spraken de mensen toen zo? Ze stelde zich voor dat Daisy haar best had gedaan, zich netjes had aangekleed, in een keurig pakje met hoed, en dat ze naast elkaar zouden gaan zitten en zouden zeggen dat het leek alsof ze elkaar al jaren kenden. Het gevoel was op dat moment zo sterk dat ze opkeek, klaar om te glimlachen, maar er was natuurlijk geen Daisy, dat kon ook niet. Wie er wel was, was Dominic, en dus was haar glimlach niet helemaal verspild.

'Claire! Hallo! Ik zag je al binnenkomen. Ik hoop niet dat je het erg vindt dat ik je achterna ben gekomen? Ik wilde je niet mislopen. Heb je mijn sms'je nog gekregen?'

'Ja. Sorry, ik had geen tijd om een antwoord te sturen, ik was al onderweg. Ik was van plan je later te bellen.' Ze ergerde zich aan haar eigen excuses, die niet nodig waren, en voelde zich een beetje opgelaten omdat Dominic haar vanaf de ingang van de zaal had gadegeslagen en zich waarschijnlijk had afgevraagd wat haar zo boeide aan Pollaiuolo's vreemde schilderij, en of de kleine veranderingen die ze ongetwijfeld in haar kleding en kapsel had aangebracht iets met hem te maken hadden.

'Het is vast het lot,' zei hij, en even dacht ze aan Daphnes lot en wat dat voor haar had betekend. Toen kwam hij naast haar zitten, zo dichtbij dat hun schouders elkaar raakten, geen twijfel mogelijk, en zei hij: 'Het is fijn je weer te zien.'

'Het is ook fijn jou weer te zien,' zei ze, en ze schaamde zich bijna omdat dat zo waar was. Ze had Daisy's brief nog steeds in haar hand en besefte pas hoe stevig ze de kwetsbare velletjes vasthield toen ze naar beneden keek. Ze vouwde ze voorzichtig op en stak ze samen met de envelop in haar tas. Zijn vlugge blik volgde haar handen, geamuseerd, maar ze gaf geen uitleg.

'Waarom heb je deze zaal uitgekozen?' vroeg hij. 'Het is zeker niet de populairste.'

'Een vriendin heeft me over dit schilderij verteld. Ze vertelt me graag over ongewone schilderijen, en die ga ik dan bekijken.' Het voelde helemaal niet vreemd om Daisy een vriendin te noemen. Het voelde helemaal niet als een leugen. Het voelde vanzelfsprekend.

'Het is een interessante keuze. Ze heeft vast een erg goede smaak.'

'Misschien,' zei ze, en de namen van eerst Charles en toen Richard schoten door haar gedachten. 'Kun jij me er iets meer over vertellen?'

Hij haalde zijn schouders op. 'Niet echt. Er waren twee Pollaiuolo's, broers, die allebei als schilder in Florence werkten. In hun tijd genoten ze veel aanzien. Ze stonden aan de wieg van de renaissance. Je kent dat wel, ze schilderden niet alleen, maar maakten ook sieraden en beelden en nog veel meer. Nu zijn ze veel minder beroemd dan toen. Vind je het mooi?'

Hij keek schattend naar het schilderij, en ook zij keek er opnieuw naar. 'Ik weet het niet. Het is best aardig, denk ik. Wat vind jij?'

'O, ik vind het wel een grap. Die armen kloppen niet helemaal. In die tijd zullen die laurierbladeren natuurlijk niet zo'n vreemde kleur hebben gehad. Dat is in de loop der eeuwen veranderd. Er heeft vast iets in die verf gezeten waardoor de kleur van groen is veranderd in bruin. Maar ook als je dat buiten beschouwing laat, vind ik de compositie tamelijk vreemd. Zoals ik al zei, de manier waarop Daphne haar armen in de lucht steekt, klopt niet helemaal en is daardoor vrij komisch.'

'Wat grappig, zoiets zei Daisy ook al.'

'Daisy? Is dat die vriendin met die goede smaak?'

'Eh, ja. Ze is, zeg maar, een penvriendin,' zei ze.

'O ja? Ik wist niet dat die nog bestonden,' antwoordde hij.

Haar volgende vraag moest zijn aandacht van Daisy afleiden. 'Heb je trek in een kop koffie?' Haar woorden waren niet zo bedoeld, maar het was te laat om ze tegen te houden, dat had Daphne haar ook wel kunnen vertellen. Dominic was degene die haar moest vragen, en zij was degene die had moeten zeggen: 'Nee, vandaag niet. Misschien een ander keertje. Ik laat het je nog wel weten.'

'Het is bijna lunchtijd,' zei hij. 'Waarom maken we er geen broodje van?'

'Ja, dat zou kunnen.' Ze hoorde een nervositeit in haar stem die er niet was geweest als hij een van haar vriendinnen was geweest, een echte vriendin, die ze al jaren kende.

'Koffie is prima,' zei hij. 'Ik wil je niet in de problemen brengen.'

'O nee, het is prima, echt. Ik moet alleen even mijn man bellen om te zeggen dat ik wat later thuiskom dan gepland.'

'Ja, natuurlijk, ga je gang,' zei hij, maar iets aan de manier waarop hij dat zei, gaf haar een opgelaten gevoel, alsof ze een volwassen vrouw was die door haar echtgenoot in de gaten werd gehouden.

Ze belde hem met haar mobieltje, met Dominic naast haar, maar er werd niet opgenomen. Rob was zeker even de deur uit. Het was simpeler om een boodschap in te spreken, maar omdat Dominic naast haar stond, voelde ze zich veel te opgelaten om 'lieverd' te zeggen en wist ze niet wat ze moest inspreken, al hoefde ze alleen maar te zeggen dat ze niet thuis zou komen eten. Ze hoefde zeker niet te zeggen dat ze met iemand anders iets ging eten, en al helemaal niet dat het iemand betrof van wie hij nog nooit had gehoord en die trouwens een man was. Toen ze een berichtje insprak, zag ze een zweem van een glimlach rond Dominics lippen, en ze wist dat hij om haar lachte. Toen ze ophing, moest ze ook lachen, onbekommerd en gemakkelijk, samen met deze nog altijd bijna-vreemde. Het was een ongewoon, maar ook bevrijdend gevoel. Een gevoel dat ze al een hele tijd was vergeten en dat misschien wel blijheid zou kunnen zijn.

'Hoe was het schilderij?' vroeg Rob zodra ze thuis was. Die vraag stelde hij elke keer, na elk schilderij, omdat hij wist dat dat moest.

'Ik vond het mooi,' zei ze. Dominic had haar bij wijze van afscheid een kus op haar wang gegeven. Zijn lippen hadden lichtjes haar bleke, donzige huid aangeraakt, als een penseelstreek op een schilderij, iets te dicht bij haar mond. Toen dacht ze aan Rob en voegde er snel aan toe: 'Er werd een mythe uitgebeeld. Apollo en Daphne.'

'O ja? Met die laurierboom?'

'Hoe weet jij dat nou?'

'Dat weet ik gewoon. Kende je dat verhaal niet?'

'Nee,' antwoordde ze, beseffend dat ze zichzelf had toegestaan te vergeten dat hij meer was dan zijn werk en wat hij haar had aangedaan – en dat het haar amper iets kon schelen omdat ze net een uur, bijna twee, had doorgebracht met een man van wie ze wist dat hij zich tot haar aangetrokken voelde en geen moeite deed dat te verbergen. Ze sloot haar ogen, en het beeld dat ze voor zich zag, was dat van Dominic. Hij gaf haar het gevoel dat ze zelfverzekerd en mooi was, en dat was te zien, aan haar niet langer afhangende schouders en de blos op haar wangen, alsof iets van Dominics gloed op haar was overgegaan.

'Weet je hoe het verhaal gaat?' vroeg hij, met een onderzoekende blik. 'Apollo verlangt niet alleen naar Daphne, hij wordt door haar gekweld omdat hij is getroffen door een pijl die hem gek maakt van verlangen. Vervolgens wordt Daphne getroffen door een pijl die maakt dat ze niets liever wil dan uit zijn buurt blijven. Ze zeggen dat Daphne, ook nadat haar vader haar in een boom had veranderd, zo graag aan Apollo wilde ontsnappen dat zelfs haar wortels zich van hem afkeerden.'

Maar het was het beeld van Dominic, en niet de woorden van Rob, waardoor ze diep ademhaalde. 'Het is te lang geleden,' zei ze. 'Laten we het nog eens proberen. Nu meteen, voordat ik van gedachten verander.'

Hij begreep eerst niet eens wat ze bedoelde, maar toen hij dat wel deed, vroeg hij niet of ze het zeker wist. Hij vroeg niet of ze er klaar voor was. Hij zei alleen maar: 'Als je wilt dat ik stop, moet je dat zeggen en dan doen we dat.'

Ze knikte, pakte zijn hand en nam hem mee naar de slaapkamer. Daar trok ze de gordijnen dicht, zodat het felle middaglicht werd buitengesloten. Het was koud in de kamer, maar dat was niet de reden dat haar handen trilden toen ze zich naar hem omdraaide. Ze friemelde aan de knopen van zijn overhemd, en toen aan de riem van zijn spijkerbroek en daarna aan de broek zelf, en wilde het snel doen, maar ze merkte te laat dat haar handen niet zo bewogen als zou moeten. Het deed er niet toe, want hij trok zelf ook al aan zijn kleren, en toen aan die van haar, zodat ze zelf niets hoefde te doen. Toen voelde ze zijn wanhopige vingers, ijskoud op haar warme lijf, en was ze naakt, en hij ook, en lagen ze samen op het dekbed, zonder te bewegen, alsof ze zich geen van beiden konden herinneren wat er nu diende te gebeuren. Het kippenvel stond al op haar armen en ze was helemaal vergeten waarom ze dit had willen doen. Ze wilde zeggen dat het genoeg was, dat ze nu moesten ophouden, maar de woorden kwamen niet, en Rob begon aan de vertrouwde bewegingen van hun liefdesspel. Ze voelde de gretigheid in zijn diepe kussen, vol op haar mond, in zijn moeizame ademhaling en in zijn erectie, die onophoudelijk tegen haar benen drukte. Een gevoel van paniek welde in haar op en haar eigen ademhaling werd oppervlakkig.

'Het is goed, Claire,' zei hij, terwijl hij haar over haar haar aaide en haar recht in haar ogen keek.

'Dat is het niet,' wilde ze zeggen, maar weer bleven de woorden steken in haar keel, en hij was al in haar en duwde haar hard tegen het bed. Ze sloot haar ogen, zoals ze zo vaak had gedaan, maar nu dacht ze, voor het eerst, aan Dominic.

Later lag ze daar, met Robs hoofd in haar armen, hopend dat hij in slaap zou vallen, maar dat deed hij niet. Hij liep over van dankbaarheid en bleef haar bedanken, alsof ze hem om seks had laten smeken, wat misschien ook wel zo was. Ze wilde tegen hem zeggen dat hij stil moest zijn, dat het niets te betekenen had. Ze had het niet uit liefde gedaan, maar uit schuldgevoel, en vanwege de gevoelens die een andere man bij haar had opgewekt. Ze had amper aan haar man gedacht. Ze had het kunnen doen omdat ze nu andere dingen aan haar hoofd had, en niet langer stilstond bij wat Rob voelde en wat zij voelde en dat ze elkaar niet langer begrepen. Eerst had Daisy, en nu Dominic, haar in een voorzichtige omhelzing genomen. Rob had alle reden om dankbaar te zijn, zei ze tegen zichzelf. Hij had eindelijk gekregen wat hij wilde. Ze wendde zich af, haakte zijn arm om haar heen en dacht aan een andere man.

'Hoe was je lunch?'

Zijn stem brak door de stilte en de warmte van de dagdroom. Ze maakte zich van hem los voordat ze antwoord gaf. 'Goed, hoor. Ik ben naar een Italiaan gegaan. Ik had zin in iets anders.'

'Klinkt goed.'

'Ja,' zei ze, 'dat was het ook.'

'Wat hield je zo lang van huis?'

'Niets bijzonders. De winkels.' Het bedrog was veel gemakkelijker dan ze zich had kunnen voorstellen. Ze trok zich van hem terug en liet hem achter in bed, net zoals ze die ochtend had gedaan, die nu heel lang geleden leek. Ze stond opnieuw in de deuropening en kreeg medelijden met hem. 'Heb je trek in een kop thee?' vroeg ze ten slotte.

Haar portemonnee lag op het aanrecht naast de waterkoker, daar waar ze hem had achtergelaten, waar ze hem had neergegooid toen ze binnen was gekomen. Het kaartje dat ze had gepakt toen ze samen met Dominic het restaurant had verlaten, stak erboven uit. Ze vroeg zich slechts heel even af of ze het moest weggooien.

'Weet je, ik had niet gedacht dat ik je nog eens zou zien,' had ze gezegd. Ze hadden tegenover elkaar gezeten, in een klein Italiaans restaurantje vlak om de hoek bij Leicester Square maar toch nog buiten de vaste route van de toeristen. Op weg ernaartoe was het broodje veranderd in een bord pasta gevolgd door tiramisu, geserveerd met twee lepels, zodat ze konden delen. Tijdens het eten had ze gemerkt dat ze onbewust elkaars gebaren gingen nadoen: een hand door het haar, tegelijkertijd naar het mandje met brood reiken, op hetzelfde moment de lepel neerleggen. Zelfs toen ze haar best deed om het niet te doen, verviel ze al snel weer in dat patroon. Ze wist dat psychologen dit 'spiegelen' noemden. Een artikel over het vinden van een man zou het simpelweg 'flirten' noemen.

'Ik wist ook niet zeker of ik jou nog eens zou zien,' antwoordde hij.

Toen ze het laatste restje tiramisu van haar lepel likte, vroeg ze zich af of ze allebei logen of dat zij de enige was. 'Nou ja, het is een kleine wereld,' zei ze. 'Begin nooit een verhouding in Londen, heeft mijn zus altijd tegen me gezegd, want je komt op een beslissend moment gegeheid een bekende tegen.' Ze besefte pas veel te laat wat ze eigenlijk had gezegd en merkte dat ze begon te blozen. Ze probeerde zich te herstellen met: 'Natuurlijk maakte ze maar een grapje. Ik was toen nog niet eens getrouwd, bij lange na niet. Nu zegt ze dat niet meer.'

'Ze klinkt als een verstandige vrouw.' Dominic glimlachte, onbekommerd. Wanneer hij glimlachte, leek hij ouder, vond ze, maar ook plechtiger. Dat bleek uit de rimpeltjes rond zijn mond, die de indruk wekten dat zijn kleren niet echt pasten bij degene die erin stak. De afgelopen keer had ze gedacht dat hij van haar leeftijd was. Nu was ze daar niet meer zo zeker van, ook al droeg hij weer een spijkerbroek en een T-shirt.

'En, Claire, vertel me eens iets over jezelf,' zei hij.

Tot dan toe hadden ze een neutraal gesprek gevoerd over dingen die interessant waren maar er niet echt toe deden. Ze merkte meteen dat de sfeer veranderde en wist dat dit het moment was waarop ze hoorde te zeggen: 'Het spijt me, ik moet naar huis. Mijn man zou dit maar niets vinden.' In plaats daarvan vertelde ze hem over haar baan bij de liefdadigheidsorganisatie, de buurt waar ze woonde, de plaats waar ze was opgegroeid. Niets wat al te belangrijk was, niets wat echt iets betekende, al was ze zich er wel van bewust dat ze liet merken dat ze de baan vreselijk vond maar niets anders kon vinden en dat de woning kleiner was dan ze zou willen. Oliver hield ze geheim. Daisy besloot ze niet geheim te houden. Ze was bang dat ze saai zou klinken, want dat gebeurde soms wanneer mensen al een hele tijd met dezelfde persoon samen waren en het leven een sleur was geworden. Ze wist dat het verhaal van Daisy haar interessanter maakte, en in het bijzijn van Dominic wilde ze niets liever dan interessant zijn. Hij hoorde haar aan, tegenover haar gezeten, en knikte op de juiste momenten en stelde de juiste vragen. Hij luisterde aandachtig. Hij klonk geboeid. Hij gaf haar vooral het gevoel dat ze ertoe deed. Hij noemde haar onderneming Project Daisy en wist zo alles wat ze probeerde te doen in twee woorden samen te vatten.

Ze zei tegen zichzelf dat het ongemakkelijke gevoel in haar binnenste simpelweg kwam omdat ze niet gewend was aan dit soort aandacht, niet nu de meeste van haar vrienden, en haar man, haar hadden opgegeven. Het kwam niet omdat ze iets verkeerd deed, of in elk geval niet heel erg verkeerd. En toen bloosde ze weer, schuldbewust, en ze besefte te laat dat hij haar iets belangrijks vertelde, over een vriend die in een filmarchief werkte en altijd hoopte dat iemand, het maakte niet uit wie, belangstelling zou tonen voor zijn oude bioscoopjournaals.

'Waarom ga je er vanmiddag niet even langs?' zei hij. 'Hij is er altijd op zaterdag. Of heb je andere plannen?'

'Nee, maar...'

'Ik bel hem wel even. Het is een erg geschikte vent.'

De afspraak was al gemaakt voordat ze kon bepalen of ze

dat wilde. Het enige wat ze kon doen, was opnieuw een bericht inspreken, weer op Robs voicemail, en zeggen dat ze later thuis zou komen dan ze had gedacht. Meer niet.

'Goed, nu dat geregeld is, kunnen we een koffie bestellen.'

Het was allemaal zo energiek dat ze er bijna ademloos van werd, en ze leunde achterover op haar stoel en luisterde simpelweg naar zijn verhalen over het veilinghuis, die veel spannender waren dan Robs fusies en overnames, en over het pied-à-terre dat hij in de buurt van de Theems huurde en dat weer net een stapje hoger was dan Kentish Town. 'En ik heb een dochtertje. Ruby. Ze is vijf.' Daar besloot hij zijn verhaal mee, en Claire had het helemaal niet zien aankomen.

'O,' zei ze. 'Dat wist ik niet. Dat had je nog niet verteld.' Dat betekende dat hij ook getrouwd was, of het ooit was geweest, of iets dergelijks.

'Had dat dan gemoeten?'

'Nee, natuurlijk niet.' Claire wendde haar blik af, onzeker, en keek het restaurant rond. Ze waren de enigen hier, maar dat was haar tot nu toe niet opgevallen. Ze had alleen oog gehad voor Dominic, en voor haar eigen spiegelbeeld in het raam dat zo levendig en mooi was, bijna onherkenbaar. Ze zag eruit als de vrouw die ze wilde zijn. De obers hadden zich op de achtergrond gehouden, bij de bar achterin, en hadden bestek staan poleren in de hoop dat er iemand binnen zou komen die dat wilde gebruiken. Het zorgde voor een intiem gevoel. Dat kon Dominic niet zijn ontgaan.

'Maar goed, ik wilde je niet afschrikken.'

'Hoe bedoel je? Waarom zou je me afschrikken?'

'Je weet wel wat ik bedoel. Dat maakt het ingewikkeld. Net als een echtgenoot.'

Heel even kon Claire geen antwoord geven. De woorden gingen nogmaals door haar hoofd, en toen nog eens, terwijl ze die probeerde te veranderen in iets wat ze wel kon begrijpen. Had hij echt iets gezegd wat zo duidelijk betekende dat ze meer dan 'alleen maar vrienden' zouden worden? En de manier waarop hij het zei, zo onomwonden, nog steeds glimlachend, alsof hij eraan gewend was zijn zin te krijgen. Rob had al heel lang niet meer zo geklonken. God nog aan toe, dit was het dus, zo voelde het wanneer iemand je de kans bood een affaire te beginnen. Opeens zag ze het beeld van Apollo en Daphne voor zich en besefte ze dat Dominic vond dat ze de jacht waard was. Een half jaar geleden zou ze zichzelf niet eens hebben toegestaan dat te denken. Toen had ze het Italiaanse restaurant niet eens gehaald. Toen was ze waarschijnlijk niet eens in haar eentje naar de National Gallery gegaan. Ze zou alleen oog hebben gehad voor Rob en hebben gedagdroomd over hun ongeboren baby. Ze zou meteen op de vlucht zijn geslagen voor andere dingen. Maar nu dacht ze wel aan iets anders, aan het kind dat Ruby heette, en aan wat ze er voor over zou hebben gehad om door Hyde Park te wandelen, misschien op een doordeweekse middag, met haar handen rond het stevige schuim van de handvatten van een wandelwagen, of om in het gespikkelde zonlicht in het gras te zitten en haar baby te laten kraaien terwijl de vreemden die langsliepen om hen moesten lachen. Ze was zo heel anders dan Daphne en dacht helemaal niet aan wegrennen.

'Een kind is helemaal niet ingewikkeld,' zei ze. 'Ik vind het geweldig.'

'Nou, ik ben nogal gek met haar,' antwoordde hij, en toen ze de waarheid in zijn stem hoorde, zag ze voor zich dat hij een lachend klein meisje in het rond zwierde, zodat haar jurkje opwaaide in de zomerbries, ver weg van de drukte van het centrum van Londen.

'Waar woont ze?'

'Bij haar moeder in Surrey, op het platteland. Ik zie haar alleen in de weekends.' Dat betekende dat hij gescheiden was, of in elk geval niet meer samenwoonde. Dat was wat hij eigenlijk zei.

Hij vroeg om de rekening, die ze niet deelden, en gaf haar bij het afscheid een zoen op haar wang, beslister dan de keer daarvoor, en zei: 'Dit moeten we nog eens doen.'

Omdat ze hem nog steeds voor zich zag met Ruby, als de vader die Rob nooit was geweest, zei ze zonder aarzelen ja.

Claire had al heel veel foto's gezien van Londen tijdens de oorlog, maar die hadden nooit zo veel indruk gemaakt als de nieuwsfragmenten die ze de rest van de middag bekeek. Misschien kwam het omdat de geschiedenis van de oorlog door de bewegende beelden tot leven werd gewekt, of misschien kwam het door Daisy, door het simpele feit dat ze nu iemand kende die het had meegemaakt, het had beleefd, en verder was gegaan met haar leven.

De filmbeelden toonden een wereld vol kloeke vrouwen geflankeerd door kinderen in verstelde kleren en met korstjes op hun knieën. Het waren vrouwen als die van De Hooch, stevig en vierkant, met schouders die doorbogen onder verantwoordelijkheden, vrouwen van wie de echtgenoten misschien al voor de tweede keer in hun leven aan het front zaten, en wie weet zouden hun zonen hen ooit nog achternagaan als dit lang genoeg zou duren. Er waren ook meisjes, heel veel, in hun mooiste jurken, die de foxtrot dansten met soldaten, of met elkaar, als er niet genoeg jongens waren. Ieder van die meisjes had Daisy kunnen zijn, en ieder van die soldaten Charles, en ze hadden allemaal een brede glimlach op hun gezicht, al kon Claire niet zeggen of ze uit blijdschap of uit angst lachten.

En dan waren er de gebombardeerde huizen, al die gebouwen vol vlekken en littekens, oud, groot of bescheiden, stuk voor stuk ontdaan van hun ingewanden, die op straat verspreid lagen zodat gewone mensen er op weg naar hun werk omheen moesten lopen. Sommige gebouwen herkende ze zelfs: St Paul's, als een of ander grotesk klank-en-lichtspel verlicht door vlammen maar nog altijd fier overeind, en warenhuis John Lewis, waarvan de ruiten verbrijzeld waren maar de kassa's nog steeds functioneerden. Er zaten spotters op de daken om uit te kijken naar vliegtuigen, zodat het winkelend publiek pas op het allerlaatste moment zou worden gehinderd door een luchtaanval.

Ze had de meeste moeite met de filmpjes van soldaten die van ergens ver weg een boodschap naar huis zonden, berichten die bol stonden van verlangen en liefde, zelfs wanneer ze niet de juiste woorden konden vinden; sommige jongens kwamen niet verder dan 'Nou, tabee en het beste, hè' en moesten hebben gehoopt dat hun moeder of vrouw of buurmeisje de rest in hun ogen zou lezen. Eén fragment eindigde met soldaten die allemaal samen 'We'll Meet Again' zongen, en Claire schaamde zich er helemaal niet voor dat ze de hele tijd zat te huilen omdat ze nu begon te begrijpen wat die woorden ooit moesten hebben betekend.

Dit was de wereld van Daisy. Nu had ze die gezien, vertoond in zwart-witbeelden die in haar tranen werden weerspiegeld. Het was een wereld die bij Daisy misschien verveling en frustratie en zucht naar avontuur had opgewekt, maar die Claire bang maakte.

5

Portret van een jongeman
– Andrea del Sarto

Geachte juffrouw Milton,
Portret van een jongeman – 2 maart om een uur
's middags. Zoudt u mij willen vergezellen?
Hoogachtend,
Richard Dacre

Het was een briefkaart, kleiner dan de kaarten die je tegenwoordig kon kopen, weggestopt in de envelop met de brief van
maart en door Daisy doorgestuurd naar Elizabeth, veronder-
stelde Claire, met dezelfde achteloosheid als waarmee ze haar
de kaart tijdens de thee bij de haard op Edenside zou hebben
laten zien, of, als ze allebei nog in Engeland hadden gezeten,
hem giechelend aan de telefoon zou hebben voorgelezen. De
fraaie, hoge letters van het handschrift stonden dicht op elkaar
en oogden zorgvuldiger dan Daisy's snelle, duidelijke zinnen.
Er stond geen afbeelding op de achterkant, alleen een onvol-
ledig adres voor een ministerie aan de Mall, maar het moest
voldoende zijn geweest om Daisy te bereiken en haar te verleiden Trafalgar Square over te steken en op de afgesproken
tijd de trappen voor het museum op te lopen. Er waren niet
veel woorden nodig voor een nieuw begin. Dat was wat Claire

dacht toen ze de boodschap zag staan, want ze begreep heel goed dat dit een begin was.

Lieve Elizabeth,

Ik heb Richard weer gezien, daar moet ik mee beginnen. De kunstenaar Richard Dacre, van vorige maand. Het was in de National Gallery – alweer! Kun je het je voorstellen, tot aan vorig jaar had ik er zelden een voet over de drempel gezet, en nu kan ik er bijna geblinddoekt de weg vinden. Hij had me een kaartje gestuurd om te vragen of ik samen met hem naar het volgende schilderij wilde gaan kijken. Hij had het per adres van kantoor gezonden, dus ik neem aan dat ik hem de vorige keer moet hebben verteld waar ik werk. Ik vond dat juffrouw Johnson het me vrij minachtend overhandigde. Het is blijkbaar niet gepast om persoonlijke correspondentie op het werk te ontvangen. Ik heb mijn lesje dus geleerd! Al hoefde ik me volgens mij nergens voor te schamen. Het was een vrij formeel kaartje, maar wel vriendelijk.

Zodra ik door de hoofdingang naar binnen zwierde, zag ik hem al op me staan wachten, leunend tegen een van de pilaren. Hij vroeg meteen of ik met hem wilde gaan lunchen, en ik zei ja. Het was buiten opvallend warm, dus we zijn met onze broodjes op het gras voor het museum gaan zitten, net als alle anderen. We hadden dezelfde broodjes als vorige keer. Ham en chutney. Wat zijn mensen toch gewoontedieren, hè? We ontwikkelen zo snel een bepaalde routine. Als dit een ander was overkomen, had ik erom moeten lachen.

Ik denk dat ik je maar eens moet vertellen hoe hij eruitziet. Wat dacht je zelf? Zijn haar is blond en vrij nonchalant naar achteren gekamd. Het gaat overeind staan als het waait en ligt plat als het regent. Hij draagt altijd een oud versleten jasje, en hij heeft een serieus uitziende bril die hij zo vaak op- en afzet dat ik vermoed dat hij die niet echt nodig heeft. Zijn blik is snel en slim en volgt me de hele tijd. O, en ik heb hem sinds ons bezoek aan de National Gallery en deze brief nog een keer gezien, maar dat had je vast al geraden. Hij weet van Charles, denk maar niet dat ik hem ben vergeten. Dat is niet zo. Maar ik knap er zo van op als ik met een man op stap ben, en zeker met een man die zo anders is. Het is fijn om eens mee uit te worden genomen, al is het maar voor een broodje of iets te drinken, en ik denk dat ik wel recht heb op een verzetje, vind je ook niet? Hij heeft me meegenomen naar een gelegenheid die de Mandrake Club heet en waar het wemelde van de artistieke types. Ze zwermden allemaal om me heen en maakten me aan het lachen. In mijn eentje had ik daar nooit naartoe kunnen gaan, en met Charles eigenlijk ook niet. Richard koopt ook bloemen voor me, of nou ja, dat heeft hij in elk geval een keer gedaan. Het waren maar een paar bloemetjes – je kunt niet veel krijgen – maar wel genoeg om een jampot op mijn vensterbank te vullen. Overdag zijn ze zachtblauw en zachtpaars, maar 's avonds worden het zwarte schaduwen. Charles doet dat soort dingen niet. Hij zegt dat we elkaar al zo'n tijd kennen dat het niet meer de moeite is. Richard heeft er geen reden voor nodig, hij doet het gewoon.

Hij wil me echt schilderen, hoor. Hij is naar dat comité voor oorlogskunst gegaan, waarover hij me had verteld, en ze hebben gezegd dat hij een paar schilderijen mag maken van vrouwen op hun werkplek. Daar ben ik er een van. Wat klinkt dat toch bijzonder! Dat is het voor hem natuurlijk niet, dat weet ik ook wel, want het is gewoon werk. Maar is er een gemakkelijker manier om een vrouw

te vleien? Ik zou er geen weten. 'Waarom ik?' zei ik. 'Je
bent toch een werkende vrouw?' 'Ja, maar dat zijn we
allemaal. Dus waarom ik?' 'Omdat je anders bent,'
antwoordde hij. 'Ik vind dat je er leuk uitziet.' Anders!
Mijn hemel nog aan toe. Zoals hij het zei, klonk het zo
veel beter dan 'mooi' dat ik pas toen hij weg was besefte
dat het misschien helemaal geen compliment was geweest,
en toen kon ik er niets meer over zeggen. Ik moest blozen
als een bakvis toen hij dat zei. Al drie jaar in Londen,
maar nog steeds niet mondain!

Ik weet wat je denkt, want ik denk het ook, maar je mag
niet schrijven dat ik iets verkeerd doe. Dat doe ik niet, nog
niet. Dat zweer ik.

Na de broodjes zijn we natuurlijk naar het schilderij gaan
kijken. Dat wilde ik niet missen, want ik moet je erover
vertellen! Het heette *Portret van een jongeman* en was
geschilderd door een Italiaan die Andrea del Sarto heette.
Wanneer laten ze eens iets van een Britse kunstenaar zien?
Dat zou ik wel eens willen weten. Misschien moet ik
Kenneth Clark schrijven en het hem vragen. Niemand lijkt
de National Gallery voor de voeten te werpen dat Italië
onze vijand is. Richard zegt dat dat komt omdat kunst alle
grenzen overschrijdt en oorlogen er dan niet meer toe
doen. Ik denk dat het komt omdat al die kunstenaars al
lang dood zijn. Del Sarto ligt nota bene al vierhonderd
jaar onder de groene zoden! Wie kan het nog iets schelen
waar hij vandaan kwam?

Dit schilderij was anders dan de andere die ik tot nu toe
heb gezien. Om te beginnen is het een portret, van een
beeldhouwer. Je ziet alleen het hoofd en de schouders van
een jongeman. Hij zit op een houten stoel aan een of ander
stuk steen te werken en heeft zich half omgedraaid naar de
kunstenaar. Hij draagt een wit hemd met enorme
opbollende blauwe mouwen en een of ander zwart vest.

Zijn gezicht ziet er bijna moe uit, en zijn uitdrukking is waakzaam. Oorlogszuchtig, zouden sommigen zeggen, ik denk dat dat het goede woord is. Het lijkt alsof hij er helemaal niet blij mee is dat hij zo tentoon wordt gesteld. Del Sarto laat schaduwen over hem heen vallen, maar hij kan niet verbergen dat de jongeman best aantrekkelijk is. Hij heeft volle lippen en hoge jukbeenderen, zoals echte aristocraten, en zo'n priemende blik die je doorgaans alleen bij mensen met macht ziet. Ik neem aan dat hij in zijn tijd het soort man was dat een vrouw binnen een tel wist te verleiden en haar waarschijnlijk even snel weer aan de kant schoof. Hij was ongetwijfeld ook rijk. Del Sarto had hem nooit geschilderd als dat niet zo was, en we moeten niet doen alsof rijkdom niet aantrekkelijk is. Maar ik vind dat hij er bijna té sterk uitziet. Hij maakt me een beetje zenuwachtig.

Richard heeft me er nog veel meer over verteld, zoals bijvoorbeeld dat er niet al te veel op de achtergrond is afgebeeld, waardoor de man nog belangrijker lijkt. Dat heeft beslist gewerkt, want hij heeft duidelijk een verheven uitstraling. Het is ook een donker schilderij, en Richard zei dat Del Sarto donker naast licht heeft gebruikt om het portret een melancholieke uitstraling te geven. Dat zag ik zelf ook, toen hij me dat eenmaal had uitgelegd dat het vrij somber is. Het onderwerp kijkt niet blij. Hij lijkt geen plezier te beleven aan het feit dat hij wordt geschilderd. Ik heb ergens gelezen dat er inheemse stammen zijn die niet op de foto willen omdat ze bang zijn dat hun diepste wezen dan wordt vernietigd. Het is alsof hij er ook zo over denkt, alsof de kunstenaar en nu wij iets van hem proberen af te pakken wat hij niet los wil laten.

We zijn daarna nog naar een andere tentoonstelling gegaan. Dat wilde Richard per se en ik kon geen nee zeggen, hoewel mijn middagpauze lang en breed voorbij was. Hij is te charmant om nee tegen te zeggen, ben ik bang. Het was een tentoonstelling van oorlogskunst, in een volkomen lege zaal. Hij zei dat hij me wilde laten zien dat oorlogskunst ook mooi kon zijn, al was het onderwerp dat niet. Nou, toen ik daar naar binnen liep, kon ik om te beginnen niet geloven hoeveel schilderijen daar hingen, en hoeveel oorlogskunstenaars er aan het werk moeten zijn. Volgens mij hebben ze alles al een keer geschilderd, van vrouwen die verbandrollen en camouflagenetten maken tot onderzeeërs die zich overgeven en Messerschmitts die uit de lucht worden geschoten. Heel veel afbeeldingen van Londen, natuurlijk, want er is geen beter onderwerp, niet sinds de Blitz. Op heel veel ervan zie je de ballonversperringen heen en weer zwaaien en al die zijde in de wind flapperen en de meisjes van de WAAF hun best doen om alles onder controle te houden. Weet jij waarom kunstenaars altijd die ballonnen afbeelden? Dat heeft Richard me verteld. Dat komt omdat ze heel graag bepaalde materialen schilderen, en dit is een manier om dat tegenwoordig te kunnen doen, nu vrouwen niet langer zulke gewaden dragen als Maria op *Noli me tangere*. Het is namelijk echt vakwerk, en ze willen laten zien dat ze het kunnen. Uitsloverij, zou pa het noemen, maar die moest toch nooit veel van dat artistieke gedoe hebben, hè? Veel minder dan moeder. Ik heb nog altijd een van haar aquarellen, die ene van die roeiboot op het meer met Edenside op de achtergrond. Hij hangt aan een spijker in mijn slaapkamer. Het werkje stelt niet veel voor, dat weet ik ook wel, maar dat kan me niet schelen. Ik weet nog hoe blij ze was toen ze het af had. Dat is het enige wat ertoe doet.

Eerlijk gezegd vond ik de meeste van die werken daar te realistisch. Ze herinnerden me veel te veel aan de verschrikkingen van nachtelijke luchtaanvallen. Geloof me, het was lang niet zo leuk als het op die schilderijen lijkt. Denk daar maar eens aan als je weer eens zo'n bioscoopjournaal ziet waarop we allemaal in de schuilkelders zitten te zingen. Vaak was het niet te harden en god, wat ben ik bang geweest. Er zijn mensen doodgegaan, heel veel, gewoon omdat ze de verkeerde kant op zijn gerend als de sirene ging of simpelweg op de verkeerde plek waren. Een bespottelijke en ook onwaardige manier om dood te gaan. Handen die in tweeën zijn gehakt door vallend glas, mensen die toevallig op het toilet zaten toen het dak naar beneden kwam. Waarom zou je dat soort dingen vastleggen? Het is beter om er maar niet meer aan te denken.

De enige werken die ik mooi vond, waren tekeningen die Henry Moore heeft gemaakt van Londenaren zoals ik (ja, ik denk dat ik mezelf inmiddels wel zo mag noemen) die 's nachts een schuilplaats zoeken in de ondergrondse en op de rails liggen als lijken die nog moeten worden opgehaald. De figuren zijn niet erg gedetailleerd, maar je ziet wel dat het mensen zijn, kinderen, en stelletjes, en oude mensen. Hij heeft hen niet ter plekke geschetst, maar heeft daar rondgelopen om aantekeningen te maken die hij later in zijn tekeningen heeft verwerkt. Richard zegt dat hij hun persoonlijke levenssfeer niet wilde schenden. Hij zegt dat Henry Moore hem dat zelf heeft verteld. Ze zijn een keer ergens in een kroeg met elkaar aan de praat geraakt en Richard heeft dat altijd onthouden. Je zou denken dat er niets zo onpersoonlijk is als met honderden tegelijk in een openbare schuilkelder te worden gepropt en daar een soortement bed te maken waarin je dan omringd door Jan en alleman moet gaan liggen slapen. Maar gek genoeg heerst er daarbeneden een bepaald gevoel van afzondering. Mensen bouwen onzichtbare muren om zich heen. Dat weet ik, omdat ik het zelf ook heb gedaan. Het enige wat je op de tekeningen van Moore niet ziet, zijn de ratten en de muggen. Tegenwoordig zitten er van beide wel miljoenen in de ondergrondse. Nou ja, misschien is het zo wel het beste.

Richard wil niets liever dan dat een van zijn werken wordt geëxposeerd. Er verschijnt een bepaald licht in zijn ogen als hij het daarover heeft, en dan verschilt hij niet zo heel veel van de jongeman van Del Sarto. Ik zei dat hij in dat geval maar beter een heel mooi schilderij van mij kon maken!

Juffrouw J gaf me een fikse uitbrander toen ik weer terug was op kantoor. Ze deed net alsof we de hele oorlog zouden verliezen omdat ik toevallig een half uurtje later terug was van mijn middagpauze. Tegenwoordig proberen ze je vanwege alles een schuldgevoel aan te praten, zelfs als je een stuk beschimmeld brood weggooit. Daar word ik wel eens mismoedig van. Maar het is me morgen vast wel weer vergeven, dat zei Molly tenminste, en zij kan het weten. Zij zit voortdurend in de nesten. En anders zoek ik wel een ander baantje. Er is tegenwoordig genoeg te doen. Ik zou het niet erg vinden om iets anders te doen. Het maakt me niet uit wat.

Heel veel liefs,
Daisy

Del Sarto. Nog een kunstenaar van wie Claire nog nooit had gehoord. Ze zocht hem op in het boek dat Rob haar met kerst had gegeven, maar omdat hij niet meer dan een paar regels toebedeeld kreeg, besloot ze te gaan kijken of er in de plaatselijke bibliotheek, vlak om de hoek, meer over hem te vinden was. Het was donderdagavond en Rob was meteen na zijn werk naar Praag vertrokken voor een vrijgezellenweekend dat was geregeld door iemand die hij niet kende, vanwege het aanstaande huwelijk van iemand die hij volgens Claire niet echt mocht. Wat is er mis met een paar borrels in de kroeg om de hoek, had ze hem gevraagd, of een avondje dansen? Maar toen hij schouderophalend had gereageerd had ze niet verder aangedrongen. Hij ging naar Praag omdat hij niet bij haar wilde zijn en dat niet openlijk wilde toegeven. Hij had afgesproken het weekend daarop naar zijn ouders te gaan. En het weekend daarna was het tijd voor de jaarlijkse conferentie van zijn afdeling in Genève, waarvoor wederhelften niet waren uitgenodigd.

Ze had niet verwacht dat de bibliotheek 's avonds open zou zijn, maar dat was hij wel. Het bleek dat er boven zelfs een aparte afdeling met naslagwerken was, ver van de dvd's en de paperbacks. Toen ze daarnaar werd verwezen, besefte ze dat er op de tweede verdieping een complete wereld verscholen lag, bedompt en met planken vol kopieën van gerechtelijke verslagen en ongeopende telefoonboeken. Het was een wereld die werd bewoond door oudere mannen die tussen de stellingen heen en weer schuifelden en elkaar begroetten zonder iets te zeggen, met een klopje op de rug, en die argwanende blikken wierpen naar iedereen die het kopieerapparaat aanzette of een computer wilde gebruiken. Claire keek naar de rijen houten stoelen waarop eenzame bezoekers dingen zaten te doen die alleen zij belangrijk vonden, en ze dacht: we zijn hier allemaal hetzelfde. Niemand wil naar huis.

Er was een afdeling, Kunst en Design, met rekken vol boeken die er geen van alle nieuw uitzagen. Ze zag meerdere titels over Italiaanse kunstenaars. Del Sarto zou vast wel ergens te vinden zijn, dacht ze, en ze sleepte het dikste boek naar een van de tafels, waar een gelamineerd kaartje haar vertelde dat haar bibliotheekpasje zou worden ingenomen indien ze zich schuldig maakte aan het bekladden van bibliotheekeigendommen. Dat had niet kunnen verhinderen dat eerdere bezoekers hun goedkope balpennen diep in het zachte hout hadden gedrukt en her en der in dikke blauwe inkt foutief gespelde hartenkreten vol liefdesverdriet of wensen op seksueel gebied hadden achtergelaten. Al die zinloze, heerlijke uren vol dagdromen die hier waren verspild, al die verborgen hoop die lezers van hun studie had afgehouden. Zo had ze ook ooit over Rob gedacht, jaren geleden.

Del Sarto had een eigen hoofdstukje in het boek, maar dat was niet lang, en dat was een opluchting omdat dit het soort boek was dat Claires docent aan de uni als 'hoogdravend' zou hebben omschreven. Ze ontdekte weinig meer dan wat ze al wist dankzij haar kunstboek thuis: hij was een belangrijke Florentijnse schilder uit de renaissance die van 1486 tot 1530 had geleefd, voor zover iemand dat met zekerheid kon zeggen. Hij was in zijn eigen tijd erg geliefd geweest en had bekendgestaan om zijn zorgvuldige, persoonlijke kleurgebruik. *Portret van een jongeman* kreeg geen speciale aandacht en was niet in het boek afgebeeld. Misschien werd het niet tot zijn beste werken gerekend, maar dat deed er niet toe. Het doel van het project was immers niet om de mooiste schilderijen te zien, maar om te doen wat Daisy had gedaan. Maar hoe ver moest ze daarin gaan? Ze dacht opnieuw aan Richard Dacre. Daisy's laatste brief had haar de indruk gegeven dat hij intens en impulsief was, maar ze vermoedde dat alle kunstenaars intens waren; het zou een teleurstelling zijn als hij het niet was. Hij had ook een ernstig trekje, een contrast met het lichte hart van Daisy. Toen dacht ze aan Dominic.

Ze zette het boek met een krachtig gebaar terug op de plank en liep, omdat ze geen haast had om naar huis te gaan, waar niemand was, naar de afdeling Geschiedenis en pakte een boek over de Blitz. Daisy's beschrijving van de schuilkelders had haar aan het denken gezet omdat ze altijd precies het soort beelden voor zich had gezien als Daisy had beschreven: groepjes goedgeluimde cockneys die de moed erin hielden terwijl het boven hun hoofden bommen regende en een verslaggever Londens moed in barre tijden roemde. Ze hoefde niet veel te lezen om te weten dat het helemaal niet zo was gegaan en dat de meeste schuilkelders, van de ondergrondse en de betonnen bunkers onder de straat tot de crypten van kerken en kelders van Londense warenhuizen, stuk voor stuk onaangename oorden waren geweest, het een nog erger dan het ander.

Ze dacht aan de arme Daisy, alleen, die tijdens de bombardementen elke nacht weer met anderen in een rij lag, gewikkeld in een deken, en af en toe door iemand in haar gezicht werd geschopt of zelf een ander schopte. De lucht zou elk uur dikker zijn geworden van de stank van zweet en de overvolle emmers die als toilet dienden. Nee, besefte ze nu, de glamour en romantiek waren ver te zoeken geweest. De gezichten die waren vastgelegd in het boek hadden één ding gemeen, of ze nu blij, verdrietig of volkomen emotieloos waren: de vermoeidheid en de spanning waren ervan af te lezen. Het viel niet mee om tussen vreemden te zitten, ver van familie, en een oorlog te moeten doorstaan waarin de talloze gevaren werden afgewisseld met zo veel eentonigheid. Het moest veel beter hebben geleken om een van die vreemden, die Richard Dacre, als een vriend te beschouwen.

Ze had Rob over Dominic verteld. Dat was de reden waarom hij opeens zo graag weg wilde. Ze had gedacht dat ze uiterst neutraal klonk, maar hij had de waarheid meteen doorgrond, een waarheid die ze zonder enige overtuiging had ontkend, niet in staat een zekere triomf in haar stem te onderdrukken. Ze was erover begonnen om hem uit zijn tent te lokken, dat kon toch niet anders? De grootste dwaas zou nog hebben geweten dat ze beter haar mond kon houden. Maar er zat een gezwel in haar binnenste dat aan haar vrat, als een zweer, en zich verspreidde, steeds verder. Daardoor had ze zin om de glimlach van zijn gezicht te vegen wanneer die daar durfde te verschijnen en hem eraan te herinneren dat ze het hem niet had vergeven. Ze wilde hem woedend zien. Ze wilde dat hij haar zou laten zien dat hij begreep wat ze voelde voor Oliver, haar baby, haar zoon. Hoe zou hij dat ooit kunnen begrijpen, tenzij hij wist hoe de pijn voelde die zij voelde?

'Het spijt me dat ik gistermiddag niet thuis kwam eten.' Zo was ze begonnen, de dag nadat ze weer hadden gevreeën, eindelijk, en Rob nog steeds blijer keek dan hij in maanden had gekeken. Een opmerking waarop geen zinnig antwoord mogelijk was, bedoeld om hem uit zijn evenwicht te brengen.

'Dat geeft niet,' antwoordde hij. Hij trok haar naar zich toe en sloeg zijn armen om haar heen. 'Waar was je?' Ze voelde zijn adem bij haar oor; de spanning in haar schouders nam toe.

'Dat heb ik je al verteld. In een Italiaans restaurantje, vlak bij de National Gallery.' Een stilte. Een lange stilte. 'Samen met iemand die ik vorige keer in het museum heb leren kennen, in het café. We raakten aan de praat.'

Hij aarzelde even voordat hij antwoord gaf, door haar stem gewaarschuwd dat er iets mis was, zich van haar losmakend. 'Mooi. Het is goed om nieuwe mensen te leren kennen, om iemand te hebben met wie je kunt praten. Je lijkt de laatste tijd niet veel vriendinnen meer te hebben, in elk geval niet zo veel als vroeger.'

'Dat weet ik,' zei ze, zonder echt te luisteren en reeds denkend aan wat ze nog meer wilde zeggen. 'Nou, we kwamen elkaar weer tegen en besloten een hapje te gaan eten. Hij heeft namelijk erg veel verstand van kunst.'

'Hij?' Rob was meteen jaloers. Daardoor klonk zijn stem gevaarlijk.

'Hij wilde ooit kunsthistoricus worden.'

'Over wie heb je het, Claire? Hoe heet hij?' Nu was hij een en al aandacht, fronste hij zijn wenkbrauwen alsof hij te lang naar een juridisch document had zitten staren, in de hoop het te begrijpen, en nu opeens de betekenis doorgrondde.

'Dominic.' Ze keek de andere kant op, naar buiten, naar de piepkleine beginnende knoppen aan de bomen, en wist dat Rob haar nog altijd onafgebroken aankeek. 'Je hoeft je geen zorgen te maken, Rob. Hij heeft een dochtertje.'

'Maar heeft hij ook een vrouw of een vriendin?'

Nu was zij degene die aarzelde, onzeker, zich ervan bewust dat ze het antwoord niet wist omdat ze dat niet had gevraagd. 'Ik geloof dat ze gescheiden zijn, of in elk geval uit elkaar. Een van de twee. Is het belangrijk?'

'Natuurlijk is dat belangrijk, Claire. Ik wil beslist niet dat je gaat lunchen met een man die ik niet ken, al weet hij nog zo veel over kunst. Niet als ik er niet bij ben.'

'Waarom niet, Rob? Jij spreekt ook met andere vrouwen af. Hoe zit het met Julia? Je spreekt voortdurend met Julia af. Je bent nota bene met haar uit geweest.'

'Ja, maar dat was tien jaar geleden, en we zijn nu allebei getrouwd. Dit is heel iets anders. Dat weet je ook wel.'

'En al die vrouwen op je werk met wie je bevriend bent? Daar zijn er ook de nodige van.'

Hij wuifde haar opmerking weg. 'Dat zijn collega's, geen vriendinnen. Dat weet je best.'

Ze was vastbesloten hem geen gelijk te geven, ook al wist ze dat hij dat had. 'Ik dacht dat je wilde dat ik nieuwe mensen leer kennen. Zodat ik dingen kan verwerken.'

Dingen, ja. God, dat het zo ver had kunnen komen, dat ze Oliver gebruikte om haar man af te troeven. Zo was ze vroeger niet geweest, dat wist ze. Toen was ze aardig en vriendelijk geweest. Wat gebeurde er met haar? Waar was de lieflijkheid gebleven die er vroeger altijd was geweest wanneer Rob haar 'schat' noemde?

'Dat bedoelde ik niet. Ik dacht aan een praatgroep, misschien therapie. Iets wat je kan helpen de dingen in de juiste verhoudingen te zien. Met mensen die hetzelfde hebben meegemaakt. Mensen die een kind hebben verloren. Ik had het niet over een vreemde vent oppikken in een café en spaghetti carbonara met hem gaan eten zonder dat ik er weet van heb.'

Ze balde haar vuisten, voelde dat haar maag zich omdraaide

en beet hem haar antwoord toe: 'Nou, het spijt me vreselijk, maar ik wist niet dat ik mijn hele sociale leven vaarwel diende te zeggen omdat ik toevallig getrouwd ben.'

Hij kermde. 'Dat hoeft niet, en dat weet je ook wel. Maar we zijn toch niet voor niets getrouwd? We wilden laten zien dat we voor elkaar hebben gekozen. Dat we er voor elkaar zullen zijn als we het moeilijk hebben en ons niet tot anderen hoeven te wenden.'

Ze zuchtte ongeduldig. 'Het stelt niets voor, Rob. Ik mag toch wel nieuwe vrienden maken? Jij kunt immers niet met me over kunst praten.'

'Hoe weet je dat nou? Dat heb je nog niet eens geprobeerd. En vroeger had je er nooit belangstelling voor.'

Ze koos een nieuwe tactiek, eentje waarin ze meer vertrouwen had. 'De helft van de tijd ben je er niet.'

'Je weet dat ik daar niets aan kan doen. Dat kun je me niet verwijten.'

Op dat moment ging de telefoon. Rob liep naar de slaapkamer om op te nemen. Hij deed de deur achter zich dicht nadat hij de beller had begroet, en daardoor wist Claire dat hij zijn moeder aan de lijn had. Ze begon te tellen hoeveel minuten hij wegbleef en liep ten slotte, toen haar geduld op was, naar de woonkamer. Toen hij weer te voorschijn kwam, bleek uit zijn afhangende schouders en zijn ontwijkende blik dat hij geen zin meer had om ruzie te maken. Ze deed net alsof ze verdiept was in een zwart-witfilm, maar haar hart bonsde hevig.

'Claire,' zei hij, hoewel ze zat te wensen dat hij zijn mond zou houden, 'Claire, probeer je je zelfs wel eens te herinneren hoe het vroeger was? Ik wel, voortdurend. En jij? Weet je nog dat we helemaal om de dierentuin heen zijn gelopen om naar de giraffen te kijken die hun kop over het hek staken? Weet je nog dat we verdwaalden in de doolhof bij Hampton Court en bang waren dat we na sluitingstijd zouden worden ingesloten?'

'Ja,' zei ze, hoewel ze het tot nu toe was vergeten. De herinneringen waren zo snel weggeglipt omdat ze geen reden had gezien ze te bewaren. Nu kwamen ze echter weer terug, samen met de lol en het gelach en het gevoel jong te zijn dat samen met de herinneringen was verdwenen.

'We hebben het echt fijn gehad,' zei hij, en toen, moeizamer, met een stem die akelig verstikt klonk van de tranen: 'Het was toen zo gemakkelijk om van je te houden. Ik wist dat ik nooit meer zo van iemand zou kunnen houden. Ik wil nog steeds van je houden, ik wil niets liever. Waarom maak je het allemaal zo moeilijk?'

'Omdat het nu anders is,' zei ze.

'Dat weet ik. God, ik wou dat het niet zo was. God, ik wou dat er niets was veranderd.'

'Dat kan niet, Rob. Daar is het nu te laat voor,' zei ze, wetend dat ook zij elk moment kon gaan huilen.

'Het hoeft niet te laat te zijn, Claire. Zo ver hoef je het niet te laten komen.'

Claire zei tegen zichzelf dat ze haar bezoek aan de National Gallery zou hebben uitgesteld als Rob niet in Praag had gezeten en in plaats daarvan samen met hem zou zijn thuisgebleven, zodat ze allebei de breekbare herinneringen die hij haar had aangeboden voorzichtig in het kommetje van hun handen hadden kunnen nemen om ze nieuw leven in te blazen, in de hoop dat ze weer echt zouden voelen. Maar ze wist dat ze zichzelf voor de gek hield. Ze zou toch gegaan zijn. Rob had niet op Dominic gerekend, dat hadden ze geen van beiden.

Op vrijdagavond zat ze alleen thuis; ze verveelde zich kapot en was eenzaam, ze had geen zin om naar de rotzooi op tv te kijken en wist dat het veel te vroeg was om naar bed te gaan. Ze dacht aan Rob, die nu vast ergens met de andere mannen in een kroeg in de oude binnenstad van Praag aan de Budvar zat en te hard lachte. Haar mobieltje op de salontafel leek steeds meer te glimmen, en de metalen buitenkant weerkaatste als een baken het licht van de lamp in de hoek. Opeens wist ze dat ze het zou pakken en Dominic een sms'je zou sturen: IK BEN MORGEN IN HET MUSEUM. KOM OM TWAALF UUR NAAR DEL SARTO.

Er konden niet veel werken van Del Sarto zijn, en dat betekende dat hij haar zonder al te veel moeite moest kunnen vinden – en des te beter als hij er wel moeite voor moest doen. Ze wist dat ze de inspanning waard was, dat ze het waard was om te worden opgespoord. Ze voelde een huivering van opwinding door zich heen gaan toen ze het berichtje intoetste. En vervolgens, omdat ze niet wilde opnemen en wilde verraden dat ze alleen thuiszat als hij haar terug zou bellen, belde ze haar zus Laura, die tegenwoordig in Spanje woonde en een of andere website runde voor toeristen en expats, zoals alle Engelsen in Andalusië tegenwoordig leken te doen. Laura nam meteen op, en Claire liet zich achterover op de bank vallen en liet het gebabbel van haar zus over zich heen komen: dat het zo warm was (in Londen was het donker en het regende), dat haar tuin te groot was om goed te kunnen bijhouden (Claire en Rob konden zich niet eens een dakterras veroorloven), en dat de buren zo moeilijk deden (nou, die zaten in elk geval een halve hectare verder weg, en niet boven, beneden en aan beide kanten). Het had iets troostends, het vertrouwde ritme en de vertrouwde onderwerpen, ook al wachtte ze eigenlijk op iets beters.

'En hoe is het met jou?' vroeg haar zus ten slotte, al drong de vraag niet echt door. Pas toen Claire merkte dat er een stilte was gevallen, besefte ze dat ze iets had gemist. Ze had te ingespannen zitten luisteren of ze iets anders zou horen, het piepje dat aangaf dat er een tweede gesprek was, of in elk geval een sms'je, van Dominic.

'Hoe gaat het met je?' Laura werd ongeduldig en bood nu weinig troost.

'Goed, hoor,' zei ze. 'Zijn gangetje. Je kent dat wel.'

'En Rob?'

'Die is weg.' Pas nu, nu ze het hardop zei, schaamde ze zich omdat haar man haar zo gemakkelijk alleen had gelaten.

'Waarom ben je niet met hem mee?' Ze zag Laura nu voor zich, in haar rieten stoel op de veranda, Laura die haar plastic glas met een beslist gebaar op de rand van het pierenbadje zette, een mug wegsloeg en voor de verandering eens echt oplette.

'Het is een vrijgezellenfeest, een weekendje weg. Zonder de vrouwen en vriendinnen.' Ze wou dat ze niet zo verdedigend klonk.

'O, dan is het goed. Er is toch niets mis, hè?'

'Nee, natuurlijk niet,' zei ze, en toen staakte ze haar poging. 'Niet echt. Het is alleen...'

'Alleen wat, Claire?'

Er was alleen iemand, die man die Dominic heette en die belangstelling voor haar had, die haar het gevoel gaf dat ze bijzonder was en wiens lippen ze nog steeds op haar wang voelde – en die een kind had, een echt, warm kind; die zo veel had wat zij niet had. En dat kwam neer op: er is een ander. Dat werd je toch geacht te zeggen? Dat waren de juiste woorden. Maar ze wist dat ze het zelfs niet aan haar zus kon vertellen. Misschien vroeger wel, toen hun band hechter was geweest, maar niet nu Laura zo ver weg zat. Die gedeelde kinderjaren, gefluisterde geheimen, gekwelde verlangens, die leken er allemaal niet meer zo toe te doen. Kwam dat omdat Laura een dochtertje van zeven en een zoontje van vijf had, wier stemmen Claire duidelijk op de achtergrond kon horen omdat ze op schrille toon ruzie stonden te maken bij de laatste zonnestralen van de dag? Nu zei Laura dat ze het rustig aan moesten doen, want ze zagen toch dat ze zat te bellen?

'Niets,' antwoordde ze, in plaats van al die andere dingen die ze had kunnen zeggen. 'Ik ben gewoon moe. Ik hang maar eens op, misschien is er nog iets op tv. Ik kan merken dat je het druk hebt.'

'Gaat het echt wel? Zeker weten? Ik maak me de laatste tijd zorgen om je. Waarom bel je niet wat vaker? Als ik je ergens mee kan helpen, dan moet je het zeggen, dat weet je toch? En je bent altijd welkom, als je er eens even helemaal tussenuit wilt.'

Ongetwijfeld ging ze nu meteen hun moeder bellen om te zeggen dat die iets moest ondernemen. Het laatste waaraan Claire behoefte had, was haar moeder die zich ermee ging bemoeien, vaker zou bellen, advies zou geven dat uiteindelijk toch uitliep op een verhaal over hoe haar eigen man haar in de steek had gelaten, waarbij ze steevast vergat dat haar man ook de vader van Claire was. Ze wist genoeg energie bijeen te rapen om Laura gerust te stellen en een glimlach in haar stem te laten doorklinken. 'Dat weet ik. Als ik je nodig heb, hoor je het meteen. Kom, ga maar weer echtgenote en moeder spelen.'

'Goed, zusje, maar alleen als je het zeker weet. Wil je nog even hallo zeggen tegen je nichtje en neefje?'

Ze wist dat ze ja hoorde te zeggen, maar ze kon het nu niet opbrengen. 'Dat komt een andere keer wel.'

'Verder geen nieuws?' zei Laura, en ze wisten allebei dat het eerder een vaststelling dan een vraag was.

'Nee,' zei Claire, en ze maakte een einde aan het gesprek. Geen nieuws. Niets wat de enorme afstand kon overbruggen die er tussen haar en haar zus en tussen haar en alle anderen was ontstaan.

Tegen de tijd dat haar mobieltje zijn doordringende pieptoon liet horen, was het al na twaalven en rekende ze niet meer op een antwoord van Dominic. Ze schrok op uit iets wat niet echt slaap was en las het berichtje: IK HOU VAN JE. IK MIS JE. Het was van Rob. Natuurlijk was het van Rob, die nu ongetwijfeld ladderzat naar een driesterrenhotel zwalkte. Daar lagen ze dan, allebei in een halfleeg bed, ver van elkaar, wensend dat er iemand naast hen lag. Toch stuurde ze geen antwoord. Toen klonk er opnieuw een piepje. Geen Rob, Dominic.

IK ZAL ER ZIJN. XX

Deze keer antwoordde ze wel. Met bonzend hart, de slaap verdreven.

GOED ZO. XX

Toen Claire het schilderij zag, werd ze erdoor verrast. Daisy had gezegd dat het melancholiek was, maar Claire zag iets anders. Ze vond het sinister. Het onderwerp van het portret, de onbekende man, had een blik die in de buurt van dreigend kwam, een bijna seksuele dreiging, vermengd met een zeker geweld. De manier waarop hij haar aankeek, over zijn schouder, had iets beangstigends, zeker omdat hij de rest van zijn lichaam niet toonde, alleen zijn gezicht, alsof hij niet wilde dat iemand zou zien wat hij aan het doen was. Ze vroeg zich af wat de toevallige toeschouwer niet mocht zien. Het was niet iets waarvoor hij zich schaamde, dat was wel duidelijk. Hij leek niet het type dat zich ergens voor schaamde. Er school te veel arrogantie in die donkere, afwerende ogen, in de hoek van zijn gezicht, half verborgen in de schaduwen van een zwarte driekantige hoed. Hij zag eruit als een man die graag duistere plannen smeedde en zijn sierlijk gevormde handen niet omdraaide voor een intrige. Daisy had gelijk, hij wilde hier niet zijn, zichtbaar voor een eindeloze stroom voorbijgangers die de geheimen in zijn blik probeerden te lezen. De anonieme titel van het werk paste goed bij het onderwerp.

Eerst begreep Claire niet wat het kunstboek had willen zeggen over Del Sarto's kleurgebruik. Hij had hier niet veel kleur gebruikt, al zat er een zekere felheid in het blauw van het gewaad van de man, net zoals er een felheid in zijn gezicht en zelfs in zijn zittende houding school. Hij zag eruit alsof hij elk moment een dolk kon trekken als iemand te dicht in de buurt durfde te komen, en Claire vroeg zich af of zijn armen, verborgen onder de plooien van zijn hemd, sterk waren. Ze begreep dat Del Sarto zijn kleurenpalet opzettelijk had beperkt. Blauw, grijs en zwart. Het waren de kleuren van de avond en de naderende nacht en dingen die in het donker verborgen bleven. Dit was een man die het licht met opzet vermeed en zijn gedachten zorgvuldig voor zich hield.

Volgens het bordje ernaast dacht men nu dat hij een boek aan het lezen was, al hadden eerdere deskundigen gesteld dat hij aan het beeldhouwen was: de verf was zo bleek geworden dat het niet meer te zeggen was. Het maakte niet veel uit, in elk geval niet voor Claire. De boodschap was dezelfde. Gevaar. Let goed op. Ze huiverde even en wendde zich af, en daar stond Dominic, met gespreide armen en fonkelende blauwe ogen, klaar om haar een kus recht op haar lippen te geven die zei: je bent nu van mij.

'Waar denk je dat je mee bezig bent?' vroeg ze, vol gespeelde verontwaardiging.

'Ik zeg gewoon hallo. Niets bijzonders. Het stelt toch niks voor?' Er viel geen stilte waarin ze kon antwoorden, want hij ging meteen verder en ze wist dat het moment waarop ze geloofwaardig bezwaar had kunnen maken voorbij was. 'Hoor eens, het spijt me dat ik je gisteravond pas heel laat een antwoord heb gestuurd. Meestal zet ik 's avonds mijn mobiel uit. Ik word niet graag afgeleid.'

'Het geeft niet.' Een kleine onwaarheid die ze geen van beiden geloofden, en die aangaf dat zijn trage reactie haar meer krenkte dan de veronderstelling die besloten lag in zijn kus.

'Als je hier klaar bent, zullen we dan gaan?'

'Wacht even, ik dacht dat jij belangstelling had voor kunst.'

'Dat heb ik ook, maar dat betekent niet dat ik al mijn weekends in de National Gallery wil doorbrengen. Ik wilde eigenlijk een wandeling langs de Theems maken. Het zonnetje schijnt, het is niet zo koud. Op een dag als vandaag is het daar heerlijk.'

'Goed,' zei ze, en zij aan zij voegden ze zich tussen de massa schuifelende schoenen op de vloer van de museumzaal, die grotendeels bestond uit uitdijende en weer inkrimpende groepen toeristen die net iets te langzaam liepen. Het was een opluchting toen ze eindelijk bij de ingang aankwamen en de trap af liepen naar Trafalgar Square. Claire ademde de frisse lucht diep in en proefde niet de luchtvervuiling waarvan ze wist dat die er moest zijn. Er was een strak briesje opgestoken dat de druppels van de fontein voor haar deed opspatten en alles met regenbogen versierde.

'Niet blijven staan,' zei Dominic. 'Dan ben je straks doornat.' Voordat ze besefte wat er gebeurde, lag zijn arm rond haar schouder en voerde hij haar mee. Ze maakte zich niet van hem los, en hij hield zijn arm stevig om haar heen geslagen.

Ze liepen samen over het plein, zoals ieder ander stel, en zochten toen onhandig hun weg over het eindeloze aantal zebra's aan de andere kant, hun ritme verstoord door bussen, taxi's en toeristen. Claire nam zelden deze route, en hoewel ze wist dat de rivier vlakbij was, was ze toch verbaasd toen ze die aan het einde van de straat zag liggen, opgezwollen en modderig en vol bootjes. Ze slingerden tussen de auto's door die in een file op de Victoria Embankment stonden, en toen leidde Dominic haar naar de stenen balustrade. Ze bleven daar samen staan, uitkijkend over het water. Rechts zag ze het witte rad van de London Eye, waarvan de schaduw werd gevangen door de gebouwen erachter, en verderop lagen de rijkelijk versierde Houses of Parliament.

'Vind je dit geen romantische plek? Dat heb ik altijd al gevonden,' zei Dominic.

'Ja, ik ook,' antwoordde ze, terwijl ze zich herinnerde dat ze Rob hier een keer had gekust, jaren geleden, kort nadat ze naar Londen waren verhuisd. Hij had haar hier mee naartoe genomen na een goedkoop etentje in een Thais restaurant. Hij had tegen haar gezegd dat dit het mooiste uitzicht ter wereld was, de Theems bij avond. Dat had ze toen ook gevonden, toen ze de rivier samen met hem zag. Het water lichtte op door de straatlantaarns en de verlichting in de kantoren, als glimmend geslagen zilver. De rotzooi die als schuim langs de randen moest hebben gedreven, was in het donker niet te zien. Het donker had niet het wit van Robs tanden kunnen verbergen toen hij vol verwondering naar dit alles glimlachte, en aangemoedigd door zijn tomeloze enthousiasme leunde ze naar voren om haar lippen op de zijne te drukken. Hij tilde haar op en draaide haar in het rond, ook al werden ze bekeken door omstanders en protesteerde zij dat ze te zwaar was. Zelfs nu nog kon ze zich herinneren hoe koud de lucht tegen haar benen was toen haar rok, speciaal voor die avond nieuw gekocht, om haar heen wapperde, en hoe duizelig ze was toen hij haar weer neerzette.

'Hoe laat moet je thuis zijn?' vroeg Dominic, die haar herinneringen onderbrak en het heden blootlegde, waartoe die eerste kussen met een andere man op een bepaalde manier hadden geleid.

'Voorlopig niet. Rob is dit weekend weg.'

Dat was een vergissing. Nu kende Dominic zijn naam.

'Daar woon ik. In dat gebouw,' zei hij, wijzend naar een hoog, bijna gotisch uitziend appartementencomplex achter hen.

'Echt?' zei ze. 'Woon je echt vlak aan de rivier?'

'Inderdaad. Het is niet groot, ik heb maar één slaapkamer. Voor mij is het genoeg. Ik heb een schitterend uitzicht.'

Ze gaf geen antwoord. Ze liepen samen verder en ze begreep pas te laat dat hij haar had uitgenodigd. Ze keek om naar de ingang van het gebouw en hij volgde haar blik en lachte. 'Het geeft niet,' zei hij. 'Er is geen haast.'

Toen sloeg hij zijn arm dichter om haar heen, en ze liepen verder. Ze merkte dat ze tegen hem aan leunde en rook deodorant, of misschien was het aftershave, die niet van Rob was. Het was niet moeilijk, om zo te wandelen. Ze vroeg zich af of om het even welke man, Rob of een ander, goed genoeg was geweest als ze zich alleen maar veilig en warm en niet eenzaam had willen voelen. Het leek niet te veel gevraagd.

Het verkeer op de straat langs de rivier werd minder druk toen ze Westminster bereikten, of misschien werd het wel een andere kant op geleid, en daarna lagen er tuinen tussen hen en de overgebleven auto's en busjes, waarin hier en daar mensen in hun eentje een broodje zaten te eten of het koud hadden. Er was een café, en toen Dominic naar binnen liep om warme chocolademelk voor hen te halen bleef Claire op een bankje zitten wachten, kijkend naar de rivier die haar leven wegvoerde richting de zee. Aan weerszijden van het bankje stonden bomen, zwaarbeladen met roze bloesem. Aan de overkant van het water stond de verzameling oude en nieuwe gebouwen die samen het St Thomas' Hospital vormen. Zij en Rob hadden zich afgevraagd of ze daar moest bevallen. Het was niet echt in de buurt, maar een oude schoolvriendin had het ook gedaan en daarna foto's rondgestuurd waarop je door het raam van de verloskamer de Big Ben kon zien. Het had een mooie start voor een baby geleken.

Misschien bij de volgende.

Ze ging iets rechterop zitten.

Dit was de eerste keer dat ze zichzelf zo'n gedachte toestond. Geen vervanging voor Oliver, maar iemand die na hem kwam. Dat moest een goed teken zijn: op een dag zou alles weer normaal worden. Maar hoe? Want op dat moment kwam Dominic naast haar zitten, heel dicht naast haar, en gaf haar een kartonnen beker aan die bijna te heet was om aan te raken, en ze besefte dat dit niet normaal was.

'Wat is er?' vroeg hij.

Ze blies voorzichtig in haar beker. De chocolademelk was zo dik dat er een vel op zat en deed haar denken aan de afkoelende custard die zo vaak tijdens maaltijden op de lagere school was opgediend. 'Ik moest aan een vriendin van me denken. Ze heeft haar eerste kind in dat ziekenhuis daar gekregen.

Het gaat zo snel, hè? Zo ga je op vrijdag na het werk nog even een borrel pakken, en het volgende moment zit de helft van je vrienden thuis bij de kinderen.'

Dominic leunde achterover tegen het bankje. 'Ruby's moeder en ik liepen behoorlijk voor op onze vrienden. We waren de eersten van ons groepje met een kind. Ik weet nog hoeveel cadeaus we kregen toen ze werd geboren, echt ongelooflijk veel, en aan de meeste hadden we helemaal niets. Geen van onze vrienden had enig idee waaraan kersverse ouders die van niets wisten behoefte hadden, en wij ook niet. Het was alsof we de enigen in die nieuwe wereld waren, en we konden over niets anders praten dan slapeloze nachten en luiers verschonen.'

'Maar jullie hadden in elk geval Ruby. Jullie kleine meid.'

'Ja, natuurlijk. Dat was het enige wat ertoe deed.' Zijn gezicht lichtte op bij de gedachte aan zijn dochter.

'Wat voor kind is ze?'

'Geweldig, echt geweldig. Op het moment wil ze niets liever dan een prinses zijn, zodat ze in een kasteel kan wonen en op een pony kan rijden. Ze wil dat ik een pony voor haar koop. Niet te geloven, hè? Ze hoeft alleen maar een pony, zegt ze, ze weet dat ze geen kasteel kan krijgen.'

'Nou, sommige dingen veranderen nooit,' zei Claire lachend. 'Ik was op die leeftijd net zo. Mijn moeder liet me zelfs rijlessen nemen, en het heeft jaren geduurd voordat ik de moed had om haar te vertellen dat ik het vanaf het allereerste moment vreselijk had gevonden.'

Er viel een stilte. Ze nipten allebei van hun kartonnen bekers en staarden recht voor zich uit naar de rivier.

'Jullie hebben nog geen kinderen, hè? Jij en Rob?'

Ze vond het niet prettig om Robs naam uit Dominics mond te horen, en haar lach verliet haar, om die en nog heel veel andere redenen.

'Nee. Dacht je soms van wel?' Ze hoorde hoe smekend elk

kort woordje klonk omdat ze hem zo graag ja wilde horen zeggen.

'Ja,' zei hij. 'Maar alleen die eerste keer. Ik dacht dat je misschien naar de schilderijen was komen kijken omdat je er even tussenuit wilde, en dat je man thuis was gebleven met de baby. Dat doen mensen soms. Soms moeten ze even weg. Maar natuurlijk wist ik nog voordat ik dat stuk taart voor je had gekocht dat het niet zo was. Een vrouw zal je altijd meteen over haar gezin vertellen als ze dat heeft, of over haar man. En dan laten ze je de foto's zien uit hun portemonnee of op hun mobieltje, altijd alleen foto's van de kinderen, nooit van de vader. Dat gebeurt namelijk als je kinderen hebt. Vanaf dat moment draait het allemaal om hen.'

Claire had nooit eerder verontwaardiging of bitterheid in zijn stem gehoord. Nu was dat wel zo, maar alleen maar als een achtergrond voor al die gevoelens en gedachten rondom Oliver die haar overspoelden. Ze wilde een nietszeggend geluidje maken en het daarbij laten, maar ze merkte dat ze haar gezicht niet in plooi kon houden en wist dat ze zichzelf verraadde. Dominic zat nog steeds te praten, en ze probeerde zich te concentreren op wat hij zei, maar het was te laat en nu had hij het gemerkt.

'Wat is er, Claire? Heb ik iets verkeerds gezegd?'

'Nee, helemaal niet. Het is alleen zo dat ik een kind had moeten hebben. Maar dat heb ik niet.' Ze moest haar uiterste best doen om die woorden uit te spreken.

'Het spijt me,' zei hij. 'Vertel eens.'

En dat deed ze, niet over wat er was gebeurd, maar over hoe het voelde om alles waarvan ze had gedroomd in een nachtmerrie te zien veranderen, om iedereen te moeten vertellen dat de baby er niet meer was, om te merken dat ze stond te huilen in de armen van collega's die ze niet eens echt aardig vond.

'Ik heb hem Oliver genoemd,' zei ze tot besluit. 'We wisten dat het een jongetje zou worden. We hadden een tweede echo laten maken. Ik vond dat hij wel een naam had verdiend.'

Rob had dat niet begrepen, van die naam. Hij dacht dat het dan moeilijker voor haar zou zijn om het los te laten. Dat had hij ook gezegd, zodra ze het zichzelf had toegestaan om de naam van Oliver uit te spreken. 'Waarom moest je hem een naam geven?' had hij gezegd, al die maanden geleden, aan het begin van de herfst, toen de bruin geworden vingerbladeren van de paardenkastanjes nog bewogen in de wind en het verdriet hen allebei, en niet alleen haar, aan het huilen maakte. 'Omdat hij onze baby was!' had ze tegen hem geroepen. 'Omdat ik hem niet wíl vergeten. Ik wíl hem niet laten gaan.' Toen had ze geconcludeerd dat Oliver voor Rob eigenlijk geen baby was geweest. Zij had weliswaar al gefantaseerd over de doop en de eerste verjaardag en de foto in het album, van de taart met dat ene dapper brandende kaarsje met erachter een stralende, blozende baby in zijn kinderstoel, en zelfs al over een jongen die in korte broek en blazer het schoolplein op rende. Maar voor Rob was Oliver al die tijd misschien niet meer geweest dan een bewegende schim in zwart-wit op een schermpje, een snelle hartslag, een ingewikkelde verzameling cellen die toevallig armpjes en beentjes en piepkleine teentjes en fijngevormde oortjes had.

'Natuurlijk moet hij een naam hebben,' zei Dominic, die haar koude hand stevig in de zijne nam. 'Ieder kind moet een naam hebben.'

Nu wist ze dat ze voor hem de enige ter wereld was en dat dit het enige gesprek was dat de moeite van het voeren waard was. Ze zag het in zijn ogen.

'Dank je,' antwoordde ze. Dat was alles wat ze kon zeggen, voordat ze ontdekte dat ze hem kuste, iets waarvan ze al had geweten dat ze het zou doen toen ze die ochtend wakker was geworden, of eigenlijk al sinds ze afscheid van hem had genomen voor het Italiaanse restaurant nadat ze samen *Apollo en Daphne* hadden gezien. Dominics geur, de vorm van zijn mond, zijn smaak, zijn tong, het ruwe gevoel van zijn stoppels tegen haar wang, het gevoel van zijn haar in haar handen. De manier waarop hij zo moeiteloos had begrepen wat ze probeerde te zeggen. Alles eraan voelde zo anders dan Rob kussen. Een warmte die ze zich amper kon herinneren welde in haar op. Het duurde heel erg lang voordat ze in staat was zich van hem los te maken.

6

Madonna met mand – Correggio

Zodra ze thuiskwam, werd ze overspoeld door een golf van uitputting, alsof ze ziek was in plaats van op de rand van overspel balanceerde. Ze wilde dolgraag even gaan liggen en de koele kussens tegen haar wang voelen. Ze had ten slotte een excuus bedacht om te kunnen vertrekken, een armzalig excuus dat Dominic meteen had doorzien.

'Het geeft niet, Claire,' had hij gezegd. 'Het is niet erg. Niemand hoeft het te weten. Dit soort dingen gebeuren, geloof me, zeker met vrouwen die zo mooi zijn als jij. Ik kan niet de enige man zijn die op deze manier naar je verlangt.' Nee, dacht ze, dat geldt ook voor mijn echtgenoot.

Hij had zo kalm geleken toen hij een hand had uitgestoken en een losse lok haar achter haar oor had weggestopt, met vingers die te koud voelden tegen haar huid.

'Waarom stel je jezelf niet de vraag of je echt gelukkig bent met Rob?' had hij gezegd. 'Je verdient het gelukkig te zijn.'

Ze had niet geantwoord, maar haar zwijgen had hem ongetwijfeld alles duidelijk gemaakt: dat ze niet gelukkig was, dat ze amper wist hoe ze dat moest zijn, en dat een mogelijk geluksgevoel van de laatste tijd geheel aan hem te danken was, en niet aan Rob. Nu het te laat was, kon ze amper geloven dat ze dit had laten gebeuren, dat ze niet had gezegd dat het zijn zaken niet waren en dat het een vergissing was die nooit mocht worden herhaald. Maar het had geen zin dat soort dingen te zeggen, niet nu ze wist dat het opnieuw zou gebeuren omdat ze het zou laten gebeuren. Omdat ze dat wilde. Zelfs dat gevoel van verlangen naar een ander was iets wat ze al heel lang niet meer had gevoeld. Ze klampte zich er wanhopig aan vast.

Hij had zich voorovergebogen om haar nogmaals te kussen, en pas toen was ze opgestaan en had ze gezegd: 'Het spijt me, Dominic, ik moet echt gaan. Nu.'

'Dat geeft niet. Ik begrijp het wel. Maar ik wil niet dat het hiermee eindigt. Jij wel?'

'Nee,' zei ze, en ze meende het. Ze raakte lichtjes met haar hand zijn wang aan en liep toen snel weg. Er was een kil briesje opgestoken, en toen ze omkeek, zag ze dat de bloesem van de bomen om hem heen dwarrelde, als confetti van gisteren die door de wind werd meegevoerd.

'Tot de volgende keer,' riep hij haar na. Ze liep door.

Nu, weer thuis, kroop ze meteen in bed, met het dekbed om haar heen, in een poging de koude tocht tegen te houden die langs het kozijn van het slaapkamerraam naar binnen waaide. Haar hoofd leek door alles uit elkaar te barsten, schaamte streed tegen vreugde. Ze walgde van zichzelf omdat ze op zijn aanraking had gereageerd, op een manier waarop ze al heel lang niet meer op Rob had gereageerd. Maar ze kón in elk geval nog reageren. Ze had zulke emoties niet helemaal afgesloten.

Rob en ik zijn uit elkaar gegroeid. We delen alleen maar woonruimte. We zijn niet eens meer vrienden. Hij begrijpt me niet meer.

Het was zo gemakkelijk goed te praten. Sinds haar tienertijd had ze dergelijke uitspraken in tijdschriften gelezen en die vooral zielig en beschamend gevonden. Nu kwam ze er zelf mee en wist ze zichzelf er bijna van te overtuigen dat ze niets verkeerds had gedaan. Het was slechts een kus. Maar ze wist dat ze zich bij lange na niet schuldig genoeg voelde.

Toen ging haar mobieltje over, schril en aanhoudend. Haar hart bonsde. Ze wist zeker dat het Rob of Dominic was. Dominic of Rob. Ze nam niet op en wachtte in plaats daarvan totdat er een bericht werd ingesproken waarnaar ze alleen maar hoefde te luisteren. Maar het bleek haar moeder te zijn. *Ik ben geen haar beter dan mijn moeder. Ik word net zoals zij, hè?* zei een stemmetje in haar hoofd. De behoeftige moeder die niet alleen kon zijn, de afwezige vader. De moeilijke dochter en de afwezige echtgenoot, een herhaling van vertrouwde zetten, met mannen die niets anders konden voelen dan afwijzing. Het antwoord in haar moeders toon: *nou, dat gebeurt nu eenmaal met dochters, Claire, uiteindelijk worden ze net zoals hun moeders. Het is een kwestie van tijd.*

Ze huiverde en rolde naar de rand van het bed, zodat ze de la van het nachtkastje kon openen en het keurige stapeltje brieven van Daisy kon pakken. Ze begon bij het begin en las ze nogmaals, de brieven tot en met maart. En daarna nog een keer, een voor een, zorgvuldig de velletjes omdraaiend. Na die tweede keer lezen was ze eindelijk volledig gekalmeerd. Het gevoel dat ze vroeger als klein meisje tijdens het duimen had gehad, dat het lawaai van de wereld om haar heen langzaam leek te verdwijnen, had opnieuw bezit van haar genomen. Ze zette thee, haalde drie chocoladebiscuitjes uit de trommel en pakte de envelop met Daisy's volgende brief. 'Lieve Elizabeth' luidde de aanhef, maar in gedachten las ze het als 'Lieve Claire'.

april 1943

Lieve Elizabeth,
Richard is begonnen aan het schilderij van mij. Nu voel ik me belangrijk als ik naar mijn werk ga. Ik zit met een rechtere rug op mijn stoel, ook als hij er niet is, en kijk voortdurend of mijn haar goed zit. De andere meiden zijn natuurlijk allemaal stikjaloers en vragen of zij op een

volgend schilderij kunnen staan. Ze begrijpen niet waarom hij mij heeft gekozen in plaats van hen, en zeker de meisjes die weten hoe knap ze zijn, snappen er niets van. Ik durf te wedden dat er achter mijn rug heel wat af wordt gekletst. Soms valt er zo'n stilte als ik het toilet binnenkom, terwijl het daar normaal gesproken een gekwetter en geroddel van jewelste is. Maar het is voor de verandering best leuk dat ik nu het onderwerp van gesprek ben. Ik heb nooit eerder aanleiding tot roddels gegeven.

Richard houdt hen allemaal vreselijk aan het lijntje en ze doen letterlijk alles om zijn aandacht te trekken. Ze weten namelijk dat hij opdracht heeft gekregen voor een hele reeks, dus hij gaat niet alleen mij schilderen, maar ook andere vrouwen. Nou, sinds hij hun dat heeft verteld, zit hij nooit meer verlegen om een kopje thee, ook al betekent het dat de anderen het in de pauze met minder moeten stellen. Die arme juffrouw Johnson weet zich geen raad met de hele toestand en is beurtelings geïrriteerd over de onderbrekingen (ze zegt dat de productiviteit vermindert, waarmee ze bedoelt dat we veel te veel tijd verspillen aan kletsen en blozen) of juist trots omdat iemand vindt dat de werkzaamheden van haar meisjes de moeite waard zijn. 'Ik heb het jullie wel gezegd,' zei ze, 'ik heb gezegd dat dit belangrijk is. Hier op kantoor winnen we de oorlog.' Wanneer er iemand van het ministerie langskomt, laat ze die pas gaan nadat ze hem aan Richard heeft voorgesteld. Hij heeft zelfs tegen haar gezegd dat hij haar misschien wel op het schilderij zet, ergens op de achtergrond. Toen hij dat zei, werd ze zo rood als een biet en raakte ze helemaal van de wijs. Ze zei natuurlijk geen nee. Dat zou niemand doen.

Hij kwam voor het eerst op een woensdag, onaangekondigd, en wapperde met allerlei brieven die hem toestemming gaven. Juffrouw J besteedde behoorlijk wat tijd aan al die brieven doorlezen en zat hem voortdurend over de rand van haar bril heen te bekijken. Ik zat op het puntje van mijn stoel, dat kun je je wel voorstellen. Ten slotte zei ze dat alles in orde leek te zijn en leidde ze hem rond, vertelde ze hem hoe iedereen heette en wat we doen. Hij probeerde belangstelling te tonen, dat moet ik hem nageven. Die arme Richard! Ten slotte keek hij met een schattende blik in het rond en zei: 'Ik begin met dat meisje daar,' en natuurlijk was ik dat! Ik heb tegen niemand gezegd dat Richard en ik elkaar al maanden kennen (maanden! De tijd vliegt) omdat ze allemaal begonnen te mopperen dat het niet eerlijk was. Maar goed, het is veel leuker om te doen alsof we elkaar niet kennen. Ik wil niet dat iemand ontdekt dat het Richard om mij gaat, en niet om dit kantoor. Ik ben gewoon niet zo'n harde, dat is het. Ik wil niet dat juffrouw J teleurgesteld wordt.

In het begin bleef ik maar vragen wat ik moest doen en hoe ik moest kijken, maar toen zei hij dat ik gewoon moest doen wat ik altijd doe. En dus ging ik aan het werk, en toen zei hij opeens 'Blijf zo zitten' en moest ik een hele tijd stokstijf blijven zitten totdat ik me van hem weer mocht bewegen. Het is veel zwaarder dan typen, hoor, als je geen vin mag verroeren.

Hij komt niet elke dag langs, het licht moet blijkbaar goed zijn. Soms is dat het niet omdat het bewolkt is of omdat het regent, of het is te vroeg of te laat. Maar als hij er is, geniet ik van de manier waarop hij naar me kijkt, dat zal ik niet ontkennen. Hij is erg gevoelig, dat zie je aan zijn ogen, zeker wanneer hij een potlood in zijn hand heeft. Soms denk ik dat ik net zo goed naakt had kunnen zijn, zo zit hij naar me te staren! Hij heeft me verteld dat hij gewend is aan het schilderen van naakten, mannen en vrouwen. Het laat hem vrij koud. Hij zegt dat ze niet perfect hoeven te zijn. Ze zijn interessanter als ze dat niet zijn. Ik vraag me af wat hij van mijn lichaam vindt. Hij heeft er niets over gezegd en ik ga het hem zeker niet vragen! Ik zit het grootste deel van de tijd terug te kijken, tamelijk onverschrokken, of dat denk ik althans, en dan kijk ik hoe hij zijn haar schudt in het zonlicht of zijn handen erdoorheen haalt. Soms ziet hij er vrij woest uit en drukt hij zo hard op zijn potlood dat het grafiet breekt. En er zijn andere keren dat hij naar achteren stapt en naar me glimlacht. Dan glimlach ik altijd terug. Ik kan het niet helpen. En dan moet hij fronsen. Zoals ik al zei, ik mag niet telkens een ander gezicht trekken. Hij heeft zelfs een briefje op mijn tafel gelegd en me mijn plaats gewezen! Hij begon me van alles te vertellen over *Madonna met mand* van Correggio, het volgende schilderij dat in de National Gallery te zien is, en drukte me op het hart dat ik, wanneer we het samen gaan bekijken, vooral moet letten op hoe kalm de madonna is en of Correggio haar zo had kunnen schilderen als zijn model had zitten draaien alsof ze door een vlo was gebeten. Hij zei dat ik het echt serieus moet nemen, want anders maak ik hem stapelgek.

Maar hij had nog veel meer te melden. De rest van het briefje maakte het strenge begin helemaal goed. Hij schreef dat hij het zo fijn vond om de hele dag naar me te kijken, zoals ik al had gehoopt, en vroeg me of ik het ook fijn vond om voor hem model te zitten. Toen zei hij dat hij het antwoord al kende! Hij zegt dat er een bepaald licht in mijn ogen te zien is. Ik weet niet wat hij daarmee bedoelt. Het lijkt wel alsof je helemaal niets voor een kunstenaar verborgen kunt houden. Richard zegt dat ze al heel snel leren gezichten te lezen. Hij werkt nu aan wat hij 'voorbereidende schetsen' noemt. Ik mag ze niet zien, en je kunt je wel voorstellen dat ik dat helemaal niet leuk vind, maar hij houdt voet bij stuk. Volgens hem gaat de verrassing er anders af. Sommige meisjes hebben meer geluk omdat ze achter hem langs kunnen lopen en dan even kunnen kijken, maar ik mag niet van mijn plaats komen. Ze zeggen dat er niet veel te zien is, zeker niet in vergelijking met al die tijd die hij eraan besteedt, maar ik denk dat ze gewoon jaloers zijn. Maar ik zou graag ander werk van hem zien, gewoon om te kijken of hij er goed in is. Ik wil niet dat hij een puinhoop maakt van mijn portret. Ik wil dat het zo goed wordt dat het in de National Gallery komt te hangen en dat mensen er dan langs lopen en zeggen: 'Ik begrijp wel waarom hij die vrouw wilde schilderen. Ik vraag me af wie ze is' en dan mijn naam op het bordje lezen. Als ik toch maar één keer in mijn leven word geschilderd, en ik kan me niet voorstellen dat dit vaker zal gebeuren, dan kan ik er maar beter op mijn voordeligst uitzien, denk je ook niet? Dat heb ik ook tegen hem gezegd. Hij zei dat ik me er niet mee mocht bemoeien omdat hij zich moest concentreren.

Ik heb eindelijk iets van Charles gehoord. Goeie hemel, hoe lang is dat geleden? Maanden, denk ik. Hij klonk opgewekt, of in elk geval opgewekter dan ik had verwacht, hoewel je dat uit een brief altijd moeilijk kunt opmaken, zeker als een man die heeft geschreven. Hij heeft mijn brieven ontvangen, in elk geval een paar (maar niet het fruit!), maar het duurt allemaal heel erg lang. Hij zegt dat hij staat te popelen om de moffen een lesje te leren, maar op dit moment zit hij vooral te wachten. Hij zegt ook dat hij voortdurend aan mij moet denken en hoopt dat dit allemaal snel voorbij is, zodat hij met me kan trouwen en we samen in een huisje op het platteland kunnen gaan wonen, met kamperfoelie rond de deur en de kinderkamer al helemaal ingericht en blauw geverfd. Er stonden nog veel meer van dat soort dingen in zijn brief, het ene kantje na het andere, vol sentimenteel gedoe, en dat is helemaal niets voor Charles. Ik denk dat het onvermijdelijk is nu ze daar zo in de woestijn zitten te wachten op bevelen, de dagdromen beginnen vast als fata morgana's in het rond te zweven. Maar als hij er romantisch van wordt, dan kan ik alleen maar zeggen dat het hoog tijd werd! Het klinkt niet zo vreselijk. Hij zegt dat er in de grote steden nog van alles in de etalages ligt en dat hij me wat kousen zal sturen om te laten merken dat hij aan me denkt. En ik denk ook aan hem. Soms. O, god.

Nee, ik zal de National Gallery niet vergeten, als je dat maar niet denkt. Ik vind het er nu zelfs nog fijner, zeker nu er op een dag een schilderij van mij zal hangen. Zoals ik al zei, het werk van deze maand was *Madonna met mand* van Correggio. Weer een Italiaan, en ik moet bekennen dat ik nog nooit van hem had gehoord. Het museum lijkt een eindeloze voorraad werken van Italiaanse schilders te hebben. Misschien durven ze die daarom wel te laten zien, ondanks de kans op een luchtaanval. Het is een erg mooi schilderij, maar wel klein. Alleen al de naam maakte me aan het lachen. Het is net alsof ik *Daisy met schrijfmachine* zou zijn, dat zei ik tegen Richard. Hij zei dat hij me nooit zo zou noemen. Hij zegt dat hij liever aan me denkt zonder rammelende toetsen en vastzittende linten en hendels. Hij vindt dat ik beter verdien, ook al schildert hij me wel zo.

Ik had met hem afgesproken in het museum. Ik ben er in mijn eentje naartoe gegaan. Ik wil niet dat de mensen gaan kletsen, dat is niet nodig. Het bleek dat hij er eerder was dan ik en dat ik degene was die hem op de schouder tikte. Hij draaide zich langzaam om, en heel even zag ik een uitdrukking op zijn gezicht, een ingewikkelde uitdrukking, die me aan die man van Del Sarto deed denken. Ik denk dat ik nu voor het eerst oog voor dat soort dingen begin te krijgen. Vroeger nam ik nooit de moeite om goed te kijken, niet naar schilderijen en ook niet naar mensen. Nu doe ik dat wel. Bij sommige mensen valt er niets te raden. Neem nu Charles. Bij hem zie je alles meteen, er is niets verborgen. Je weet precies wat er in hem omgaat. En daar is helemaal niets mis mee, o nee. Dat maakt het in elk geval een stuk gemakkelijker. Bij Richard is dat wat je aan de buitenkant ziet nog maar het begin. Dat vind ik spannend. Ik kan er niets aan doen. Je weet al waar dit naartoe gaat, hè Elizabeth? Ik denk dat je het al eerder hebt begrepen dan ik. Het voelt alsof ik maar wat in het rond strompel en Richard de enige is die me kan opvangen, en dat komt allemaal doordat Charles ergens in de woestijn zit en de zandvliegen uit zijn ogen probeert te houden en ik steeds meer over kunst leer. Charles heeft al die tijd toch gelijk gehad. Hij had maanden geleden met me moeten trouwen, dan zou dit allemaal niet zijn gebeurd. Maar ik ben nog niet getrouwd, vergeet dat niet.

Het schilderij heeft Egypte als decor, en daardoor moest ik natuurlijk nog meer aan Charles denken en voelde ik me nog schuldiger omdat ik zo lelijk tegen hem heb gedaan. Het is een schilderij met Jezus, Maria en Jozef (ja, weer iets religieus, daarvan lijken er ook heel veel te zijn), maar het hadden net zo goed Charles en ik kunnen zijn, met het kind dat hij wel wil en ik niet. Het kindje heeft zelfs blonde krullen, net als Charles toen hij klein was. Dat heeft hij me niet verteld, maar zijn moeder wel, toen ik de laatste keer dat ze in de stad was thee met haar ben gaan drinken bij Claridge's. Ze heeft nog altijd een kiekje in haar tas van toen hij zo klein was.

Maria en Jezus zitten buiten, en Jozef is op de achtergrond bezig aan een werkbank. Maria draagt een zachtroze gewaad en een doorzichtige sluier over haar schouders. Ik heb in de afgelopen maanden geleerd dat kunstenaars dol zijn op doorzichtige sluiers. Je ziet ze overal. Het is natuurlijk allemaal opschepperij, want Richard heeft me verteld dat een dergelijk effect erg moeilijk te bereiken is, en dat geloof ik meteen.

Maria probeerde de tegenstribbelende baby een blauw jasje aan te doen, en hoewel al haar haar naar achteren is gekamd, zijn er door de inspanning toch een paar krulletjes losgekomen. O, Elizabeth. Ze ziet er zo lief uit. Jij begrijpt vast hoe ze zich voelt, ook al snap ik dat niet. Het is duidelijk dat de schilder Maria en haar zoontje in het middelpunt wilde zetten, want de achtergrond lijkt niet erg belangrijk. Charles zou het vast heerlijk vinden als wij ook zo'n leven hadden. Dat ik allemaal van die moederlijke dingen doe en hij als een echte man hout staat te hakken. Ik denk dat de mand uit de titel alles zegt wat er te zeggen is over hoe het is om een echtgenote en een moeder te zijn. In die mand liggen wol en een schaar die Maria heeft gebruikt om het jasje te maken dat ze Jezus aantrekt. Met andere woorden, het is duidelijk dat haar werk nooit gedaan is! Daar hoef ik jou vast niet aan te herinneren. Maar het is een erg mooi schilderij. Niet te opzichtig of te hoogdravend. Als de National Gallery het zou willen uitlenen, zou ik het best thuis aan de muur willen hangen.

Ik ga een einde aan deze brief maken. Mijn hand is moe van het schrijven en ik ga uit eten met Richard, in een kantine die zich restaurant noemt. Richard is volkomen platzak, zoals je van een kunstenaar kunt verwachten. Maar ik hoef niet zo nodig naar het Ritz. Het is het gezelschap dat telt. Er is niets gebeurd tussen ons, alleen het schilderij – maar dat gaat veranderen, dat weet ik gewoon. Ik heb je altijd alle belangrijke dingen verteld, dus ik wil dat je dit ook weet. Probeer niet al te afkeurend te zijn. Per slot van rekening zijn we allemaal volwassen en is het oorlog. Alles is nu anders.

Heel veel liefs,

Daisy

Claire ging het schilderij van Correggio bekijken tijdens een schitterend weekend, toen de zon witgoud aan een helderblauwe onbewolkte hemel stond en Londen er op zijn best uitzag. Rob was, wederom, op bezoek bij zijn ouders. Ze zag hem voor zich, aan de lange houten keukentafel, terwijl Priscilla om hem heen darde en deed alsof hij nog steeds veertien was, en dat vond hij helemaal niet erg omdat zij, zijn vrouw, die hem dat leven had ontnomen, er niet bij was om haar afkeuring uit te spreken.

'Maar je bent er pas nog geweest,' zei ze toen hij haar vertelde dat hij naar zijn ouders ging.

'Ja, en ik heb weer zin om te gaan. Ze houden een actie om geld in te zamelen voor de restauratie van de kerktoren en mijn moeder staat er met een kraampje met gebak. Ik heb gezegd dat ik kwam helpen. Het betekent heel veel voor haar.'

'En wat zullen ze zeggen als ik er niet bij ben?'

'Je kunt er toch bij zijn? Je kunt meegaan. Je zou mee moeten gaan. Maar je moet het zelf weten. Ik kan je niet dwingen.'

Ze aarzelde. Ze kon zich Kerstmis nog zo goed herinneren dat ze amper kon geloven dat het al vier maanden geleden was, en toen probeerde ze zich voor te stellen hoe het zou zijn om de hele dag van achter een schragentafel cupcakes te verkopen, drie voor een pond, met Priscilla naast haar. En toen dacht ze aan Dominic en raakte ze vervuld van een hevig, vreselijk verlangen naar hem, naar iemand die haar stevig zou vasthouden en niets zou zeggen wat ze niet wilde horen. 'Nee,' zei ze, 'het spijt me. Ik blijf liever hier. Verzin jij maar een excuus voor me.'

'Ik zeg wel gewoon dat je het niet de moeite vond om te komen. Dat is in elk geval waar.'

'Niet doen, Rob. Zet me niet voor schut.'

'Jezus, waarom niet? Ik sta toch veel meer voor schut dan jij als ik alleen kom? Jij hebt veel belangrijkere dingen te doen, dat snap ik wel. Het is zeker weer tijd voor Dominic, of niet soms?'

Niet: tijd voor het volgende schilderij van Daisy, of: tijd voor de National Gallery. Nee, dat zei hij niet. Hij was teleurgesteld, kwaad. Dat zag ze aan zijn ogen. Ze zou het later goed moeten maken. Ze zou voor hem kunnen koken. Ze zou hem met haar kunnen laten vrijen, als hij dat zou willen, maar dat wilde hij waarschijnlijk niet. Het was nu niet zo moeilijk meer. Hij wist dat ze samen met Dominic het schilderij van Del Sarto had gezien omdat ze hem dat had verteld, maar meer niet. Hij had er niet veel over gevraagd en zich zwijgend teruggetrokken. Maar hij schrok telkens op wanneer haar mobieltje begon te piepen, bijna alsof ze daar zelf verantwoordelijk voor was, en hij wendde zijn blik af of liep de kamer uit wanneer ze zelf een berichtje stuurde.

Het had de dingen tussen hen veranderd, natuurlijk, die kus met een vreemde. Het maakte niet uit dat Rob daar niets van wist. Hij was uitstekend in staat zich er een voorstelling van te maken, of zich iets veel ergers voor de geest te halen, iets wat behoorde tot een terrein dat Claire zelf nog niet eens durfde te betreden. Maandenlang was Claire degene geweest die Rob had genegeerd, die Rob had gehaat, die Rob had willen wegjagen, met al zijn overduidelijke goede bedoelingen. Nu gaf ze hem in elk geval een reden om haar te haten. Nu probeerde hij haar in bed niet meer aan te raken, net zomin als zij hem probeerde aan te raken. Nu konden ze allebei iets in de weegschaal van het schuldgevoel leggen. Maar daardoor was de balans niet hersteld. Het had alles erger gemaakt, het had hen uit elkaar gedreven en het vooruitzicht van Dominic alleen maar aanlokkelijker gemaakt. Ze had pas beseft hoe het zou zijn toen het te laat was, en nu kon ze niet zien of er nog een weg terug was – als die er ooit was geweest.

'Je hebt gelijk,' zei ze ten slotte. 'Misschien is het tijd. Het is drie weken geleden dat ik het vorige schilderij heb gezien.'

'En, ga je Dominic nog vragen of hij met je meegaat?' Door de toon van Robs stem klonk de naam meelijkwekkend, maar Rob zelf klonk ook meelijwekkend, alsof ze allemaal weer terug waren op het schoolplein en stonden te kibbelen wie hun beste vriend was.

'Dat weet ik niet. Ik kan ook alleen gaan, of met een vriendin.'

Nu schoof Rob zijn woede terzijde en zei, kalmer: 'Je weet dat ik dat liever heb.'

'Ik zal eens kijken wie ik kan vragen.'

Claire probeerde inderdaad een paar vriendinnen te bereiken, precies zoals Rob wilde. Ja, misschien had ze iets meer haar best kunnen doen, maar het was niet helemaal haar schuld. Mensen planden tegenwoordig veel te ver vooruit, dat was het probleem. Mensen zonder kinderen gingen er een paar dagen tussenuit of kochten kaartjes voor toneelstukken of bezochten tentoonstellingen. Mensen met kinderen wilden het weekend met hun gezin doorbrengen, die wilden gaan zwemmen en daarna iets eten in een restaurant met een kindermenu. En er was een zeker ongemakkelijk gevoel waardoor Claire ervoor terugdeinsde iets met hen af te spreken, zelfs wanneer het vriendinnen betrof die hadden geprobeerd het te begrijpen en de juiste dingen te zeggen, hoewel er niets te zeggen viel wat juist was. Tijdens dat eerste, rauwe verdriet had ze een kant van zichzelf laten zien die ze geen van allen gemakkelijk konden vergeten; ze had iets van zichzelf getoond waarvan ze nu spijt had, al had ze zich toentertijd niet kunnen inhouden.

Ze belde Dominic met hun vaste telefoon, alsof hij gewoon een vriend was, maar omdat hij dat niet was, deed ze het pas toen Rob er niet was en ze niet bang hoefde te zijn dat hij haar zou horen.

'Dag schoonheid.' Dat zei hij toen hij opnam, en hij klonk

verrast, aangenaam verrast. O, wat was het fijn dat iemand haar weer eens zo aansprak. Rob noemde haar 'lieverd', dat had hij altijd al gedaan, maar tegenwoordig klonk er steevast zo veel frustratie in dat woord door dat het geen liefkozende term meer was.

'Hallo. Hoe is het met je?' Een goed begin. Niet te persoonlijk, niet te aanhankelijk.

'Goed. Ik wist niet zeker of je nog contact zou opnemen. Ik heb zitten te denken aan onze laatste ontmoeting.'

Er viel een stilte. Hun koude, ineengevlochten handen. Het trage stromen van de rivier. De druk van zijn lippen. De geur van zijn haar. Nog steeds in haar gedachten, maar niet duidelijk genoeg om te kunnen vastgrijpen.

'Ik ook', zei ze ten slotte. 'Ik ga weer naar het museum. Ik vroeg me af of je ook zin had om te komen.'

'De volgende halte van Project Daisy. Ja, toch? Natuurlijk wil ik daarbij zijn.'

'Wanneer?' vroeg ze, te snel.

'Zullen we zondag afspreken, aan het einde van de middag? Dan kan ik je daarna op een echte borrel trakteren.'

'Niet ervoor?' Ze wist dat ze te gemakkelijk liet merken dat ze hem moest zien.

'Dat kan niet, sorry.' Hij gaf geen verdere uitleg.

'Goed, dan zie ik je daar wel. Bij de Correggio. *Madonna met mand*.'

'Prima. En wat laat je me daarna met je doen?'

Ze gaf geen antwoord, maar lachte alleen maar, een schorre, opgewonden lach die niet klonk als zij. Misschien was het de lach van iemand die een verhouding had, iemand die onbezonnen kon zijn en zich niet druk hoefde te maken over de vraag of ze liefdevol en huwbaar diende te zijn. De onverschrokkenheid van die lach bleef nog een tijdje hangen, zo lang dat ze tegen zichzelf kon zeggen dat dit soort dingen gebeurden, dat die altijd gebeurden. Kijk maar naar Daisy. Ze was weliswaar niet getrouwd geweest, maar wel verloofd, en het was duidelijk dat ze in haar brieven weldra met geen woord meer zou reppen over Charles of het huisje op het platteland. Ja, dacht ze toen ze ophing, kijk maar naar Daisy. Niet naar jezelf.

Het schilderij viel haar eerst amper op. Het was heel erg klein, zoals Daisy al had gezegd. Het leek zo onbelangrijk tussen de grotere, indrukwekkender schilderijen die eromheen hingen. Aanvankelijk zag ze vooral de kloeke lijst, gemaakt van met goudverf beschilderd hout waarin bloemen waren uitgesneden, mogelijk sleutelbloemen. Pas toen ze heel dichtbij kwam, ging ze de intimiteit van dit portret van moeder en kind waarderen. Het was niet bedoeld als een groots tafereel, dat zag ze ook wel, maar als iets vanzelfsprekends en natuurlijks. Op Claire maakte het bijna de indruk van een snel genomen kiekje, waarbij het onderwerp van de foto geen flauw idee had dat er een fotograaf in de buurt was omdat haar aandacht, de aandacht van Maria, geheel gericht was op haar baby met zijn blonde krullen, die naakt was, afgezien van het blauwe jasje dat ze hem probeerde aan te trekken en een wit hemdje dat opkroop rond zijn middel. Jezus was niet als een pasgeborene afgebeeld. Hij moest een maand of negen zijn, wel in staat tot zitten, maar nog niet tot lopen. Maria zelf zag er jong uit, knap en alledaags, heel anders dan de traditionele afbeeldingen van de moeder van Christus. Ze was gekleed in het roze, zoals Daisy al had gezegd, en droeg een sluier rond haar schouders en haar hoofd die rustte op zorgvuldig gevlochten haar. Met haar ene hand raakte ze voorzichtig de arm van haar zoontje aan, en met haar andere hand zijn kleine handje. Drie van haar vingers streken lichtjes langs zijn handpalm. Jozef toonde in het geheel geen belangstelling voor iets wat hij al talloze keren eerder moest hebben gezien, maar Maria ging er volledig in op. Niets was belangrijk, behalve dit moment dat ze samen deelden, en het moment dat erna kwam, en dat daarna. Er was geen blik over haar schouder naar Jozef, geen poging om hem erbij te betrekken.

Claire had het gevoel dat de voorspelling van Botticelli's *Geboorte van Christus* hier werd vervuld. Jozef was duidelijk naar de zijlijn gedirigeerd, zoals Claire al had verwacht, en kon zich daar voegen bij al die andere mannen die alleen nog maar een rol op de achtergrond dienden te vervullen. Voor Maria bleef het aankleden van Jezus betoverend omdat dit haar kind was, alleen van haar, en omdat moeders nu eenmaal zo deden met hun kinderen. Hier zaten ze dan. Dit was hun leven. De hardwerkende echtgenoot, de tedere moeder en het tegenstribbelende kind, een kind dat bijna gewoon leek – bijna, want een van zijn handjes was, zo zag Claire nu, in een zegenend gebaar uitgestoken. Het was een afbeelding uit een ver, ingebeeld verleden, maar het toonde een tafereel dat Claires toekomst had moeten zijn.

Daisy had dit schilderij mooi gevonden. Dat verbaasde Claire. Ze vroeg zich af of ze het minder mooi had gevonden als ze er in haar eentje naar was gaan kijken, omdat het zo anders leek dan het leven waarnaar Daisy leek te verlangen. Maar ze was niet alleen geweest. Ze had op Richard staan wachten. Dat betekende dat het schilderij minder belangrijk moest zijn geweest. Ze moest hier zenuwachtig hebben staan wachten, maar de indruk hebben gewekt dat ze zich concentreerde, omdat ze niet wilde dat hij zag dat ze naar hem uitkeek. Ze wilde zijn hand op haar schouder voelen en verrast op zijn komst reageren. Dat kon Claire zich zo moeiteloos voorstellen omdat ze op dit moment hetzelfde deed, of het in elk geval probeerde, want nu ze naar het schilderij stond te kijken, zag ze opeens alleen nog maar de blonde krullen van Maria's kind en was de geur die in haar neusgaten drong niet die van het hout en de boenwas uit het museum, maar de lucht van desinfecterende middelen en wegwerphandschoenen en bloed dat maar niet ophield met stromen.

Maar ze was niet alleen in haar wanhoop, dacht ze, nu ze voor het schilderij stond. Al die gezinnen die door de oorlog uiteen waren gereten, al die moeders en kinderen die van elkaar waren gescheiden – en dat was allemaal niet bij Daisy opgekomen. Claire had ooit een interview gezien dat ze nooit meer had kunnen vergeten. Een gesprek met een vrouw wier dochtertje geëvacueerd was geweest en tijdens haar jaren bij het nieuwe gezin veel gelukkiger was geweest dan ze ooit bij haar eigen ouders had kunnen zijn. 'Ik vraag me nog steeds af,' had de moeder tientallen jaren later tegen de camera gezegd, 'ik vraag me nog steeds af of ik haar daar had moeten laten, of ik haar wel had moeten ophalen.'

De herinnering voelde verschrikkelijk, maar Claire stond het zichzelf niet toe te huilen, en ze hoefde ook niet te huilen, want op het moment dat ze daar misschien mee had kunnen beginnen, kwam die hand op haar schouder neer, natuurlijk niet die van Richard, maar die van Dominic, en verborg ze haar gezicht in de pasgewassen plooien van zijn overhemd.

Hij leek helemaal geen oog te hebben voor het schilderij en liet hoogstens zijn blik er even snel overheen gaan. Maar dat maakte niet uit, want dat kwam doordat hij slechts oog had voor haar.

'Kom mee, schoonheid,' zei hij. 'Heb je nog niet genoeg kunst gezien?' Hij leidde haar de National Gallery uit, de straat op.

'Straks ziet iemand ons,' had ze moeten zeggen, en ze had haar hand terug moeten trekken, maar dat deed ze niet. Ze liet het gebeuren. Ze vroeg niet eens waar hij haar mee naartoe nam, en dat bleek niet naar een van de talloze bars in de omliggende straten te zijn, maar naar een restaurant in de crypte onder de kerk van St Martin-in-the-Fields, aan Trafalgar Square. Claire was er al een paar keer eerder geweest, tijdens ongemakkelijke uitjes met haar vader en zijn nieuwe, zeven-dagen-per-weekgezin dat het vorige had vervangen, en onlangs nog met haar zus

Laura en haar kinderen. Ze associeerde het restaurant met gepofte aardappelen en soep van de dag. Het was vreemd, bijna belachelijk, om hier met een man als Dominic te zitten, het soort man van wie ze had verwacht dat hij champagne zou bestellen zodra hij de kans kreeg en liever in de American Bar van het Savoy zou rondhangen. Ze zaten dicht op elkaar geperst in een kleine, vochtige nis, met twee halve flesjes wijn en een broodje ham met mosterd voor hen op het kleine tafeltje. Het enige licht was afkomstig van een zwakke kaars die op de bodem van een goedkoop glas was gedrukt.

'Waarom zitten we niet in een chique wijnbar waar je twaalf pond betaalt voor een cocktail?' vroeg ze.

Opeens zag ze het restaurant met andere ogen, als een plek vol schemer en donkere hoekjes waar mensen die niet wilden opvallen zich in de schaduwen konden terugtrekken.

'Omdat ik dan niet dit zou kunnen doen.' Ze voelde zijn hand over haar blote dij op en neer gaan, als een elektrische schok, één keer maar, onder het korte gedessineerde rokje dat ze voor vertrek had aangetrokken omdat Rob een keer had gezegd dat ze er sexy in uitzag. Ze trok zich terug, maar niet langer dan een tel, en toen was zijn hand er weer, nu met meer zelfvertrouwen, en streelde hij haar langzaam over haar benen, helemaal beneden beginnend bij haar kuiten en daarna langzaam verder omhoog naar haar slipje. Ze voelde dat het vochtig werd.

'Straks ziet iemand ons,' zei ze, hoewel er bijna geen mens was en de drukte van de avond nog moest komen.

'Wat maakt dat nou uit?' zei hij. Hij schoof zijn vinger onder het elastiek van haar slipje en ze voelde dat hij haar voorzichtig begon te strelen, met ronde, gelijkmatige bewegingen. Ze boog zich naar hem toe, over het tafeltje heen, en gaf hem een lange, diepe kus waarbij haar tong meteen de zijne raakte en ze de zure smaak van de wijn proefde. Hij bewoog zijn hand nu naar haar borsten, liet hem behendig onder haar blouse verdwijnen.

Zijn vingers zochten tastend hun weg rond haar tepels die tegen de strakke stof van haar beha drukten. Eerst de ene, toen de andere. Ze hoorde dat zijn ademhaling even gejaagd werd als die van haar. Met zijn andere hand hield hij nog altijd de steel van zijn wijnglas vast, in een stevige greep. Ze liet nu haar eigen hand naar de rits van zijn spijkerbroek gaan en raakte lichtjes het denim aan, net genoeg om te voelen dat hij onder de stof hard was. Hoe lang was het geleden dat ze iets had gedaan wat hier ook maar enigszins bij in de buurt kwam? Niet meer sinds ze getrouwd was, dat was wel zeker.

En toen... 'Jezus,' zei hij opeens, met een blik op zijn horloge. Hij trok zijn hand terug. 'Is het al zo laat? Ik moet gaan.' Hij stond meteen op, zodat Claires hand van hem af viel. 'Het spijt me heel erg, Claire. Ik moet Ruby ophalen. Ze is naar een matinee, hier om de hoek. Het is me helemaal ontschoten. Dat komt door jou, ben ik bang, je leidt me zo af.' Nu al zag ze dat hij helemaal geen aandacht meer had voor haar en volledig op het volgende was geconcentreerd.

'Het is niet erg,' zei ze. 'Ik snap het wel.'

Ze wist niet eens zeker of hij dat wel had gehoord.

'Ik neem nog wel contact op,' en weg was hij.

Ze moest zich beheersen om niet verward om zich heen te kijken, om te doen alsof dit volkomen normaal was, maar er was niemand die iets van haar verwarring had bemerkt. Ze zou boos moeten zijn. Heel even vroeg ze zich af of ze met opgeheven hoofd naar buiten moest benen, maar ze had geen idee waar ze naartoe moest. In plaats daarvan trok ze haar rok recht en bleef ze zitten waar ze zat en nipte ze zogenaamd nonchalant van de witte wijn, die niet langer koel was.

Boven haar hing een houten kruis aan een spijker aan de muur. Eraan bungelde het lichaam van Christus, bloederig en verwond, door de kerkelijke autoriteiten naar de kelder verbannen. Ongetwijfeld was het beeldje te gruwelijk voor de paar kerkgangers die er nog waren en dachten ze dat niemand het zou zien als het beneden in het café hing. Claire wendde haar blik af en keek met een strakke blik naar het tafeltje, naar de randjes van het broodje die uitdroogden en omkrulden.

Terwijl de minuten verstreken, maakte het beeld van Christus aan het kruis plaats voor een ander, dat van Correggio's moeder en kind, met Jozef op de achtergrond. Dit waren ouders die er altijd zouden zijn, altijd even trouw. Ze voedden hun kind op zoals het hoorde, met het soort liefde waarvan ze ooit had gedacht dat zij en Rob die in overvloed zouden hebben, meer dan genoeg om met een kind te delen. Maria was het toonbeeld van zuiverheid en geloof, Jozef was een man die niet snel naar een ander zou kijken. Schuldgevoel overspoelde haar, een schuldgevoel waarvan ze zeker wist dat Dominic dat niet zou voelen en dat aantrekkingskracht en charme verdreef en haar eenzaam achterliet. Maar ondanks dat schuldgevoel wilde ze meer. Vastberaden pakte ze haar spullen en liet ze die plek achter zich.

Toen Rob die avond thuiskwam, sloeg ze haar armen om hem heen en hield hem vast, staand op haar tenen zodat ze haar warme wang tegen zijn koude huid kon drukken. Van zijn gezicht was zo duidelijk af te lezen wat ze deed dat ze het bijna niet kon verdragen, want ze wist dat hij bescherming nodig had en dat zelf niet eens besefte.

Rob was van zijn stuk gebracht. Hij bood aan iets te eten te maken, en ze zei dat hij zijn gang mocht gaan en probeerde zich er niet mee te bemoeien.

'Ik heb het met mijn vader over oma's erfenis gehad,' zei hij tegen haar terwijl hij wortels en een ui in stukjes sneed voor de spaghetti bolognese.

Claire zat aan de keukentafel, met een glas wijn in haar hand. Ze keek meteen op. 'En? Weet hij al iets meer over Daisy?'

'Nee, nog niet. Hij doet zijn best, maar van die generatie is niemand meer in leven. Over een paar maanden gaat hij naar

Canada, om de rest van oma's spullen uit te zoeken. Hij hoopt dan iets meer te kunnen vinden. Maar het gaat om iets anders. Die foto. Ik heb hem erover verteld.'

De foto. Die stond nog steeds in het zilveren lijstje in de woonkamer. Telkens wanneer Claire op de bank ging zitten, zag ze hem vanuit haar ooghoek staan.

'En wat zei hij?' Gretigheid maakte haar toon scherp.

'Nou, we weten dat die foto in de oorlog is genomen, hè, vanwege al dat prikkeldraad op het strand.'

Ze knikte.

'Dat betekent dat het geen foto van mijn grootouders kan zijn, want die zijn tijdens de oorlog nooit bij elkaar geweest. Dat vertelde pap me. Opa Bill heeft oma leren kennen toen hij in 1937 in Engeland zat. Hij nam haar aan het begin van 1939 mee naar huis, nog voordat de oorlog was uitgebroken. Toen die begon, zaten ze allebei al in Canada. Mijn grootvader kwam begin 1942 terug, toen hij in het leger zat, maar mijn oma is in Toronto gebleven.'

'Maar die advocaat schreef dat het een foto van Elizabeth was.'

'Dan moet hij zich hebben vergist. Hij dacht vast dat het Elizabeth en haar man waren, dat dachten wij ook.'

'Daisy,' zei ze. 'Het moet Daisy zijn.'

'Dat zou best kunnen.'

'Natuurlijk is het Daisy.' Om onverklaarbare redenen voelde ze een snik opwellen in haar keel. Waarom had ze dat niet eerder ingezien? Het lachende meisje op het strand, dat moest Daisy zijn. Dat kon niet anders. Claire hoefde niet eens haar best te doen om zich een voorstelling van haar te maken, ze zag haar glashelder voor zich. Maar was de man naast haar Richard of Charles? Ze schoof haar stoel naar achteren en rende naar de woonkamer om de foto te pakken. Het lijstje voelde bijna warm aan onder haar vingers, en niet als koud metaal.

In de keuken gooide Rob fijngehakte tomaten in een pan en

probeerde net te doen alsof het hem niet veel kon schelen, maar ze zag het begin van een glimlach rond zijn mond, het kleine beetje plezier dat hij nog altijd ontleende aan het feit dat hij haar blij maakte.

'Waarom haal je die foto niet uit het lijstje?' zei hij. 'Misschien staat er wel iets op de achterkant, of zit er iets tussen het lijstje.'

'Vast niet,' zei ze afwijzend, met haar gedachten meer dan een leven verder weg.

'Jeetje, Claire, doe niet zo moeilijk en geef dat ding hier.'

Ze gaf hem het lijstje, en met de punt van hetzelfde mes waarmee hij de wortels had gesneden, wipte hij de klemmetjes los waarmee de achterkant op zijn plaats werd gehouden. Hij liet de foto uit het lijstje glijden en gaf hem zonder er eerst zelf naar te kijken aan Claire.

Hij had gelijk. Er was iets op de achterkant geschreven, in een dikke witte inkt op een zwarte achtergrond. Het was een handschrift dat Claire even goed kende als dat van haarzelf. Het handschrift van Daisy. RICHARD EN IK, JULI 1943, WEYMOUTH.

'Richard en ik, juli 1943, Weymouth.' Ze sprak langzaam en voelde de woorden van haar tong rollen. Richard en Daisy.

'Wie is die Richard?' vroeg Rob. Hij keek haar recht aan. 'Ik dacht dat je zei dat Daisy verloofd was met iemand die Charles heette.'

'Dat was ze ook,' antwoordde Claire zacht. 'Dingen veranderen.'

'En wat deed ze in vredesnaam in Weymouth?'

Deze keer gaf ze geen antwoord, ook al kende ze het, of in elk geval iets wat er dicht bij in de buurt kwam. Zelfs zonder de rest van de brieven te lezen was ze nu vrij zeker van de afloop.

7

De hooiwagen – Constable

Dit was het dus. Nu kende ze niet alleen Daisy's handschrift en haar manier van schrijven, maar wist ze ook hoe ze eruitzag. Het ingebeelde idee was al levendig genoeg geweest, maar nu was het even echt geworden als een krul in inkt op papier. Ze wist hoe het zou zijn om een hand uit te steken en Daisy's haar aan te raken, dat door het zeewindje los was geraakt, en hoe haar volle lippen op haar wang zouden voelen als ze elkaar bij wijze van groet zouden kussen. Ze wist hoe gemakkelijk het zou zijn haar aan het lachen te maken. De onduidelijke vorm die Daisy aanvankelijk had aangenomen, was gevlucht, als een geest, en vervangen door iemand die ooit alles had geweten over hoe het was om verliefd te zijn. Claire negeerde het feit dat Daisy, als ze nu nog zou leven, helemaal niet meer op de foto zou lijken. Ze zou oud en rimpelig en gekrompen zijn, al was ze vanbinnen nog altijd dezelfde persoon. Ze wilde niet op die manier aan haar denken. Ze wilde haar alleen maar zien zoals de fotograaf aan zee haar had gezien, al die jaren geleden.

Ze telde de dagen totdat het mei was en ze de volgende envelop kon openen, inmiddels gretiger dan ooit. Zodra ze dat had gedaan, zei ze tegen zichzelf, zou ze Dominic weer zien, maar niet eerder. Tot dan toe waren berichtjes genoeg, misschien telefoontjes, momenten die des te intenser konden zijn omdat ze waren gestolen en veel meer betekenis kregen dan de woorden die er tussen hen waren gewisseld. Dat was de regel die ze had vastgesteld, om het zo te doen, even willekeurig als haar regels voor de brieven. Maar Dominic maakte daar nu deel van uit. Hij bestond in haar gedachten amper los van Daisy en de schilderijen. En wat Rob betreft, die hield zich alleen nog aan de randen van haar geest op. Toen de dag aanbrak waarop ze eindelijk het kalenderblad mocht omslaan naar de volgende maand wachtte ze totdat hij het huis had verlaten en opende toen pas de la met de doos van de advocaat waarin Elizabeths nette stapeltje lag.

De volgende brief, zei ze keer op keer tegen zichzelf, god zij dank voor de volgende brief.

juni 1943

Lieve Elizabeth,
Heel erg bedankt voor je brief – en voor de chocolaatjes!
Ze hebben me bijna geheel intact bereikt. Het helpt
allemaal, en het helpt ook dat ik iemand heb om te
schrijven. Ik wil je niet te veel belasten met wat er hier
allemaal is gebeurd, dus geef me daartoe niet de kans.

Er was iets mis. Maar wat? Claire probeerde te bedenken wat er aan de hand kon zijn. Ze begon opnieuw.
Lieve Elizabeth. Niets. Weer opnieuw. *Lieve Elizabeth*.
Nu zag ze het. Dat was het.
Juni 1943.
Maar het had geen juni moeten zijn. Het moest mei zijn. Gehaast zocht ze de vorige brief op, die over *Madonna met mand*. De datum stond bovenaan, in Daisy's ronde handschrift, en die luidde april. Ze pakte de andere enveloppen, keek snel naar

de poststempels en liet ze in haar haast om haar heen op de vloer vallen. Maar nee, er was geen brief uit mei. Waren de advocaten die kwijtgeraakt? Had Elizabeth hem per ongeluk weggegooid? Of erger nog, was ze hier zelf verantwoordelijk voor? Kon ze hem ergens hebben laten liggen, in een tas, of weggestopt in een boek? Nee, dat kon niet, natuurlijk kon dat niet. Ze was heel voorzichtig geweest.

Door de paniek kreeg ze het bloedheet. Toen haalde ze een paar keer diep adem en zei tegen zichzelf dat het er niet toe deed, dat ze zich geen zorgen hoefde te maken, dat ze ook iets anders kon gaan doen. Ze zou nu de brief van juni lezen, en als die van mei in de loop der jaren verloren was gegaan, dan was het niet anders. Het was niet erg om het patroon eens te doorbreken. Dat gaf niets. Ze hield zichzelf dat net zo lang voor totdat ze weer iets van kalmte voelde en begon toen opnieuw te lezen.

juni 1943

Lieve Elizabeth,

Heel erg bedankt voor je brief – en voor de chocolaatjes! Ze hebben me bijna geheel intact bereikt. Het helpt allemaal, en het helpt ook dat ik iemand heb om aan te schrijven. Ik wil je niet te veel belasten met wat er hier allemaal is gebeurd, dus geef me daartoe niet de kans. Ik weet wat ik doe, en ik weet dat ik kan stoppen als ik dat wil. Maar dat wil ik niet, zo eenvoudig is het. Ik ben veilig en gezond, en dat is het enige wat telt in deze waanzin. Het schilderij van deze maand spreekt boekdelen. Ik moest hardop lachen toen ik hoorde wat het was, nu ik zo over Richard begin te denken. Het is een erg beroemd schilderij, en het verbaast me eigenlijk dat ze het durven te tonen. Ik denk dat je het wel kent. De National Gallery gebruikt de titel *Het toilet van Venus*, maar dat klinkt niet

bepaald aantrekkelijk, wat vind jij? Ik geef de voorkeur
aan de andere naam, *De Rokeby Venus*. Zo noemen ze het
omdat het vroeger in een landhuis in Yorkshire hing dat
Rokeby Hall heet. Ik denk dat de eigenaren het moesten
verkopen om de successierechten te kunnen betalen. De
kranten zeggen dat dit meer publiek trekt dan de andere
werken tot nu toe hebben getrokken. Dat klopt wel. Toen
ik ging kijken, stond de zaal zo vol dat het bijna
onaangenaam werd. Er waren massa's mannen, veel meer
dan gewoonlijk, die met open mond stonden te kijken,
want voor het geval je het nog niet wist: *De Rokeby Venus*
is een prachtig naakt, het enige overgebleven naakt van
Velázquez, beweert men. Zijn andere schilderijen waren
veel minder wild. Maar dat verklaart natuurlijk de
populariteit. Wie had ooit kunnen denken dat een man zo
veel plezier kan beleven aan een schilderij van
driehonderd jaar oud? Ik vermoed dat het papiertekort de
markt voor pornografie net zo hard heeft getroffen als
andere bedrijfstakken. Schrik je daarvan? Ik hoop het
maar. Ik vind het wel een amusant idee dat je dit met rode
konen zit te lezen! Het schilderij is natuurlijk verre van
schunnig en het is ook een lust voor het oog als je een
vrouw bent, want Venus ziet er schitterend uit. Ze is in
liggende houding afgebeeld, met haar rug naar ons
voyeurs, leunend op haar arm. De ronding van haar
lichaam, van haar kruin naar de zachte welving van haar
billen en verder naar haar dijen is werkelijk prachtig en
vraagt erom te worden gestreeld.
Het slimme is dat je toch haar gezicht kunt zien, want
Cupido staat ook op het schilderij en houdt een spiegel
voor zijn dierbare mama omhoog, zodat ze zichzelf kan
bekijken. Wat een moeder! En zo anders dan die
madonna's die ik tot nu heb gezien. Venus heeft een
prachtig gezicht, helemaal niet hooghartig, hoewel je dat

van een godin zou verwachten. Het is het soort gezicht waarvoor mannen vallen omdat ze net genoeg op hun buurmeisje lijkt om niet bedreigend te zijn, maar het heeft wel iets heel bijzonders. Ze ziet er heel natuurlijk uit, afgezien van een zweempje rouge op haar wangen (maar misschien is dat ook wel natuurlijk; dat zou best kunnen). Dus vertel jij me eens waarom we ons nog opdirken voor de jongens als we ook gewoon onszelf kunnen zijn – omdat de modebladen het zeggen? Die staan vol nonsens. Ik geloof echt niet dat een man een meisje opeens veel aantrekkelijker vindt omdat ze haar lippen met bietensap heeft ingesmeerd om ze een beetje kleur te geven. Maar het wil niet zeggen dat deze Venus niet ijdel is. Ze kan haar ogen niet van de spiegel afhouden. Ze lijkt me een vrouw die graag in het middelpunt van de belangstelling staat.

Ik had met Richard afgesproken bij het schilderij. Weer een heimelijke ontmoeting, en niemand op kantoor heeft er enig vermoeden van! Hij werkt nog steeds aan die eindeloze schetsen. Die moeten nu toch wel eens klaar zijn? Ik denk dat hij alleen maar voor de lol naar kantoor blijft komen, en voor al die koppen thee. Hij ergert zich niet meer wanneer ik niet stil blijf zitten, dus ik ben er vrij zeker van dat hij niets belangrijks doet – hij kijkt alleen maar.

'Denk je dat ik een mooi naakt zou zijn?' fluisterde ik tegen hem toen we voor dat schilderij stonden. Hemeltje, ik durf wel, vind je ook niet? 'Dat weet ik niet,' zei hij. 'Daar kunnen we pas iets over zeggen als je je kleren voor me uittrekt.' Hij sprak er zo onomwonden over dat ik me nogal dwaas voelde. Ik deed natuurlijk alsof dat niet zo was, maar ik denk dat hij het wel heeft gemerkt, want hij zei dat hij vermoedde dat het comité een naakt waarschijnlijk niet zou goedkeuren. Blijkbaar zien ze liever slimme, hardwerkende en vooral volledig geklede vrouwen. Ik snap niet goed waarom. Kijk eens wat een goed humeur iedereen van *De Rokeby Venus* krijgt. Ik weet zeker dat een schilderij van een officier van de vrouwelijke hulptroepen die met slechts haar hoofddeksel op in bed ligt, haar uniform aan een haak achter de deur, wonderen zou doen voor het moreel.

Toen we iedereen waren gepasseerd, trok hij me naar achteren, boog zich naar me toe en fluisterde in mijn oor: 'Wanneer laat je me nu eens met je vrijen? Ik wil niet wachten.' Dat zei hij, eerlijk waar, woord voor woord, en het eerste wat mij inviel, was: 'Ik weet het niet.' Een zwak antwoord, dat ben je vast wel met me eens. Toen vroeg ik hem of hij dat soort dingen tegen al zijn vrouwelijke modellen zegt, wat ik vrij gevat van mezelf vond, zeker wanneer je bedenkt dat ik behoorlijk van mijn stuk gebracht was. Hij zei: 'Niet tegen allemaal' en ik zei: 'Mooi.' Er volgde nog het een en ander in die trant, en als ik je deze brief nog wil sturen, kan ik het hier beter bij laten en mag je de rest zelf bedenken. Ik laat de censors niet allerlei zinnen wegknippen omdat die te schandelijk zouden zijn. Nadat hij was vertrokken, moest ik even gaan zitten om bij te komen, en ik ben het hele lunchconcert lang blijven zitten.

Ik weet natuurlijk amper wat ik moet doen. Iedereen is tegenwoordig zo bijgelovig, begrijp je, dat waren we vroeger niet. Ik vind het niet eens zo erg als Charles erachter zou komen, wat waarschijnlijk onvermijdelijk is als dit zo doorgaat. Dat is geen aanlokkelijk vooruitzicht, maar ik kan het verdragen. Nee, het is meer dit malle gevoel dat Charles het niet redt als er iets tussen mij en Richard mocht gebeuren. Ik bedoel niet dat hij overstuur zou zijn, want ik mag hopen dat hij dat zou zijn, maar dat hij echt dood zou gaan, alsof we op de een of andere

buitengewone manier allemaal met elkaar verbonden zijn.
En dan te bedenken dat ik altijd heb gezegd dat ik niet
zo'n vrouw wilde worden die alleen maar zit te wachten en
zich druk maakt over de toekomst en het lot. Kijk nu eens
hoe ik eraan toe ben. Ik denk dat jij het wel begrijpt. Ik
voel me op een vreemde manier met Charles verbonden.
Ik kan hem niet zomaar uit mijn leven bannen, en
hetzelfde geldt voor zijn huisje met de kamperfoelie rond
de deur en de moestuin. Een deel van me wil nog altijd die
dingen waaraan ik gewend ben geraakt, waarop ik altijd
heb gerekend. Een man aan mijn zijde die me vertelt wat
we nu gaan doen, zonder complicaties of emoties. Een
Charles, geen Richard. Dat is nogal wat om op te geven.
Ik wou dat ik iemand had met wie ik echt kon praten,
maar die heb ik niet. Jij bent te ver weg, lieve Elizabeth.
Richard is de enige die ik heb, en van hem hoef ik geen
begrip te verwachten.

Gisteren ben ik voor het eerst in zijn atelier geweest. Hij
zegt dat het niet mijn laatste bezoek zal zijn. Ik moet vaker
voor hem komen poseren nu hij eindelijk aan het echte
schilderen is begonnen. Het atelier is helemaal bovenin en
stinkt naar terpentine, en hoewel het juni is, is het er
koud, vanwege al die ramen. Die heeft Richard nodig voor
het licht, maar er komt ook veel tocht door naar binnen.
Dat lijkt hem echter niet te deren.

Al zijn doeken staan tegen de muur. Ze zijn goed, dat vind
ik tenminste. Er is er eentje van een klein jongetje dat
verdrinkt in een bomkrater. Richard heeft gezien dat ze
hem eruit trokken, maar toen was het al te laat, en hij is
daarna meteen naar zijn atelier gegaan om te schilderen.
Het jongetje drijft met zijn gezicht naar beneden in het
water, in een versteld hemd maar zonder schoenen, want
die had hij uitgetrokken, snap je, daarom dachten ze dat
hij wilde gaan zwemmen. Richard heeft de lucht

helderblauw gemaakt, alsof het een doodgewone mooie dag is. De schoenen van het jongetje, die aan de rand van het gat staan, zijn warm van de zon. Richard heeft het me uitgelegd. Het was een doodgewone dag en dat soort dingen gebeuren elke dag weer. Hij heeft het werk aan het comité laten zien, en volgens hem hebben ze begrijpend zitten knikken, maar ze hebben het schilderij niet gekocht. Ze zeiden dat het te somber was. Dat mensen dat soort dingen niet willen zien. Dat snap ik wel. Richard niet.

Ik heb in zijn zware kunstboeken zitten bladeren en kwam iets tegen over *De Rokeby Venus* wat je vast wel interessant zult vinden. Blijkbaar is het vóór de vorige oorlog, die we altijd de Grote Oorlog noemden omdat we niet beter wisten, een keer aangevallen door een suffragette, die het nota bene met een hakbijl in stukken heeft gesneden. Ze heeft een half jaar in de cel gezeten voor vernieling van een kunstwerk. Ik moet zeggen dat ze het heel netjes hebben gerepareerd. Je kunt niet zien dat het ooit kapot is geweest. Ik stond die arme Venus te bewonderen, maar een ander heeft haar aan stukken willen snijden. Dat twee mensen zo verschillend op hetzelfde werk kunnen reageren!

Ik heb Richard over die suffragette verteld, maar dat vond hij niet zo boeiend; hij interesseert zich alleen voor het schilderij, en niet eens zo heel veel, niet wanneer hij met zijn eigen werk bezig is. Hij zegt dat hij mij als die Venus zag, nog voordat we dat schilderij gingen bekijken. Hij had zich voorgesteld dat ik naar zijn atelier zou komen en daar op zijn bed zou gaan liggen en me zou omdraaien als hij binnenkwam; dat hij steeds dichterbij zou komen, zich afvragend hoe hij zijn kleuren moest mengen om mijn teint te kunnen weergeven. Hij zei dat het net een droom was, een droom die nu uitkwam omdat ik hier was, precies zoals hij zich had voorgesteld – alleen was ik natuurlijk niet naakt (echt niet, Elizabeth, erewoord!), ik droeg mijn favoriete zomerjurk, die met die bloemen erop. Toen ik dat tegen hem zei, zei hij dat het niet uitmaakte en dat hij zich afvroeg waaraan een man zo veel geluk te danken had. Nu snap je zeker wel waarom hij zo belangrijk is, hè? Ik hoop dat je dat inziet. Geluk is tegenwoordig zoiets vluchtigs. We moeten het grijpen als we de kans krijgen. Er groeien nu bloemen in de bomkraters. Ik dacht dat je dat wel zou willen weten. Je vond het altijd zo heerlijk in de tuin. Er groeien allerlei soorten planten, klaver en fluitenkruid en wilgenroosjes en nog veel meer waarvan ik de namen niet ken. Ze trekken bijen en vlinders aan waar ik soms even naar blijf kijken wanneer ze tussen het puin door vliegen. Het is bijna grotesk dat de natuur iets moois heeft weten te maken van al die rampen die ons hebben getroffen, en ook zo snel. Maar het ruikt allemaal heerlijk, het gezoem van de bijen is een genot om te horen, en daardoor moet ik weer denken aan de tijd dat we samen op Edenside zaten en daar door de bloemenweide liepen en moesten lachen om een of andere jongen. Ze zijn nu mannen, de jongens over wie we zo vaak zaten te kletsen. We zijn nu allemaal volwassen en worden ouder, en op een dag zullen ook wij dood en begraven zijn, dan zal niets aan ons herinneren, behalve de bloemen die zich met ons voeden. Het is gewoon een kwestie van tijd. Toch zullen er altijd vlinders zijn, en het geluid van de wind in de bomen, nietwaar? Zeg me dat dat zo is. In elk geval zal dat er altijd zijn.

Veel liefs,

Daisy

PS Ik vind het zo erg dat ik je vorige maand niet heb geschreven. Ik hoop dat je het me kunt vergeven, ik had het simpelweg veel te druk met alles. Werk. Het schilderij. Richard. Al dat gepieker maakte me doodmoe. Ik kon het niet eens opbrengen om naar de National Gallery te gaan. Ze hebben *De hooiwagen* van Constable laten zien, voor het geval je het wilt weten. Ik neem aan dat je dat schilderij wel kent, iedereen kent het, dus ik denk niet dat ik het voor je hoef te omschrijven.

Zodra Claire de dunne velletjes had gelezen, smeet ze die op het tapijt. Wat moest Elizabeth hebben gedacht toen ze dag in dag uit zat te wachten op een brief die niet kwam, zonder dat ze kon nagaan of er iets was gebeurd? Daisy had gewond kunnen zijn, of dood; het was immers oorlog.

Misschien was ze wel uit Londen overgeplaatst, naar een plek die nog veel gevaarlijker was, zoals Noord-Afrika. Dat deden ze soms, ook met vrouwen, en zeker met vrouwen die ongebonden waren. Dat wist Claire. Dat had Daisy in een van haar brieven min of meer zo gezegd. Elizabeth moest zich zorgen hebben gemaakt. Claire had Daisy nooit egoïstisch gevonden, maar nu wel, nu Daisy het feit dat ze had verzuimd te schrijven zo achteloos met een haastig neergekrabbeld ps had afgedaan.

Arme Elizabeth, zei ze tegen zichzelf. En toen, nee, niet arme Elizabeth. Arme Claire. Zij was degene die zich in de steek gelaten voelde, dat was het. Het had Elizabeth waarschijnlijk niets kunnen schelen, die had al genoeg aan haar hoofd met de kleine Nicky en haar zorgen om Bill. Een duizeligmakende woede golfde over haar heen. *Heb je helemaal niet gedacht aan al die moeite die ik voor die schilderijen heb gedaan? Heb je er helemaal niet aan gedacht dat ík het misschien ook druk heb? Geef je dan niets om me?* Ze gooide die vragen eruit, maar er kwam geen antwoord. De brieven waren niets meer dan papier en het meisje op de foto bleef lachen. Ze vroeg zich af of het zo voelde als je gek werd. Toen liep ze, nog altijd kokend van woede, naar de keuken om de resten van het ontbijt op te ruimen en zette de borden en glazen kletterend in de vaatwasser, wensend dat er eentje zou breken zodat ze Daisy de schuld kon geven. Uiteindelijk ging ze, opeens moe, aan tafel zitten voor een kop koffie, zwart en sterk, en dwong zichzelf die op te drinken.

De woede zakte af, maar nog niet voldoende. Goed, bedacht ze, als Daisy de regels zo gemakkelijk kon overtreden, dan kon zij dat ook. Waarom zou ze een maand moeten wachten om de volgende brief te lezen? Waarom zou ze überhaupt wachten? Dat hoefde helemaal niet. Ze zette haar lege mok in de gootsteen en pakte toen, nadat ze met een achteloze blik op de foto duidelijk had gemaakt hoe weinig dit haar kon schelen, de envelop met het poststempel van juli.

juli 1943

Lieve Elizabeth,

Excuses voor mijn beverige handschrift. Ik schrijf deze brief in de trein. Ik ben er in elk geval in geslaagd een zitplaats te bemachtigen, dus ik denk dat ik mezelf gelukkig mag prijzen. Je hebt geen idee hoe lastig reizen tegenwoordig is.

Het is onaangenaam, te vol, te warm of te koud. Er zijn simpelweg te veel mensen onderweg, hoewel we pas op reis gaan als het echt niet anders kan. Richard staat buiten op de gang, en ik denk dat hij de hele reis terug naar Londen zal moeten staan. Maar hij heeft zijn schetsboek als vermaak, en ik heb mijn briefpapier.

Vraag je je af waar ik ben geweest, of waar wij zijn geweest? Ik hoop het maar. Ik moet het aan iemand vertellen, en ik heb niemand anders. We zijn een weekendje naar Weymouth geweest. Weymouth! Ik kan in alle eerlijkheid zeggen dat ik nooit eerder had overwogen om daarnaartoe te gaan, en jij vast ook niet. Er was een erg goede reden voor, natuurlijk, maar niet wat jij denkt, laat dat duidelijk zijn. Of niet alleen dat, bedoel ik. Het was omdat het schilderij van juli weer een Constable was, en deze keer was het *Weymouth Bay*, dat hij tijdens zijn huwelijksreis heeft geschilderd. Ik vind het schitterend. Ik denk dat ik dit tot nu toe het mooiste vind.

Het is een natuurlijk, vloeiend schilderij. Richard zegt dat het nooit is voltooid. Dat zie je aan de stukjes linnen her en der. Maar dat zou me nooit zijn opgevallen als hij dat niet had gezegd. Ik vond het er allemaal erg echt uitzien. Het is een landschap, en je ziet vooral zand, zee en lucht. Aan de overkant van de baai gaat het klif over in het groene akkerland van een heuvel. Er staat maar één figuur op, en die is zo klein dat het helemaal niet stoort. Het schilderij zorgt voor een heerlijk ruimtelijk gevoel, en ik denk dat dat onder andere komt doordat de hemel zo hoog is, vol wolken die samenpakken in grijs en wit, en omdat er net genoeg wordt gezinspeeld op regen, zodat je zou willen dat je je regenjas hebt ingepakt.

Toen ik het schilderij zag, wilde ik niets liever dan Londen verruilen voor een plek aan het water, waar ik langs de rotsen naar beneden kan klauteren totdat ik er natte voeten van krijg en de wind in mijn haren kan voelen. Londen is op dit moment zo droog en stoffig. Er ligt overal gruis van het puin waar de bommen zijn gevallen, en dat wordt door de wind in het rond geblazen en dringt in mijn ogen en mijn keel. De baai op het schilderij zag eruit als een onbereikbaar ideaal.

Dat zei ik allemaal tegen Richard, die me meteen een kus gaf en zei: 'Als je dat vindt, dan gaan we ernaartoe. Laat het maar aan mij over.'

Hij liet het allemaal heel eenvoudig klinken, ondanks kwesties als toestemming, juffrouw Johnson en mijn belangrijke rapporten – en dat is nog afgezien van het hoe en wanneer. Nou, ik kon hem ter plekke omhelzen. Ik ben niet meer gewend dat anderen iets voor me doen, maar het is erg prettig.

Hij verscheen op kantoor met papieren die juffrouw Johnson moest tekenen om me toestemming te geven (om in zijn atelier model te zitten, zei hij) en hij kreeg zelf ook toestemming om te reizen om 'artistieke redenen'. Hij is heel bedreven in dat soort dingen. Hij heeft de autoriteiten verteld dat hij graag de verdedigingswerken aan zee wil schilderen, en het enige wat ze zeiden was dat hij niets geheims mocht schilderen, want dan zullen ze het doek verbranden. Dergelijke dingen worden heel serieus genomen.

En dus was het allemaal vrij snel geregeld. Een paar dagen later gingen we op weg, opeengepakt in een coupé met heel veel soldaten, en we boemelden urenlang over het platteland en langs de kust. Het was een hele reis, maar Richard had flessen water meegebracht, en aardbeien – zoiets mag je tegenwoordig wel een mirakel noemen. God mag weten wat hij ervoor heeft betaald, of waar hij ze vandaan heeft gehaald. Hij gaf me ook een bos bloemen, die hij zelf bij een of andere ruïne had geplukt. Die waren lang voor onze aankomst al verwelkt.

Het was heerlijk om even uit Londen weg te zijn, al was het maar voor een nacht. Ik moest al lachen toen de trein wegreed van het perron, en het gevoel dat ik kreeg toen ik zag dat stad eindelijk achter ons lag, is onbeschrijflijk. Ik had al eeuwen geen akkers meer gezien, maar nu weet ik dat die er nog altijd zijn. Er is nog steeds een platteland. Niet alles is omgetoverd in munitiefabrieken en landingsbanen. Veel groen in Londen is natuurlijk verdwenen, dat is verbrand, of er zijn modderige volkstuintjes van gemaakt. Waar vroeger goudsbloemen stonden, groeit nu kool, en zelfs de gracht rond de Tower is met aarde volgestort, zodat ze er spruiten konden planten. Dat is wanhoop, nietwaar?

Weymouth was de laatste halte (de laatste van wel tientallen!) en Richard en ik stapten samen met alle anderen uit en liepen onze neus achterna richting de zee, die net om de hoek ligt van het station. We hebben heel lang moeten zoeken naar een adres waar we konden overnachten. Elk huis met uitzicht op zee (en heel veel met een ander uitzicht) is een pension of een tikje aftands hotel, maar de gelegenheden die niet hun deuren hebben gesloten, zitten vol met zeelieden en Amerikanen. Ik dacht zoetjesaan dat we het beter konden opgeven en terug konden gaan naar Londen, maar daar wilde Richard niets van weten, hij bleef op de ene deur na de andere kloppen – al die deuren zagen er hetzelfde uit! – totdat we uiteindelijk een pensionnetje vonden dat nog gedeeltelijk open was. Ze hadden vast medelijden met ons, of misschien konden ze het geld goed gebruiken.

Richard vulde het gastenboek in, en hij noteerde ons als 'de heer en mevrouw' – wat zeg je daarvan, Elizabeth? – als 'de heer en mevrouw Richard Dacre'. Ik vind dat wel goed klinken. De pensionhoudster keek nergens van op, hoewel ik geen trouwring droeg, maar dat is tegenwoordig niets bijzonders. Niemand wil tijd verspillen. Ik voelde me... Ik weet het eigenlijk niet. Schuldig, een beetje, want de ring die ik wel droeg, was de verlovingsring die Charles me heeft gegeven. En natuurlijk heb ik het gevoel dat ik pa teleurstel. Die zou dit soort dingen nooit begrijpen en zich beslist teleurgesteld voelen.

De kamer was niet eens zo erg. We hadden zelfs uitzicht op zee, en toen we het raam opendeden, konden we de opkomende vloed horen. De kamer was in elk geval schoon, met roomkleurige, versleten lakens. Eén bed, met een metalen hoofdeinde. Jij bent getrouwd. Ik hoef je niet te vertellen wat er vervolgens gebeurde. Het voelde als het begin van iets nieuws en belangrijks. Richard was lief voor me, voorzichtig genoeg. Vroeger was er iets tussen ons waardoor we niet durfden te zeggen wat we echt voelden. Nu is dat weg, en daar ben ik blij om. Ik hoop dat je begrijpt wat ik bedoel. En als dat niet zo is, kan ik daar niets aan veranderen. Dit is mijn affaire. Zo zou je het in elk geval kunnen noemen.

Daarna hebben we arm in arm over de boulevard gewandeld. De enige andere mensen die we zagen, waren in uniform; ze ruilden sigaretten en deden hun best om vrolijk te zijn, voor zover je dat kunt zijn als je weet dat de eerstvolgende halte na Weymouth hoogstwaarschijnlijk het front is. We konden niet over het strand lopen – daar liggen mijnen – maar dat was niet erg. Vanaf de boulevard zag het er allemaal veel mooier uit. Je kon vanaf daar de zee zien zonder dat je het prikkeldraad en de betonblokken zag. Water is zo indrukwekkend, hè? Toen ik de golven over het strand zag spoelen, werd ik eraan herinnerd dat daarbuiten nog een hele wereld ligt, vol mensen in allerlei verschillende landen, die allemaal met elkaar zijn verbonden door getijden en stromingen, en die elkaar altijd maar weer naar het leven staan. Ik dacht aan jou, zo heel ver weg. Misschien dacht jij ook aan mij. Er was helemaal geen reden tot haast. Het voelde volkomen vanzelfsprekend om te kijken en te wachten totdat de lucht van kleur zou veranderen en de zee dichterbij zou komen.

Maar zoals alle mooie momenten kon het natuurlijk niet eeuwig duren; uiteindelijk werd het te koud om buiten rond te hangen en liepen we terug.

Naast het pension was een oude man met een klein hokje met een camera. Hij vertelde ons dat hij al zijn hele leven foto's maakt van vakantiegangers. We vroegen of hij er eentje van ons wilde maken, en dat wilde hij. Hij vertelde dat hij tegenwoordig vooral foto's van soldaten en zeelieden maakt, zodat ze die naar hun moeders thuis kunnen sturen. Er hing een aantal aan de wand van zijn hutje, van mannen die niet eens de tijd hadden gehad om hun foto's op te halen. O, Elizabeth, ik raakte helemaal van de kaart. Al die jongens! Ze zagen er zo serieus uit in hun uniform. De man vertelde dat hij zijn best doet om hen te laten glimlachen, want je kunt nooit zeker weten of dit misschien wel de laatste foto is die er van hen wordt gemaakt. Hij hoefde niet zijn best te doen om ons te laten glimlachen. Ik zie er precies zo uit als ik me voelde.

De volgende dag gingen we al vroeg op zoek naar de plek die Constable had geschilderd. Daarvoor waren we immers naar Weymouth gekomen. Richard had een plaatje meegenomen dat hij uit een boek had gescheurd. Het was een eindje buiten het stadje. We moesten de boulevard tot aan het einde volgen, daarna een pad heuvelopwaarts en toen nog een stukje langs de rand van een stel lage kliffen lopen, totdat we echt in het open veld waren. Ik denk dat we minstens een uur hebben gelopen. Het enige wat je hoorde, waren zingende vogels en zoemende insecten tussen de klaver. Het voelde bijna als vakantie. Richard hield de hele tijd mijn hand vast. Ik wilde hem ook niet loslaten. De plek die we graag wilden zien heet Bowleaze Cove. We konden niet op het strand zelf komen vanwege dat prikkeldraad, en ik durf te wedden dat er ook mijnen lagen. In plaats daarvan liepen we eromheen en toen zei Richard dat ik me moest omdraaien richting Weymouth en daar was het, het uitzicht van Constable. Verpest door al die rommel op het strand, maar in zekere zin nog altijd hetzelfde. Het enige verschil is dat er nu her en der een paar huizen staan, zodat het minder afgelegen voelt dan op het schilderij – hoewel het nooit echt afgelegen is geweest, zelfs niet in de tijd van Constable. Op het schilderij lag Weymouth altijd al vlak achter die heuvel verborgen.

Constable schilderde graag in de openlucht. Volgens Richard was dat belangrijk voor hem. Ik begrijp wel waarom. Het was best een mooie gedachte dat we misschien wel op dezelfde plek stonden als waar hij met zijn ezel en zijn penselen heeft gestaan, uitkijkend over het strand. Richard heeft ook een paar schetsen gemaakt. Ik heb alleen maar gekeken. Het allermooiste was dat het zo stil was en dat wij de enigen daar waren. Molly vertelde me dat veel mensen vóór de oorlog langs dit deel van de kust gingen kamperen, maar dat is nu allemaal voorbij. Het is om te beginnen niet toegestaan. Dus er was niemand, behalve wij. De dingen die hij tegen me zei, Elizabeth, terwijl we daar op de rand van de rotsen zaten en luisterden naar het gekrijs van de zeemeeuwen en keken naar de wolken zonder dat we echt naar elkaar durfden te kijken. Ik ben bang dat ik het op de een of andere manier zal verpesten als ik die woorden opschrijf en ze op papier zie staan. Maar als ik het niet doe, ben ik bang dat ik ze ooit zal vergeten en dan zul jij nooit weten dat er iemand heeft bestaan die zo veel om me gaf.

Jij zult altijd de enige voor me zijn. Zonder jou kan ik niet leven. Ik ben voor jou bestemd. Ik kan niet zonder jou. Jij kunt niet zonder mij.

'En Charles dan?' vroeg ik, en hij zei: 'Je bent niet getrouwd. Hij vindt wel een ander.' Daar heeft hij natuurlijk gelijk in. Hij vindt wel een ander. Daar moest ik om lachen, maar toch had ik ook tranen in mijn ogen. Dat kwam door de wind, die blies recht in mijn gezicht. Hij hield me zo dicht tegen zich aan dat ik echt geloofde dat hij er altijd voor me zal zijn. Op dat moment bestond er niets anders dan wij twee, het breken van de golven en de

geur van terpentine in zijn haar. Ik denk dat ik verliefd
ben. Maar ik neem aan dat je dat wel zult hebben geraden.
Het klinkt zo simpel, hè? Maar zo is Richard. Bij hem lijkt
alles simpel.

Daisy

PS Ik voeg een afdruk van ons kiekje bij deze brief, zodat
je kunt zien dat ik lach en dat de wereld niet altijd grijs is.

Een foto die de hele reis naar Canada had gemaakt en nu bijna
weer terug was op de plek waar het allemaal was begonnen.
De goedkope foto uit het hutje aan het strand was door zijn
zilveren lijstje een erfstuk geworden, maar de betekenis was
nog dezelfde als in juli 1943. Ik ben verliefd, wij zijn verliefd.

Claire legde deze brief iets voorzichtiger neer. Ze kon het
zich zo goed voorstellen, dat uitstapje waarbij Daisy Charles
voor altijd achter zich had gelaten. Ze had zijn plaats door Richard laten innemen. Hoe wilde ze het hem vertellen? Zou ze
het hem ooit vertellen?

Ze stak haar hand uit naar de volgende brief, uit augustus
1943, verlangend om te weten wat er daarna was gebeurd, ho-
peloos verstrikt in de hele geschiedenis.

Augustus. Toen was het vast warm, niet zo koud als nu, nu
's morgens vroeg de verwarming nog twee uur aan moest
staan. Als het niet veel had geregend, was het gras in augustus
vergeeld. Het zou niet zo frisgroen zijn geweest als het gras in
het park aan de overkant, dat nu, begin mei, nog vol stond met
tulpen die langzaam afstierven. Tussen mei en augustus zou
alles anders zijn geworden.

Claires hand zweefde boven de stapel brieven, zonder ze echt
aan te raken, hoe graag ze dat ook wilde. Ze wist echter dat ze
dan te ver vooruit zou lopen. Er waren niet veel brieven meer
over, en ze wilde er nog iets langer mee doen. Ze moest ophouden. Nu. Zij was degene die zich bedrogen zou voelen als de
reis op deze manier tot een einde zou komen, gedachteloos af-

geraffeld op een regenachtige zaterdagmorgen, waarna er niets anders zou wachten dan een lange leegte. Ten slotte trok ze langzaam haar hand terug en boog ze zich voorover om de velletjes op te rapen die ze op de grond had laten vallen, vol schaamte omdat ze nu zag dat de druk van haar vingers die zo woedend en teleurgesteld het papier hadden vastgegrepen kleine deukjes in de marges had achtergelaten. Ze zou de volgende brief tot het juiste moment bewaren en zo de fout herstellen die ze nu had gemaakt door twee brieven achter elkaar te lezen. Ze kon *De hooiwagen* gaan bekijken, niet omdat het moest, maar omdat ze het wilde. Wat maakte het uit dat Daisy een schilderij had overgeslagen? Zij hoefde niet hetzelfde te doen.

Ze stuurde Dominic een sms'je en vroeg hem of hij de volgende dag kon komen. Dat voelde nu even vanzelfsprekend als de schilderijen bekijken, dat hij er ook was, of ergens in de buurt, en rondjes om haar heen liep en steeds dichterbij kwam.

'Dag, lekker ding,' was wat hij zei toen hij haar belde, nog geen minuut nadat hij haar berichtje moest hebben ontvangen. 'Hoor eens, ik kan deze keer niet naar het museum komen, maar zullen we daarna iets afspreken? Heb je een plek in gedachten?'

Even kon ze niets verzinnen, maar voordat ze kon antwoorden, nam hij het woord. 'Zal ik naar jou toe komen? Of is Rob thuis?'

'Nee,' antwoordde ze. 'Hij gaat met een paar vrienden op stap. Ik ben alleen.'

'Nou, dan kom ik naar jou toe.'

Direct, zo zou Claire Dominic willen beschrijven. Zou Daisy hem simpelweg zelfverzekerd hebben genoemd? Hij wist waarschijnlijk niet beter of hij maakte een overrompelende indruk op vrouwen, maar Claire liet zich niet zo snel overrompelen. Opeens vroeg ze zich af wat het betekende als hij hiernaartoe zou komen, terwijl Rob er niet was. Het enige wat de draaikolk aan emoties voortbracht, aarzelend maar duidelijk genoeg, was één woord. 'Nee.'

'Een andere keer dan,' zei hij, en door de toon van zijn stem had ze meteen spijt van haar woorden en wilde ze toch ja zeggen, wilde ze nu meteen de voordeur voor hem openen, met twee glazen wijn al ingeschonken op de keukentafel achter haar. Maar ze had haar besluit genomen, net als die arme Daphne van Pollaiuolo, en Dominic had al opgehangen. Nu merkte ze dat ze hem juist heel graag wilde zien. Om haar gedachten af te leiden besloot ze nog dezelfde dag naar de National Gallery te gaan, alleen.

De hooiwagen hing in een ander deel van de National Gallery dan de andere schilderijen. Claire was eraan gewend geraakt de grote trap op te lopen en dan links af te slaan naar de afdelingen met vroege kunst uit Italië en de Lage Landen, maar deze keer ging ze rechtsaf, naar de moderne Britse schilders, hoewel die natuurlijk slechts relatief modern waren, want Claire had van tevoren Constable op internet opgezocht en gezien dat hij in 1837 was overleden. Ze had ook gelezen dat zijn vrouw Maria aan tuberculose had geleden en al op haar veertigste was gestorven, na slechts twaalf jaar huwelijk. Maria en de schilder hadden elkaar al als kind leren kennen, maar waren pas later verliefd op elkaar geworden. De bruiloft was voor hen te laat gekomen. Er werd beweerd dat Constable nooit over haar dood heen was gekomen en vanaf dat moment alleen maar zwarte kleding had gedragen. Weer de liefde, dacht ze, en daarna verdriet en ellende. Misschien was dat allemaal niet zo bijzonder. Daardoor moest ze aan Dominic denken, en voordat ze zichzelf kon tegenhouden, keek ze om zich heen of ze hem ergens zag, ook al flirtte ze met teleurstelling. Hij kon hier niet zijn. Hij was er ook niet.

De zalen aan deze kant van het museum leken groter, en in plaats van houten bankjes stonden er leren fauteuils waarvan de bekleding met knopen was vastgezet, stoelen voor in herenclubs waar een vrouw alleen mocht komen lunchen als ze door een lid was uitgenodigd.

Ze zag *De hooiwagen* meteen doordat er een groepje met een gids voor stond. Zij kon slechts een stukje van het doek zien, door een raster van hoofden en rugzakken heen, maar het was voldoende om haar een indruk te geven van bladeren en lucht, en ze luisterde mee naar de uitleg van de gids, die vertelde dat de pastorale idylle die voor haar verborgen bleef weliswaar een bestaande plaats was, maar desalniettemin een fantasie, omdat een dergelijke manier van leven al was verdwenen toen Constable zijn schilderij maakte. De geïnteresseerdere leden van het groepje knikten begrijpend, zich ervan bewust dat de volgende groepen zich al als gieren verzamelden voor de ingang van de zaal.

Zodra de eerste groep was doorgelopen liep ze meteen naar het schilderij en bleef daar staan, toen ze de kans had, recht voor het werk, eigenlijk te dichtbij, zodat niemand anders haar het zicht kon belemmeren. Ze merkte nu al dat mensen van alle kanten kwamen aanlopen, om haar heen dromden en afkeurende geluiden maakten. Daar kreeg ze een ongemakkelijk gevoel van, en misschien was dat wel de reden dat ze het schilderij aanvankelijk niet mooi vond en het simpelweg beschouwde als een afbeelding van een kar die door een rivier werd getrokken, gadegeslagen door een hond die op de oever stond te blaffen. Aan de zijkant van het doek was een huisje afgebeeld dat net een peperkoekhuisje leek, met bloemen rond de ramen en een moestuin ernaast; er kwam rook uit de schoorsteen en de glas-in-loodramen boven stonden op een kier om de frisse lucht binnen te laten. Tegenwoordig, wist Claire, legden rijke tweeverdieners een fortuin neer voor zo'n huisje, dat ze, als ze een bouwvergunning konden krijgen, in oorspronkelijke staat probeerden te herstellen om er een weekendhuisje van te maken, om er vervolgens achter te komen dat het pandje niet te verzekeren viel vanwege het risico op overstromingen.

Ze dacht weer aan Daisy en vroeg zich af of Charles zo'n

huisje voor zijn echtgenote in gedachten had gehad, of hij haar weg had willen halen uit de straten van Londen met hun ingesleten vuil, weg van de kranten en de bioscoopjournaals met hun eindeloze verhalen over oorlog en verwoesting, en haar hier had willen neerzetten, tussen de dansende groene blaadjes en het pas bijeengeharkte hooi. Het leek Claire helemaal niet zo'n beroerd leven. Sterker nog, het zag eruit als het soort leven waarvan de meeste mensen droomden en dat tegenwoordig alleen nog maar in het buitenland te vinden was. Toch braakten fabrieken over de hele wereld veel te veel notitieblokjes, muismatjes en mokken uit waarop juist dit tafereel stond afgebeeld. Ze had het al zo vaak gezien dat het leek alsof ze het niet eens meer goed kon waarnemen – misschien zou hetzelfde voor Daisy hebben gegolden als ze wel haar maandelijkse bezoek aan het museum had gebracht. Misschien had ze er verstandig aan gedaan dit werk over te slaan en voor de verandering eens in de echte wereld te blijven en zich niet terug te trekken in een ander, denkbeeldig bestaan.

Het grappige was dat ze vermoedde dat Daisy *De hooiwagen* wel mooi zou hebben gevonden. Ze sprak in haar brieven vaak over het platteland, over akkers en weiden en bloemen. De oorlog moest mensen nostalgisch hebben gemaakt, vol verlangen naar dergelijke dingen, echt of niet, net als in de tijd van Constable, omdat het iets was wat hen kon doen vergeten waar ze op dat moment waren. Ze begreep het heel goed, zeker omdat er in Londen niets anders te zien was geweest dan ingestorte huizen en lege etalages. De dagelijkse realiteit kon een ongelooflijke sleur zijn. Geen wonder dat zo veel mensen daaraan wilden ontsnappen. Misschien was ook haar probleem met het schilderij niet zozeer het schilderij zelf, maar Dominic, wiens stem met zijn timbre van ergernis en berusting nog altijd in haar hoofd klonk, opdringerig, en haar daardoor een genoegen ontnam dat ze anders wellicht zou hebben ervaren.

Claire wendde zich af en zag tot haar verbazing dat vlak

naast *De hooiwagen* het andere schilderij van Constable hing dat Daisy wel had gezien, *Weymouth Bay*, het doek van juli met het weidse strand, de galopperende golven en de samengepakte wolken met de belofte van regen. Nu ze hier toch was, kon ze dat net zo goed ook aandachtig bekijken en zich een tweede tocht hiernaartoe besparen.

Ze bleef even staan en ging toen zitten. Ze voelde dat de koude lucht van de airco door de ingewikkeld gevormde gleuven in de vloer om haar heen werd geblazen. Ze was er zeker van dat ze dit schilderij mooi vond, misschien wel omdat het niet zo bekend was, of in elk geval, voor zover ze wist, minder bekend dan *De hooiwagen* – of misschien vond ze het mooi omdat Daisy er zo van had genoten. Het had iets, door de manier waarop het zand zich uitstrekte, zover het oog reikte, en de blik steeds verder naar die kliffen in de verte lokte. Claire wilde daar zijn en op haar blote voeten rondrennen, met haar sandalen in haar hand, en elke scherpe korrel onder haar voeten voelen. Daisy had gelijk, dit deel van het schilderij was niet af, maar zo te zien maakte dat niet veel uit. Sterker nog, de kleur van grove klei die Constable voor het zand had gebruikt en de manier waarop hij de verf achteloos op de voorgrond had aangebracht, maakten het alleen maar echter. De dunne laag verf op het linnen gaf het strand een grove structuur die het anders niet zou hebben gehad.

De kust en de zee hadden Claire altijd al aangetrokken, vanaf het moment dat ze voor het eerst tijdens de veel te lange zomervakantie naar het huis van een oudtante aan de zuidkust was gestuurd. De eerste keer dat ze verliefd was geworden, of in elk geval had gedacht dat ze dat was, was dat bij het geluid van de golven en het knarsen van het zand geweest. Ze was toen veertien en vond zichzelf ongelooflijk lelijk, maar wanneer ze nu foto's van toen zag, besefte ze dat dat helemaal niet zo was: ze was mooier en slanker dan ze later ooit nog zou worden. De jongen heette Andrew en zat met zijn ouders in een

huisje vlakbij. Ze hadden elkaar een keer gekust, eerder beschaamd dan genietend, op de dag voordat hij weer naar huis
moest, en daarna had hij zich omgedraaid en was hij weggerend over het strand naar een groepje jongens dat had staan
joelen en wijzen toen hij dichterbij kwam maar hem toch tussen hen in had opgenomen, zodat ze hem niet meer kon zien.
Nu ze naar het schilderij keek, kwam de herinnering uiterst levendig bij haar op, en ze moest hardop lachen, hoewel ze eigenlijk wilde huilen bij de gedachte aan de tiener die ze toen
was geweest, verlamd door zo'n zinloze, pijnlijke angst dat ze
bijna geen adem had kunnen halen – maar met een herinnering die vijftien jaar later nog altijd zoet was. Nu was ze zo veel
ouder en wijzer, maar haar leven was veel ingewikkelder dan
vroeger. Nu stopte ze niet bij een kus, besefte ze, en ze voelde
Dominics arm zo stevig rond haar schouder en zijn lippen zo
hard tegen de hare dat hij net zo goed naast haar had kunnen
zitten. Het was nog steeds een soort spel, alleen was de inzet
veel hoger geworden.

Toen ze opnieuw naar *Weymouth Bay* keek, zag ze de hemel
deze keer als groot en dreigend, een en al drama, vol wolken
die zich een weg uit het schilderij leken te banen, naar haar
toe, alsof ze haar in een klamme omhelzing wilden nemen. Het
schilderij was zo rauw dat Claire er bang van werd, en opeens
leek het alsof de open ruimte op haar af kwam. Ze vroeg zich
af of Constable zelfs tijdens zijn huwelijksreis had willen aan-
tonen dat hij niet blind was voor de bittere waarheden in het
leven, of voor de wetenschap dat zelfs de volmaaktste dingen
toch niet volmaakt waren. Misschien had hij gemerkt dat zijn
vrouw reeds het begin van haar ziekte voor hem verborg, dat
ze zich afwendde wanneer ze moest hoesten en op afgemeten
toon antwoordde wanneer hij vroeg hoe het ging. Misschien
had hij al zitten wachten op die tijd waarin hij vervuld van
wanhoop en verdriet in zijn eentje verder zou moeten schilderen. Ook wanneer Maria nog in redelijke gezondheid had ver-

keerd, moest de huwelijksreis al zijn besmet door de spijt die ze voelden omdat ze zo lang hadden gewacht en zich hadden laten leiden door de mores van die tijd, die zeiden dat hij te nederig was om met haar te trouwen en dat zij te rijk was voor hem.

Toen Claire zich weer omdraaide naar *De hooiwagen* zag ze dat het om een onverklaarbare reden opeens veel minder druk was. Misschien was het tijd voor de lunch; ook gidsen moesten eten om hun krachten te verzamelen voor het verstrekken van de volgende lading informatie.

En dus deed ze een nieuwe poging. Deze keer probeerde ze zich echt onder te dompelen in de onmiskenbare weergave van een volmaakte Engelse zomerdag, een dag waarop de hemel weliswaar niet onbewolkt blauw was maar de wolken in elk geval klein waren en, hoewel niet zuiver wit, geen voorbode vormden van een naderend noodweer. Het al even Engelse landschap onder die hemel werd gekenmerkt door vlakke akkers omzoomd door heggetjes en een brede rivier die de voorgrond van het doek in beslag nam. De hooiwagen zelf werd getrokken door drie zwarte paarden waarvan het gareel met rood was afgezet en die tot aan hun vetlokken in ondiep water stonden. Twee mannen zaten dwars op de wagen, een van hen zwaaide met zijn zweep boven de flank van een van de paarden. Nu ze er aandachtiger naar keek, kon ze het bijna horen. Het stromen van de rivier, het kraken van de wielen en het hout, het geschreeuw van de landarbeiders die hun paarden aanmoedigden, eerst ongeduldig, toen berustend en vervolgens weer ongeduldig, en het scherpe gekef van de hond.

Nu zag ze ook de hooiwagen zoals de schilder hem had bedoeld, vastgelopen in het midden van de rivier en aan weerskanten omgeven door water, als een allegorie voor die splitsing in de weg, het punt waarop het levenspad de ene of de andere kant op kan gaan; naar het onbekende dat in de toekomst ligt of terug naar waar het vandaan is gekomen, zonder ruimte om simpelweg stil te staan, verstijfd van besluiteloosheid. Er was niet veel voor nodig geweest om de impulsieve Daisy haar keuze te laten maken. Naar Weymouth met Richard, en elk mogelijk spoor van verdriet over Charles was al snel vergeten door de schoonheid van een gedeelde zomerse zonsondergang en de stralende gloed van verliefdheid. Claires pad was moeilijker te vinden. Diep in haar hart geloofde ze dat ze wellicht het gelukkigst zou zijn als ze daar in het midden zou blijven staan en helemaal nergens naartoe zou gaan. Maar zo was het leven niet, zo was het nooit geweest. Vanaf de allereerste kinderjaren ging het allemaal om aanpakken, doorgaan en slagen, zonder ooit stil te staan. Ook de hooiwagen kon daar niet eeuwig blijven: hij moest daar op de een of andere manier weg zien te komen, het was slechts een kwestie van tijd. Dus terug naar Rob, die door haar meedogenloze, eindeloze kritiek was verzwakt en veranderd in iemand anders dan de man die ze wilde, of vooruit naar het onbekende en naar Dominic, naar armen waarvan ze zeker wist dat ze haar zouden verwelkomen, armen die ze niet zou wegduwen.

Met al die gedachten in haar hoofd draaide ze zich om, zodat ze kon vertrekken, deze keer niet naar huis maar vanaf Trafalgar Square naar Piccadilly, naar Fortnum & Mason, waar ze voor haar moeder een verjaardagscadeau wilde kopen dat ze wel leuk móést vinden, misschien een doosje met geparfumeerde zeepjes in gemarmerd papier, of fraaie blikjes thee die een mooi stapeltje op een plank in de keuken vormden, of misschien zelfs wel honing, gemaakt door de bijen die op het dak van het warenhuis werden gehouden. Claire had het altijd meer een paleis dan een warenhuis gevonden, een elegant, weelderig ouderwets paleis. Wanneer je door de houten deuren met hun glazen panelen stapte die eigenlijk portiers verdienden om ze open te houden, kwam je terecht in een wereld waar elk getoond artikel fonkelde door de gloed van kroonluchters, waar een pot jam op magische wijze veranderde in een sieraad en waar blikjes met biscuitjes schatkisten werden.

Ze deed heel langzaam haar aankopen, onwillig om afscheid te nemen van het goudkleurige draadmandje en evenmin bereid om de overvloed aan truffels en Turks fruit en het dikke rode tapijt onder haar voeten te verruilen voor de sigarettenpeuken en het besmeurde betonnen trottoir dat buiten op haar wachtte.

Het was dit getreuzel dat door Dominic werd onderbroken, die opeens uit haar gedachten opdoemde zoals Daisy dat soms deed. Tijdens dat allereerste moment van herkenning, dat hier zo misplaatst leek, vroeg ze zich zelfs af of hij het wel was, en zodra ze besefte dat dat zo was, besefte ze ook dat het kind dat zijn hand vasthield, het kind in het felrode jasje met de fluwelen kraag en de zilveren schoentjes met geborduurde bloemen, zijn dochter moest zijn. Dit was Ruby. Ze liep te babbelen, maar Claire stond te ver weg om het te kunnen verstaan. Hij glimlachte, met de bemoedigende glimlach van een ouder die zijn best moet doen om te begrijpen wat er wordt verteld. Net terwijl ze verward stond te kijken en zich afvroeg of ze zich moest omdraaien en naar de uitgang moest lopen, keek hij op en riep, schijnbaar zonder enige aarzeling of verbazing en slechts met genoegen: 'Hé, Claire!'

'Dag, Dominic,' zei ze. 'Wat doe jij hier?'

'Hoi,' zei hij, en hij kuste haar op beide wangen, zoals vrienden dat doen, hoewel ze meer dan dat in zijn ogen las, en meer voelde in de druk van zijn hand op haar schouder. Ze voelde zich onmiddellijk vergeven, onmiddellijk belachelijk, nu ze wist dat hij haar nog altijd wilde, net zoals zij hem wilde. 'Ruby, dit is Claire,' zei hij. 'Zeg maar dag.'

'Dag, Claire,' zei ze onbekommerd. Ze was helemaal niet verlegen omdat ze aan een vreemde werd voorgesteld, en zo hoorde het ook. Claire moest niets hebben van kinderen die zich altijd maar achter de benen van hun ouders verstopten. Zelf was ze ook zo geweest, en ze had altijd gezegd dat haar kind dat niet zou doen. Haar kind niet. Maar dat was nu het hele probleem, er was geen kind dat zoiets wel of niet kon doen. Ze maakte haar blik los van de ogen van het meisje, die even opvallend onbeschaamd blauw waren als die van Dominic.

'Goed zo. We hebben net in het café een stuk taart gegeten en alle regels aan onze laars gelapt, hè lieverd? Ik krijg vast op mijn kop van je moeder.'

Claire trok haar wenkbrauwen op.

'Mama zei dat ik mijn eetlust niet mag bederven,' legde Ruby uit, en het viel Claire op dat iets van de glimlach van Dominics gezicht verdween en er een rimpel op zijn voorhoofd verscheen.

'We hebben besloten er niets over te zeggen,' zei hij met een samenzweerderige knipoog.

'Aha,' zei Claire, die niet wist of ze iets moest zeggen, en zo ja, wat. Ze zag alleen dat Dominic volkomen was veranderd, van een geliefde in een deeltijdvader, en dat die verandering vlak voor haar ogen had plaatsgevonden.

'We wilden net vertrekken. Ze moet op tijd thuis zijn. Haar bedje roept,' zei hij.

'Ik moet ook naar huis.'

'Nou, dan kunnen we samen naar de ondergrondse lopen.' Dat was zijn voorstel, niet het hare.

En dat deden ze, met hun drietjes.

Ongemak en ontzag, of iets daartussenin – dat voelde Claire toen ze naar het station liepen, langzaam, vanwege Ruby, en ze in de ogen van de rest van de wereld net een gewoon gezin leken. Vader, moeder, kind. Alles waarover ze 's nachts droomde. Alleen was dit natuurlijk heel anders dan de droom en was zij degene die er niet bij hoorde.

'Waar moet jij naartoe?' vroeg Dominic toen ze station Green Park binnenliepen. Het was een beleefde vraag die een kennis bij een toevallige ontmoeting zou stellen, en opeens werd ze eraan herinnerd dat ze dat waren, hoewel ze nog altijd de druk van zijn hand op haar schouder voelde, zijn lippen tegen haar wang.

Ze antwoordde als vanzelf: 'Ik moet de Victoria-lijn hebben.'

'Wij ook. Is het niet, Ruby?'

Ze wandelden door de betegelde gangen, meegesleept door alle anderen, en raakten elkaar niet aan omdat Dominic met zijn ene hand die van zijn dochter vasthield en in zijn andere hand haar piepkleine tasje droeg, dat van roze fluweel was gemaakt en was versierd met pailletten die in de vorm van vlinders waren gestikt. Ze was opgelucht toen op het perron bleek dat zij naar het noorden moest en Dominic en Ruby naar het zuiden gingen.

In de verwarrende drukte van het afscheid nemen stond Claire het zichzelf toe zachtjes 'Sorry' te zeggen.

'Ja, sorry,' antwoordde hij, niet veel luider. 'Maar ik zie je snel weer, hè?'

'Kom, papa, ik hoor de trein al,' zei Ruby, die hem meetrok voordat Claire kon zeggen wat ze wilde zeggen: 'Ja, natuurlijk. Snel.'

Hij had slechts tijd om te zwaaien voordat ze samen instapten, nog altijd hand in hand, en werden weggevoerd, waardoor ze eenzamer achterbleef dan ze zich ooit eerder had gevoeld.

Toen ze thuiskwam, ontdekte ze dat Rob eerder naar huis was gekomen en voor hen aan het koken was. Ze bedankte hem en glimlachte, maar ze had de woning liever leeg aangetroffen. Dan zou ze de tijd hebben gehad om de verwarring en de complicaties, het onbegrip en de verzoening van die dag in het wegstervende licht te verstrooien, zodat alleen de goede herinneringen in haar hand zouden achterblijven.

8

De Rokeby Venus – Velázquez

Dominic en Daisy. Daisy en Dominic. Richard, hij ook. Ze leken nu overal te zijn waar Claire was, of in elk geval de gedachte aan hen. Op weg naar haar werk, wanneer ze tussen de middag een broodje at, wanneer ze 's avonds thuiskwam met tassen vol boodschappen van de veel te dure supermarkt naast het station van de ondergrondse. Haar gedachten leken altijd naar een van hen af te dwalen. Ze merkte dat ze een gesprek met hen voerde, soms zelfs hardop, en verlegen lachte als reactie op een ingebeelde flirtende opmerking van Dominic, dat ze Daisy keer op keer vroeg of die Richard wilde beschrijven, en dat ze Richard vroeg wanneer hij zijn schilderij van Daisy ging afmaken. Het was alsof ze allemaal met elkaar verstrengeld waren geraakt en woest rondtolden in haar beide hersenhelften totdat geen van hen nog kon ontsnappen.

Zij was degene die het allemaal had laten gebeuren. Ze had het zichzelf toegestaan te vluchten naar die bijzondere plek, waar alles echt voelde hoewel niets echt was, en waar de problemen uit haar dagelijks leven anders en minder tastbaar werden. Ze wilde het aan iemand uitleggen, maar de enige die het hoefde te weten, was Rob, en hij was ook de laatste aan wie ze het kon vertellen. Bovendien kon ze geen woorden vinden die ook maar in de buurt van de juiste formulering kwamen. Ze bevolkten ook haar dromen, naast de slapende gestalte van Oliver, en 's morgens deed ze heel langzaam haar ogen open en raakte hen dan weer kwijt. Het was een bevrijding, en een vlucht, en het zorgde er in elk geval voor dat haar bitterheid jegens Rob veranderde in onverschilligheid.

Het had lang genoeg geduurd, met Dominic, dat om elkaar heen draaien. Ze wist dat er een einde aan moest komen, de eerstvolgende keer dat ze hem zag, met of een ja of een nee, en het zou vrijwel zeker een ja worden. Aan hun ontmoeting in Fortnum & Mason had ze vreemde, verontrustende herinneringen overgehouden: aan Ruby's handje dat stevig door haar vader werd vastgehouden terwijl haar kleine roze tasje aan zijn duim bungelde, aan dat korte moment van niet-herkennen en onwerkelijkheid. Ze nam pàs contact op tegen het einde van juni, toen ze plannen maakte voor een nieuw bezoek aan de National Gallery. Haar trouwe kant, de kant die had beloofd voor altijd van Rob te houden en hem eeuwig trouw te blijven, vertelde haar dat ze dit deed in de hoop dat de aantrekkingskracht zou verdwijnen en haar een uitweg zou worden geboden. Maar haar andere kant wist heel goed dat het uitstel de komende ontmoeting met hem alleen maar spannender maakte, en dat hoorde ook zo, want ze had een verhouding. Zoiets hoorde toch spannend te zijn, en een tikje eng? Daarom was de vonk tussen hen helder als magnesium. In de tussentijd kon ze hem, als ze naar hem verlangde, gemakkelijk in haar verbeelding oproepen.

'*De Rokeby Venus*?' vroeg hij toen ze hem belde. Rob was niet eens de deur uit toen ze de telefoon had gepakt; hij lag in de woonkamer tv te kijken en zij zat in de keuken. Zo weinig kon het haar nog schelen. 'Die zal ons stof tot nadenken geven.'

'Ik zie je voor dat schilderij. Zondag?'

'Ik zal er zijn.' Zijn stem klonk beslist.

Goed. De vastberadenheid in haar stem was hem niet ontgaan, zo anders dan de vorige keer.

Pas de volgende morgen vertelde ze aan Rob dat ze naar de National Gallery ging. Ze zaten rechtop in bed croissantjes te eten die hij speciaal was gaan halen, nog voordat ze goed en wel wakker was. Ze trokken ze met botervette vingers uit elkaar en probeerden geen aardbeienjam op de dekbedhoes te morsen. Hij had haar aan het lachen gemaakt en met zijn tong de kruimels uit haar mondhoek weggehaald, maar de lach verstomde toen ze aan Dominic dacht.

'Kom niet te laat thuis, oké?' zei hij toen ze haar zegje had gedaan. Dat was alles. Hij vroeg niet of ze alleen ging. Hij sprak de naam van Dominic niet uit. Hij zei alleen die paar woorden. Ze beloofde hem dat ze tegen vieren thuis zou zijn, op tijd om samen met hem thee te gaan drinken in het café verderop in de straat. Toen viel er een stilte tussen hen die al het plezier verdrong dat er eerder was geweest. Toen ze het dekbed terugsloeg, boog ze zich voorover en kuste hem vluchtig op zijn voorhoofd, alsof hij een kleine jongen was. Hij wendde zich af.

Ze kleedde zich zorgvuldig aan, waste haar haar met een dure shampoo die ze op aandringen van de kapper had gekocht en spoot parfum die ze van Rob had gekregen in haar hals en op haar polsen. Ze trok een nieuwe jurk aan, een met knoopjes aan de voorkant die ze, zo maakte ze zichzelf wijs, had gekocht omdat ze hem mooi vond maar waarvan ze eigenlijk hoopte dat Dominic ervan onder de indruk zou zijn. Eronder droeg ze bijpassende lingerie, niet wit maar rood. Ook die had ze van Rob gekregen. Was het te veel? Te overduidelijk? Ja, natuurlijk. Ze wist dat haar echtgenoot ergens op de achtergrond zat te luisteren naar de geluiden van haar voorbereidingen en haar geneurie en daar ongetwijfeld misselijk van werd. Toch kon ze er niet mee ophouden.

Ze wist al waar *De Rokeby Venus* hing omdat ze die eerder had gezien, ongeveer een jaar geleden, toen ze het museum had bezocht met een vriendin van haar werk die 's avonds studeerde voor een master in kunstgeschiedenis en een scriptie over Velázquez schreef. Dat betekende dat ze bij de informatiebalie niet de weg hoefde te vragen en niet eens hoefde te stoppen voor een plattegrond. Ze liep meteen naar de zaal met Spaanse schilderijen uit de periode 1600-1700, met stappen die vanwege de zenuwen sneller waren dan gewoonlijk. Ook haar ademhaling was snel, maar ze kon die niet tot bedaren brengen. Dit was een belangrijk schilderij geweest voor Daisy. Er was geen weg terug.

Voor haar gold hetzelfde. Ze merkte dat ze haar haar naar achteren streek en ontspannen probeerde over te komen, zelfs toen ze voelde dat er een paar haren bleven haken in haar verlovingsring.

De Rokeby Venus. Het schilderij dat zei: vlij me naakt neer op je bed. Het schilderij dat Daisy had verteld dat ze Richard moest kiezen, en niet Charles. Dominic, niet Rob.

Toen ze ernaartoe liep, wilde ze dat Dominic de zaal binnen zou komen en haar voor het doek zou zien staan, dat hij dichterbij zou komen en iets in haar oor zou fluisteren, of van achteren een arm om haar heen zou slaan. Maar toen zag ze dat hij er voor de verandering eerder was dan zij en op een van de bankjes recht voor het schilderij zat. Ze bedacht dat het zo simpel zou zijn zich om te draaien, door de grote deur naar buiten te lopen en daarna verder, weg van hier en naar huis, en dan zou hij nooit weten hoe dicht bij hem ze was geweest. Maar het was helemaal niet simpel, net zomin als het simpel voor Daisy was geweest om de liefde met Richard te bedrijven, niet echt, niet met de gedachten aan de pensionhoudster en Charles en haar verre vader die haar naar beneden trokken in de onderstroom van emoties. Ze wilde alleen maar zeggen dat het achteraf simpel was, toen ze haar brief in de trein terug had geschreven, omdat Richard die geruststellende dingen toen al had gezegd, die woorden die meer dan genoeg waren om twijfels of spijt te verdrijven.

Claire draaide zich niet om. Dat kon ze niet. Ze liep evenmin meteen op Dominic af. In plaats daarvan liep ze een heel klein stukje verder, genoeg om het schilderij te kunnen zien, en vanaf dat punt bekeek ze de vrouw wier naakte lichaam zo prachtig voor haar was uitgespreid en wachtte ze totdat Dominic zich zou omdraaien en naar haar toe zou komen.

Venus lag op een lap zijde die de kleur had van een storm op zee en die over een bank was gedrapeerd waarvan haar lichaam de verborgen vorm volgde. Een dikbuikige Cupido die slechts een blauwe sjerp droeg, stond aan de zijkant; aan zijn rug ontsproten witte vleugels met blauwe puntjes en zijn bruine krullen vielen losjes rond zijn hoofd. Achter hem hing een rood fluwelen gordijn en in zijn handen hield hij een spiegel met een houten lijst die was versierd met lichtroze linten.

Claire vond het gezicht van Venus in de spiegel erg wazig, onmogelijk te lezen, de trekken te zacht. Ze vroeg zich af hoe Venus naar zichzelf keek, zoals vrouwen altijd deden wanneer ze voor een spiegel stonden, of ze nu alleen thuis waren, in de kleedkamer van de sportschool, of, terwijl ze deden alsof ze niets zagen, in de lift op hun werk. Sommige vrouwen leken alleen hun fouten te zien, andere zagen slechts hun schoonheid. Venus behoorde tot de tweede categorie, dat was overduidelijk. Ze droeg haar naaktheid onbekommerd, zonder een spoor van verlegenheid, op een manier waarvan Claire alleen maar kon dromen. Ze leek niets te merken van eerst de blik van Velázquez zelf en nu de blikken van de eindeloze stroom voorbijgangers, van wie niemand, man noch vrouw, dit schilderij voorbij kon lopen zonder een tweede blik, of misschien wel een derde. Dit was nog steeds een geliefd schilderij dat mensen bleef boeien, net als in de tijd dat Daisy het had gezien.

Ze vroeg zich af wat een man zou denken, wat Dominic dacht, wanneer hij een werk zag dat zo blozend straalde tussen al die meer ingetogen, donkerder schilderijen, de portretten van strenge heren met snorren die aan weerszijden van dit doek hingen en net als iedereen vol bewondering naar de godin van de liefde keken. *Dit is een vrouw die ik mee naar mijn bed wil nemen. Dit is een vrouw die nooit voor mij zou kiezen. Deze vrouw is beeldschoon, maar ze is meer dan dat. Dit is een vrouw met wie ik niet zou durven trouwen, maar die ik nooit zou kunnen vergeten.*

Claire kon er alleen maar naar raden, maar ze wist wel wat zij dacht toen ze haar zag: zo zou ik ook willen zijn. Welke vrouw zou dat niet willen? Zij zou niet onbeholpen of onzeker zijn in de buurt van Dominic. Met het beeld van Venus stevig in gedachten nam ze zich voor ervaren en beheerst te zijn, elegant en sensueel, en even klaar om te verleiden als om te worden verleid. En inderdaad draaide Dominic zich om, en hij stond op en kwam vlak naast haar staan. Toen hun handen elkaar aanraakten, was het alsof ze een elektrische schok kregen. Ze kon het bijna niet verdragen toen hij wegliep.

'Kom mee,' zei hij, terwijl zijn blik een laatste keer naar Venus ging. 'Ik wil je mee naar huis nemen, en snel. Naar mijn huis, niet het jouwe. We pakken een taxi. We kunnen er over tien minuten zijn.'

'Goed,' zei ze, en ze wist dat hij net als zij een plan had gemaakt, dat ze zouden gaan vrijen zodra ze bij hem thuis waren. Dat wilden ze allebei, daar was ze zeker van, dat wilden ze allebei al sinds ze elkaar voor het eerst hadden gezien, aan dat te krappe tafeltje dat nog steeds vochtig was van de koffie die iemand anders had gemorst. Rob, dacht ze. Arme Rob. Toen duwde ze die gedachte ver weg.

Zijn woning was op de vijfde verdieping, een zoevend ritje in de lift verwijderd van de indrukwekkende entree. Binnen was het klein en een tikje slordig, zoals vrijgezellenwoningen horen te zijn. Het was een open, doorlopende ruimte, waarbij de keuken slechts door een aanrecht van de woonkamer werd gescheiden. Ze bleef onzeker bij de deur staan, niet goed wetend wat ze moest toen, terwijl Dominic de berg reclamefolders op de vloer opzij schopte. Ze zag aan de post die bovenop lag, een of andere catalogus, dat zijn achternaam Travers was. Dat had ze nog niet geweten. Een elegant klinkende naam, door en door Engels, precies goed voor iemand met een baan bij een vooraanstaand veilinghuis. Ze zag dat deze Dominic Travers in de woonkamer de boeken en oude kranten op de salontafel opstapelde tot een wankele berg en daarna borden en glazen oppakte en die in de gootsteen zette. In de hoek van de kamer stond een functioneel metalen kampeerbed waarvan de groene matras opgevouwen tegen de wand stond. Dominic zag haar kijken. 'Daar slaapt Ruby als ze hier is,' zei hij. 'Ik weet dat het niet veel voorstelt, maar ze is hier niet vaak. Ik zeg tegen haar dat ze net moet doen alsof ze in de Sahara onder de sterren kampeert. Ze wil het liefst een hemelbed met roze gordijnen.'

Hij verdween in een korte gang die ongetwijfeld naar de slaapkamer voerde. Claire hoorde hem haastig rondscharrelen en vermoedde dat hij kleren onder in een kast propte en vieze mokken uit het zicht zette.

Ze ging niet achter hem aan, maar liep langzaam door de kamer. Die was vrij elegant ingericht, eleganter dan ze op het eerste gezicht had gedacht. Er stonden een paar interessante glazen beeldjes op een schoorsteenmantel, en een paar van de meubels waren duidelijk oud en duur. Tussen de twee ramen in de kamer waren planken vol boeken over kunst en antiek, een verscheidenheid aan detectives waarvan ze sommige zelf ook had gelezen, en een stel stukgelezen kinderboeken die ongetwijfeld van Ruby waren. Er hingen een paar schilderijen aan de muur, maar geen foto's. Dat verbaasde haar niet. Mannen gaven niet om dat soort dingen, niet zoals vrouwen deden, of in elk geval sommige vrouwen, die, als hun mannen hen niet zouden tegenhouden, elk vrij stukje muur zouden behangen met foto's van hun bruiloft en hun kinderen.

Er hing een spiegel aan de muur, en daarin zag ze zichzelf, even moeilijk te doorgronden als Venus. Als ze zelf al geen wijs kon worden uit de lijntjes en rimpeltjes in haar gezicht, hoe kon ze dan verwachten dat Rob, of Dominic, dat wel kon? De oppervlakkige kenmerken waren in elk geval duidelijk genoeg. Hoewel de mascara die ze die ochtend had aangebracht niet zo lang hield als de verpakking haar had beloofd en de kleverige glans van haar lipgloss allang was verdwenen, vond ze dat ze er nog altijd goed uitzag – zoals ze eruit hoorde te zien, zoals Dominic zou verwachten. De juiste hoeveelheid inspanning voor de juiste hoeveelheid verwachte spanning. Ze stelde zich voor dat Dominic ook elke ochtend op deze plek stond, kijkend naar zijn zorgvuldig gekamde haar, en ze verwachtte hem min of meer achter haar te zien opduiken, zodat zijn weerspiegeling zich bij de hare zou voegen, maar dat gebeurde niet. Nog niet. Het spel van wachten ging door.

Aanvankelijk leek de kamer donker en vol schaduwen, en alleen een zweem schaars daglicht leek zich een weg te kunnen banen door de Londense somberheid. Er ging een rilling door haar heen, en ze liep tot vlak bij de ramen die uitzicht boden op de bocht in de Theems voor de parlementsgebouwen. Hier wonen kon niet goedkoop zijn, niet met dit uitzicht.

Toen ze zich omdraaide, zag ze dat Dominic naar haar stond te kijken. Nu was het slechts een kwestie van tijd. Hiermee zou het allemaal beginnen. Het echte begin van iets nieuws, zonder al die bagage die bij iets ouds hoorde. Haar hart sprong op en haar hand ging instinctief naar haar borst, want ze wist niet goed wat ze nu voelde, opwinding of angst.

Dominic moest iets van haar onrust hebben opgevangen. 'Het geeft niet als je nerveus bent,' zei hij. Zijn stem klonk uitermate beheerst. 'Ik zal iets te drinken voor je inschenken. Waar heb je zin in?'

'Gewoon water.'

'Doe niet zo gek. Je kunt wel iets sterkers gebruiken. Tegen de zenuwen. Wat dacht je van een gin-tonic?'

'Goed,' zei ze. Hij had gelijk. Ze zag dat hij een citroen van een fruitschaal pakte, het bakje met ijsblokjes uit de vriezer haalde en de tonic uit de koelkast op de gin schonk, allemaal met een geoefende soepelheid. Hij schoof het glas over het aanrecht tussen hen in naar haar toe, en pas toen ze het pakte, merkte ze dat haar handen trilden. Ze dronk het glas snel leeg terwijl hij een gin-tonic voor zichzelf maakte. Het drankje was sterk en koel en maakte haar vingers nat van de condens. Haar vingers trilden nog steeds. Nu ze naar Dominic keek, zag ze dat dat niet voor hem gold.

'En, welk schilderij heb ik vorige keer gemist?'

'*De hooiwagen.*'

'En waar moest je aan denken?'

'Aan die dozen met verschillende soorten bonbons. Die kon je bij de buurtwinkel krijgen toen we nog klein waren, weet je nog? Ze stonden meestal buiten je bereik, met een laag stof op de doos, en onder het cellofaan zat altijd een plaatje van een huisje met een rieten dak. Ik spaarde heel erg lang, zodat ik er eentje voor mijn oma kon kopen, en die reageerde dan heel blij, al vond ze alleen die met hazelnootvulling echt lekker. Je ziet ze tegenwoordig niet meer, hè? Daar zijn we veel te chic voor geworden.'

Dominic glimlachte. 'Je bent zo mooi als je aan vroeger denkt. Het is net alsof je naar een heel andere plek bent gegaan en een deel van jezelf hier bij mij hebt achtergelaten.'

'O ja?' Claire glimlachte op haar beurt ook, en het was een lach met echte vreugde.

'Ja. Maar kom nu maar terug, want ik wil je helemaal hier hebben. Het is zo lang geleden dat ik iemand als jij heb leren kennen. Je geeft me weer het gevoel dat ik leef. Ik hoop niet dat je het erg vindt dat ik dat zeg.' Zijn stem klonk vastbesloten, overtuigd, en toen ze hem in zijn ogen keek, wist ze dat hij meende wat hij zei, net zoals Rob het ooit zou hebben gemeend wanneer hij dergelijke dingen zei, met dezelfde woorden – woorden die ze in de tussentijd honderden keren in boeken had gelezen en op tv had gehoord, en al die tijd had ze geweten dat ze niets betekenden. Ze wilde meteen dat hij zijn mond hield. Het was beter als hij nu ophield en ze doorgingen waar ze waren gebleven. Ze zette haar glas op het aanrecht en zei: 'Alsjeblieft, geen woord meer.'

'Oké,' antwoordde hij.

Hij zette zijn eigen glas neer, liep om het aanrecht heen dat hen tot nu toe van elkaar had gescheiden en stak zijn hand naar haar uit. Toen trok hij haar naar zich toe en waren ze aan het zoenen, en de kracht van zijn tong in haar mond overrompelde haar. Nu al voelde ze dat zijn hand naar haar borst gleed, en daarna naar de knoopjes van haar jurk en die begon los te knopen, een voor een, langzaamaan. Er waren zo weinig dichte knoopjes dat ze haar jurk van haar schouders zou kunnen schudden als hij hem niet eerst van haar af trok. Hij maakte zich nu van haar los, reikte naar zijn eigen overhemd en trok het uit zijn broek, tastte naar zijn knopen, waardoor Claire besefte dat hij iets deed wat zij eigenlijk had moeten doen. Opeens was het koud in het appartement, onverklaarbaar koud.

Tijdens dat ene moment waarop het contact werd verbroken, die kortst mogelijke onderbreking, die ene fout van hem, scheen de zon voor de eerste keer die dag plotseling door het raam en verlichtte de kamer, zodat alle duisternis werd verdreven. In dat licht keek Claire Dominic recht in zijn ogen en dacht eindelijk en uiterst helder: dit zou Rob moeten zijn. Waarom is dit Rob niet? Bijna even plotseling trok de zon zich terug achter de wolken en viel er een schaduw over hen heen en glipten de laatste zwakke draden van opwinding als schimmen uit Claires handen, zelfs toen Dominic opnieuw haar hand vastpakte en haar naar de slaapkamer wilde leiden. Ze merkte dat ze zich terugtrok en wist dat ze nooit verder zou gaan dan dit. 'Het spijt me, Dominic. Dit is niet wat ik wil.'

Hij draaide zich naar haar om, omlijst door de deur van de slaapkamer. 'Wat zei je?'

Nu rolden de woorden opnieuw over haar lippen, gemakkelijker dan daarnet. 'Ik wil dit niet. Ik wil stoppen.'

Hij bewoog nog steeds niet en keek haar alleen maar aan. Ze liep langzaam achteruit, zonder zich om te draaien, terug naar de woonkamer. Hij liep achter haar aan.

'Zeg dat nog eens,' zei hij. 'Ik wil het je horen zeggen.'

'Het spijt me. Ik heb me vergist. Dat is alles. Ik heb me vergist.' Ze stak een hand uit, om de zijne vast te pakken of die van haarzelf op haar schouder te leggen, maar hij was te ver weg en leek zich de hele tijd nog verder terug te trekken.

'Jeetje, Claire, waar heb je het over? Wat denk je dat we al die maanden hebben gedaan? Een beetje gerotzooid, als een stel tieners? Ik dacht dat je dit wilde. Ik weet dat ik het wil. Ik dacht dat ik je gelukkig maakte. Was dat niet zo?'

'Ja, natuurlijk wel, meer dan je kunt weten. Maar ik hoopte op iets anders. Ik dacht dat dit eenvoudiger zou zijn. Maar dat is het niet. Het enige wat ik heb bereikt, is dat het nog ingewikkelder is geworden dan het al was. Ik heb een ander leven, Dominic, een heel ander leven. Dat heb ik nodig, niet dit.'

'Maar er is toch wel een vonk tussen ons? Ik weet dat je die ook voelt. Daar vergis ik me niet in.'

'Ja, die is er. Natuurlijk,' zei ze. 'Maar kunnen we daar niet gewoon tevreden mee zijn en het daarbij laten? Kan ik niet gewoon bij mijn man zijn en leren om met hem gelukkig te zijn?'

Nu liet hij zich met een vermoeide berusting op de bank vallen. 'Ja hoor, waarom niet? Maar dat werkt misschien niet, Claire, hoezeer je ook je best doet. Geloof me, ik weet waar ik over praat.'

'Maar ik ben jou niet, Dominic. Voor mij zou het anders

kunnen zijn. En als dat niet zo is, laat me er dan in elk geval zelf achter komen.'

'Ik zal je niet tegenhouden. Waarom zou ik dat doen?'

'Bedankt voor je begrip.'

'Ik weet niet of ik het wel begrijp.'

'Ik weet ook niet of ik het begrijp,' antwoordde ze.

Ze keek hem met een meewarige, spijtige glimlach aan, maar daaronder school een andere glimlach, die ze verborgen hield. Eentje die ze voor Rob bewaarde. Een golf van kalmte was over haar gekomen. Eindelijk werd haar ademhaling rustig.

'Ik kan maar beter gaan,' zei ze.

'Ja,' zei hij. 'Dat lijkt me het beste.'

Ze raakten elkaar niet een laatste keer aan toen hij haar uitliet, er was geen blik die nog even werd vastgehouden, er waren geen beloften – *ik bel je nog wel, laten we vrienden blijven* – die alleen maar konden worden verbroken. Claire liep simpelweg naar buiten, hij deed de deur achter haar dicht.

Toen ze het appartementencomplex verliet en de koude lucht inademde, voelde ze een vreugde die voortkwam uit het besef dat ze de juiste keuze had gemaakt omdat haar plaats naast Rob was en haar leven met het zijne was verbonden en ze haar toekomst met hem zou delen. Haar besluit stond vast. Ze wist dat ze alles wat ze met Rob had gedeeld nooit met Dominic had kunnen hebben. Hij was een fantasie, meer niet. Bij een man als Dominic zou ze misschien intelligent, interessant en vervuld van nieuwe ideeën zijn, maar ze zou nooit eerlijk kunnen zijn. Ze zou met Dominic nooit echt vrijuit kunnen lachen, zonder schalksheid of verwachting, zoals ze ooit zo ongedwongen met Rob had kunnen lachen. Ze had misschien haar dromen met hem kunnen delen, maar nooit haar angsten. Daar was hij niet de juiste persoon voor. Ze had hem een te grote rol in haar verhaal gegeven, maar nu was dat hoofdstuk afgesloten.

Nu naar huis. Naar huis, naar haar man en zijn vertrouwde

handen en armen en stem, eindelijk naar huis. Voorgoed naar huis.

Ze volgde de enige weg terug die ze kende, langs de National Gallery, langs het uitgestorven filiaal van een goedkope Italiaanse restaurantketen en een wedkantoor, waarbij ze de laatste plasjes kots van zaterdagavond omzeilde die her en daar op het trottoir lagen, de meeste al door voetstappen verder verspreid. De lucht stond bol van opgezwollen grijze wolken en er was een straffe bries opgestoken die de chipszakjes en wikkels van repen in snelle vlagen over straat blies. Weggegooide kranten flapperden ritmisch tegen het plaveisel, zo nat dat slechts de randjes ervan van de grond werden geblazen. Londen was binnen één middag lelijk en vies geworden, maar toch voelde ze iets wat dicht in de buurt van blijheid kwam, omdat ze tegen Rob ging zeggen wat hij al die tijd had willen horen: *Ik hou van je. Ik kan niet zonder je. Ik wil je.* Ze zou het parfum opdoen dat hij haar had gegeven, ze zou vanavond een kaars aansteken bij het eten. Hij zou ontbijt voor haar maken, haar de hele dag sms'jes sturen. Ze zouden weer samen uitgaan, aan tafeltjes voor twee wijn drinken en buiten op straat hand in hand lopen. Het zou weer net zo zijn als vroeger. Er was niets veranderd, niet voor altijd, ze was nog altijd dezelfde – niet haar moeder, niet Daisy, niet Dominic, gewoon haarzelf. Het zou een nieuw begin zijn; niet gemakkelijk, maar ze kon het.

Door die gedachte ging ze sneller lopen, totdat ze het bijna op een rennen zette. Toen ze op Trafalgar Square aankwam, liep ze meteen het station van de ondergrondse in, door de poortjes, en begon ze aan de lange wandeling naar de perrons. Toen ze de roltrappen naderde, zag ze bovenaan een aarzelende jonge vrouw staan, naast een klein meisje en een baby in een buggy. De vrouw keek opgelucht op toen Claire aan kwam lopen.

'Wilt u misschien haar hand vasthouden?' zei ze. 'Ze durft niet zo goed alleen naar beneden.'

'Natuurlijk,' zei Claire, en toen ze naar het meisje keek, zag ze dat het kind bang was. 'Kom maar,' zei ze. 'Het is niet ver. Je hoeft niet bang te zijn.'

Het meisje legde haar hand meteen in die van Claire en hield die stevig vast. Haar handje was warm en klam en onvoorstelbaar zacht. Claire glimlachte geruststellend naar haar, en in de ogen die terugkeken, zag ze een bespottelijk, onverdiend vertrouwen. Samen stapten ze de roltrap op, met de moeder van het meisje en de buggy vlak achter hen, en gleden naar beneden. Ze wist niet of ze iets tegen het kind moest zeggen of niet, en daarom was het enige geluid het gezoem van mechanieken, af en toe onderbroken door elektronische mededelingen ergens in de verte. De roltrap was langzamer en langer dan ze zich kon herinneren, het kind kwetsbaarder dan ze bovenaan had geleken, en het meisje greep haar hand nu heel stevig vast terwijl haar mond zich tot het begin van een snik vormde. *Oliver, op een dag had jij dit kunnen zijn, in een gestreken beige korte broek en een schone blauwe blouse, je vastklampend aan je moeder.* Maar de gedachte was even snel verdwenen als ze was gekomen, haar achterlatend met dit echte kind, vlak naast haar, dat op haar vertrouwde.

'Niet huilen,' zei ze. 'Het komt wel goed. We zijn er.'

Het was niet te geloven, maar het meisje stond nu te giechelen, en ze giechelde terug, en voordat ze het wist, stonden ze eindelijk onder aan de roltrap en tilde ze haar van de vlakker wordende treden, terug naar vaste grond. De moeder bedankte haar en verdween, liep met stevige passen weg, duwde de buggy voor zich uit en zei tegen het meisje dat ze moest opschieten omdat papa thuis op hen zat te wachten, maar bij de bocht in de gang draaiden ze zich om en wuifden. Claire wuifde in een opwelling terug.

Toen ze de deur van haar huis opende, glimlachte ze nog steeds, klaar om die woorden te zeggen waar Rob naar zou luisteren, eveneens glimlachend, nu een gewicht even zwaar als hun kleine baby'tje van hun schouders was gevallen.

Het briefje lag op de keukentafel. SORRY, IK HEB WAT RUIMTE VOOR MEZELF NODIG. IK LAAT NOG WEL WAT VAN ME HOREN.

Keurig, geschreven na enig nadenken, niet gehaast maar zorgvuldig.

Claire wist al hoe het voelde wanneer er iets in haar stierf. Ze had gehoopt dat niet nog eens te voelen.

9

Weymouth Bay – Constable

Nog nooit was de tijd zo langzaam verstreken, of zo stil, trager dan het modderige stromen van de Theems, stiller dan sneeuwval hartje winter. Ze ging verder met de gebruikelijke afleidingen die het leven vormden – werken, een half pak melk (geen heel) halen bij de winkel op de hoek – maar het was alsof de wereld om haar heen met het vertrek van Rob was verstomd. 's Avonds, thuis, wachtte ze totdat de telefoon zou gaan of de voordeur zou worden geopend en haar echtgenoot binnen zou komen. Dag na dag gebeurde geen van beide. Ze was onvoorstelbaar rusteloos, kon niet eens een paar minuten op de bank blijven zitten voordat ze weer naar het raam liep, de gordijnen opzij trok en naar de straat beneden keek, om vervolgens naar de keuken te lopen om thee te zetten of een glas wijn in te schenken. Soms ontdekte ze dat ze ineengezakt op de vloer van de gang zat, met haar achterhoofd tegen de wand, wachtend, wachtend, wachtend. Een vrouw die op haar man wachtte zoals de vrouwen op het schilderij van De Hooch dat ze maanden geleden had gezien, wachtend terwijl het gewone leven van alle anderen op de achtergrond gewoon doorging.

Dit was dus liefde en verlies met elkaar vermengd. Voorheen had ze zich opgelucht, zelfs opgetogen, gevoeld wanneer Rob de deur uit was gegaan, alsof ze een overwinning op hem had geboekt. Het was te lang geleden dat ze voor het laatst echt alleen was geweest, want Rob was er al die tijd geweest. Dominic speelde hier helemaal geen rol in. Ze wilde niet dat hij zou bellen of sms'en, en dat deed hij ook niet. Ze wilde niet denken aan wat er bijna was gebeurd.

Ze nam aan dat Rob naar zijn ouders was gegaan. Alleen tegenover ouders kon je een dergelijke mislukking bekennen. Ze was er zeker van dat hij dit niet met een vriend zou delen, hoe hecht de vriendschap ook was. Elke avond dwaalden haar handen meer dan eens af naar de telefoon, en soms koos ze zelfs de eerste cijfers van het nummer van zijn ouders, maar verder dan dat ging ze niet. In zijn briefje had hij gezegd dat hij nog wel iets van zich zou laten horen. Het enige wat ze kon doen, was met heel haar hart hopen dat hij terug zou komen, net zoals Rob al die maanden ongetwijfeld was blijven hopen dat zij op een dag zou terugkeren uit de ballingschap die ze zichzelf had opgelegd, ver van hun gedeelde levens. Soms vroeg ze zich af of ze naar buiten moest gaan, een vriendin moest bellen, moest afspreken om naar de film te gaan, gewoon om de tijd door te komen – maar ze wilde hem niet mislopen en de indruk wekken dat het haar niets kon schelen, niet nu het haar meer kon schelen dan ooit. In plaats daarvan belde ze haar zus, en ook haar moeder, vaker dan ze in vele jaren daarvoor had gedaan, en zat ze wanhopig huilend aan de telefoon totdat ze geen van beiden wisten wat ze moesten doen.

Afgezien van haar werk (haar collega's verbaasden zich over haar nieuwe geestdrift, de lange werkuren en korte lunchpauzes) was de National Gallery de enige plek die ze bezocht, maar nu ging ze naar de archieven, die konden worden bereikt via de personeelsingang naast de grote hoofdingang en die voor de ogen van het grote publiek verborgen bleven. Daar las ze het verslag van het museum over wat er in de oorlog was gebeurd, want ze kon niet langer de brieven van Daisy lezen. Die waren verdwenen van hun plekje op het nachtkastje waar ze ze had neergelegd, met het lint zorgvuldig eromheen gebonden, en ze twijfelde er niet aan dat Rob ze had meegenomen, om ze weg te gooien of te verstoppen, zodat hij haar een of ander lesje kon leren.

De archiefdozen zaten vol foto's van de schilderijen die waren opgeslagen in ondergrondse grotten in Wales, van de gaarkeuken die voor de medewerkers in het museum was ingericht, van de dagelijkse concerten die waren georganiseerd door Myra Hess, en van bezoekers die op het gras broodjes zaten te eten. Er waren ook krantenknipsels over het succes van het schilderij van de maand, voorstellen over wat er de volgende maand kon worden getoond en notulen van de vergaderingen van het bestuur van de National Gallery. Die waren even oud als de brieven van Daisy en deden in saaie bewoordingen verslag van de risico's op een luchtaanval, de schade die door de jongste bombardementen was veroorzaakt en de Britse schilderijen die in het buitenland door de vijand waren geconfisqueerd. Ten slotte waren er vellen gelinieerd papier vol nauwkeurige, handgeschreven opsommingen van bezoekersaantallen, waarin terug te vinden was hoeveel personen er naar het schilderij van de maand waren komen kijken. Er waren tellingen van ochtenden, middagen, weken en maanden, waarover bovendien een gemiddelde was berekend; daaruit bleek dat er meer dan een half miljoen bezoekers waren komen kijken. Enkele keren was er een opmerking toegevoegd wanneer de aantallen bijzonder hoog waren: 'Nat weer' of 'Saai weer'.

Een van die talloze anonieme streepjes was Daisy geweest, en andere stonden voor Charles en Richard. Zo veel bezoekers, dacht Claire, achteroverleunend op de houten stoel. En Daisy was even anoniem als al die anderen, behalve voor haar.

Toen ze eindelijk de sleutel in het slot hoorde, op een vrijdagavond na twee eindeloze, vreselijke weken waarin haar bezoek aan het archief het enige lichtpuntje was geweest, sprong ze overeind van de stoel aan de keukentafel. Ze was al in de hal voordat Rob zelfs maar binnen had kunnen komen, en ze zei de woorden die in haar opgesloten hadden gezeten sinds ze Dominic had verlaten en rechtstreeks naar huis was gekomen.

'Ik hou van je,' zei ze. 'Ik kan niet zonder je. Godzijdank ben je er weer.' Ze wachtte niet totdat hij haar in zijn armen nam, maar nam hem in de hare en streelde hem over zijn haar en probeerde te negeren dat ze geen reactie van hem voelde.

'Ik heb je gemist,' zei hij, en het was genoeg.

Die avond kookte ze voor hem, aan de hand van een recept; ze trok een fles wijn open en schonk twee glazen vol. Zijn blik volgde haar terwijl ze in de keuken heen en weer liep, wachtend totdat hij iets zou zeggen wat ertoe deed.

'Ik ben naar de schilderijen gaan kijken,' zei hij ten slotte. 'Ik heb de brieven gelezen en toen ben ik naar de schilderijen gaan kijken. Het was geweldig.'

Ze bleef staan, als verstijfd.

Hij had haar voetspoor gevolgd, en dat van Daisy.

Hij had zwijgend voor *Noli me tangere* gestaan en gedacht aan alles wat ze hem had aangedaan. Hij had de demonische beesten in de hoeken van *De geboorte van Christus* zien scharrelen en zich afgevraagd wat die betekenden.

Had hij aan haar gedacht toen hij de eenzame vrouw op de binnenplaats in Delft had gezien? Had hij ook geaarzeld voor *Madonna met mand* en het kindje in Maria's armen gezien, dat eruitzag zoals Oliver had kunnen zijn?

'Ik dacht dat je er niets aan vond,' zei ze, of ze dacht in elk geval dat ze dat zei. Ze hoorde zichzelf amper omdat haar hart alleen maar schreeuwde: wat heb ik verloren?

Hij had haar ingespannen aangekeken, maar nu wendde hij zijn blik af. 'Je gaf me niet de kans om er iets van te vinden,' zei hij. Dat was al genoeg om haar te laten blozen van schaamte.

'Ik heb je in de steek gelaten,' zei ze.

Daarop zei hij niets, behalve: 'Ik denk dat we de rest van de schilderijen samen moeten bekijken.'

'Dat zou ik fijn vinden,' zei ze. 'Dat zou ik echt heel fijn vinden.'

'Maar eerst neem ik je ergens mee naartoe.'

'Waarheen?'

'Wacht maar af. Dat vertel ik je nog wel. Het is een verrassing.'

Claire glimlachte onzeker. Ze was vergeten hoe verrassingen voelden. Slechts één keer eerder had hij haar meegenomen, zonder dat ze vooraf hadden besproken waar ze naartoe wilden. Dat was hun huwelijksreis geweest, twee weken op de Azoren, waar ze samen vanaf een jacht dat ver op zee was afgemeerd naar de vliegende vissen en dolfijnen hadden gekeken en op brede, volmaakte gazons hadden gelegen die werden omringd door hagen van blauwe hortensia's.

'Wanneer?' vroeg ze.

'Morgen. Ik heb geen zin om te wachten.'

'Goed,' zei ze. 'Morgen.' Het kwam niet eens bij haar op om nee te zeggen.

Ze gingen 's morgens weg, nadat ze de nacht in hetzelfde bed hadden doorgebracht en Claire had geslapen zoals ze zelden sliep, met haar hand op zijn borst zodat ze zijn hartslag kon voelen en zijn hand op de hare. Niet meer dan dat. Ze moesten vroeg opstaan, zodat ze op tijd op het station zouden zijn, en dat betekende dat ze de verwarrende onzekerheid van samen thuis treuzelen konden vermijden. Pas toen ze op Waterloo waren, vertelde hij wat hun bestemming was.

'Weymouth natuurlijk. Had je dat nog niet geraden?'

Dat had ze niet. Ze had gedacht dat het Bath of Brighton zou zijn, een van die plaatsen waar jonge kinderloze werkende stellen van eind twintig, begin dertig altijd hun weekends doorbrachten, in boetiekhotels met dure toiletartikelen in de badkamer en een wellnesscentrum in het souterrain.

'Vanwege het schilderij?'

'Ja, natuurlijk. En vanwege de brief van Daisy. Ik vond het mooi, de manier waarop ze het beschreef. Het leek me goed om een context te hebben en te zien waar zij is geweest. Ik dacht dat je dat leuk zou vinden.'

'O.' Ze had hem moeten bedanken, maar het was te onverwacht. De brief over Weymouth, dacht ze, die bol stond van ontrouw en opwinding en een nieuw begin met een nieuw iemand. Wat vond Rob daar mooi aan? Ze werd overvallen door het angstige voorgevoel dat deze reis om Dominic draaide, en helemaal niet om Daisy.

De treinreis duurde drie uur, en Claire vermoedde dat dit niet eens zo veel sneller was dan toen Daisy deze reis had gemaakt. Ze zat het grootste deel van de tijd uit het raampje te kijken in plaats van de eindeloze katernen van de zaterdagkrant te lezen die Rob haar begon aan te bieden vanaf de andere kant van het gelamineerde tafeltje tussen hen in – ze wist dat er hetzelfde zou worden gezegd over dezelfde onderwerpen als het jaar ervoor en het jaar daarvoor. Ze wilde Rob nog altijd niet aankijken en wist dat haar eigen gezicht onder het kunstlicht net zo bleek moest zijn als dat van hem. De airco stond te hoog en daardoor had ze het koud, zeker toen ze zag dat de zon buiten fel scheen. Het raam kon niet open. Ze zaten allemaal samen in de coupés opgesloten.

De trein ontwikkelde nooit zo'n snelheid dat het uitzicht wazig werd, en soms reden ze zo langzaam dat Claire elke netel en elk weggegooid bierblikje langs het spoor kon onderscheiden. Het platteland – waar dat nog steeds platteland was, en niet de vertrouwde mengeling van industrieterreinen, bouwmarkten of nieuwbouwwijken vol huizen in knalkleuren – zag groen van de regen die onlangs was gevallen en was op sommige plekken keurig bewerkt, maar elders was het een lappendeken doorschoten met wilde gaspeldoorns en open heide. Hier galoppeerde heel kort een groepje paarden met de trein mee, met wapperende staarten, maar ze waren al verdwenen voordat ze Rob erop kon wijzen. Op een later moment tijdens de reis veranderde het uitzicht en zag ze vrijwel alleen maar rivieren, inhammen en af en toe een glimp van de zee. Er lagen boten afgemeerd op het water, drijvende boeien die lang geleden waren verschoten van rood naar roze.

Een vrouw rolde een karretje met versnaperingen door het smalle gangpad, en Claire volgde de route van het ding totdat het bleef haken achter slingerende hengsels van rugzakken en in de weg zittende knieën. Ze kocht een veel te dure reep chocolade, maar het voelde juist om die met Rob te delen, ook al was het een bescheiden zoenoffer en was de reep snel op en bleef ze zitten met onaangenaam kleverige vingers waarop de viezigheid van de trein zich al snel vastzette. Omdat het water in het toilet aan het einde van hun coupé binnen een uur na hun vertrek uit Londen al op was, veegde ze haar handen ongeduldig af aan haar spijkerbroek en vroeg ze zich af of ze Daisy's brief moest gaan lezen, de brief uit Weymouth die Rob vlak voor vertrek op het allerlaatste moment in haar tas had gestopt. Nee, besloot ze. Ze zou hem niet hier lezen, tussen de herrie van mobiele telefoons, computerspelletjes en zinloze gesprekken. De brief hoorde te veel bij een andere plek. Een plek zonder keurige rolkoffers en chipszakjes, een plek waar soldaten en hun spullen op elkaar gepropt hadden gezeten en waar de meeste stemmen mannenstemmen waren geweest, ruw en vermoeid. Een plek waar een man die Richard heette zich tegen een rammelend raam had geperst, met net voldoende ruimte om een potlood te kunnen hanteren, en waar een meisje genaamd Daisy een vel briefpapier op haar knie had laten balanceren, op het uiteinde van haar pen had gezogen en zich had afgevraagd of ze het woord 'liefde' moest gebruiken. De kracht van die gedachte, even sterk als een herinnering, was als een vlaag koude tocht door de coupé.

Toen ze eindelijk in Weymouth aankwamen, buitelden zij en Rob samen met alle andere passagiers het perron op. De andere reizigers verspreidden zich, maar zij beseften dat ze waren blijven staan.

'Daar zijn we dan,' zei ze.

'Daar zijn we dan,' zei Rob.

Ze leken allebei te worden overvallen door een vreemde aarzeling, een gevoel dat er niet veel tijd meer was, een gevoel dat bewegen moeilijk maakte, hoewel hun ledematen na uren van smalle zitplaatsen en beenkramp onrustig aanvoelden. Toen Claire haar mobieltje in haar zak voelde trillen, pakte ze het instinctief. Het knipperende envelopje vertelde haar dat er een bericht was. Een bericht van Dominic, het eerste sinds dat vreselijke moment. WANNEER ZIE IK JE WEER, SCHOONHEID? DAT WIL IK NOG STEEDS. Het sloot af met een felgele smiley, alsof hij de balans had opgemaakt en tot de conclusie was gekomen dat zij haar woorden niet had gemeend.

'Van wie is het?' hoorde ze Rob zeggen, en ze wist dat hij, als ze nu zou opkijken, de omtrekken van een verhaal dat ze niet wilde vertellen in het donker van haar ogen zou zien.

Ze wiste het. 'Niemand die ertoe doet,' en pas toen was ze in staat tegen hem te glimlachen, in de wetenschap dat de glimlach die ze hem schonk door en door eerlijk was. 'Waar logeren we? Wijs jij me maar de weg.'

Rob haalde een van internet geprinte plattegrond uit zijn zak, en daarmee zochten ze zich een weg van het station naar de boulevard, langs een snackbar die adverteerde met een seniorenaanbieding op woensdag en langs wegwerkzaamheden die de scherpe, verslavende geur van smeltend asfalt verspreidden. Het kon hier niet veel veranderd zijn. Elk huis aan zee was nog altijd een pension, allemaal met namen als Zeezicht, Zonnestraal en Dageraad, net als in 1943 en God mocht weten hoe lang daarvoor ook al, sinds de mensen vanuit de stad naar de kust waren gereisd om het zout in de lucht te proeven. Een van deze onderkomens was voor hen, en in een ervan – ze zouden nooit weten welk – hadden Daisy en Richard vijfenzestig jaar geleden gelogeerd. Rob had een kamer geboekt in een klein hotel dat geen boetiekhotel kon worden genoemd, maar dat wel, net als het pension van Daisy, een kamer voor hen had met uitzicht op zee. Er was geen minibar, en wat dure toilet-artikelen betreft kwamen ze niet verder dan een stuk verpakte zeep in de badkamer, maar de wanden waren pas geschilderd, blauw en wit, en er waren een waterkoker, twee theezakjes en twee pakjes met zandkoekjes. Aan de wand hing een brede spiegel die de kamer groter moest laten lijken, met ernaast een afbeelding van een vuurtoren waartegen onmogelijk hoge gol-ven stuksloegen. Rob schopte zijn schoenen uit en liet zich achterover op het bed vallen, dat diep begraven lag onder een dekbed en kussens, en zei: 'Wat gaan we eerst doen?'

We gaan over de toekomst praten. Dat moeten we toch doen? Daarom zijn we toch hier? Maar in plaats daarvan zei ze: 'Dat mag jij zeggen. De boulevard, of het uitzicht van Constable.'

'Laten we beginnen met het uitzicht. Misschien regent het morgen wel.'

'Dat zou kunnen,' zei ze, maar ze kon alleen maar denken dat Daisy en Richard het andersom hadden gedaan, en dat wist hij ook. Daar kreeg ze een onzeker gevoel van, want ze deden het verkeerd, en daarna voelde ze zich dwaas, want dit hoorde helemaal niet over Daisy te gaan, niet nu. Het moest over haar en Rob gaan. 'Ja, laten we het zo doen,' zei ze op fermere toon. 'Het doet er niet zo veel toe, hè?'

'Weet je, Claire, het doet er helemaal niet toe. Kom hier en geef me een zoen. Ik word hier een beetje eenzaam in mijn eentje.'

Ze gaf hem een zoen, lichtjes, op zijn lippen. Zijn reactie was dwingender, en hij trok haar boven op zich en sloeg allebei zijn armen om haar heen. Ze gaf toe aan het gevoel en kuste hem opnieuw, haar oren gevuld met het geluid van water dat heen en weer spoelde op het strand, en dacht aan Daisy voor wie het de eerste keer was geweest. Er waaide een zwak briesje door het open raam naar binnen dat over haar benen speelde, die bloot waren onder een zomerjurk.

'Dat is beter, hè?' zei hij.

Ja, dacht Claire, die dacht aan dat moment van inzicht bij Dominic thuis, dat gevoel dat ze moest ophouden. Ja, dat is het. 'Niet ophouden,' zei ze, en dat deed hij niet.

De hitte van de dag nam af toen ze het hotel verlieten en aan hun wandeling langs zee begonnen. Rob verbaasde haar door een plaatje van het schilderij tevoorschijn te halen, en een stukje papier waarop hij de tekst had overgenomen van het bordje naast het echte schilderij in de National Gallery: UITZICHT IN WESTELIJKE RICHTING LANGS BOWLEAZE COVE, DEEL VAN WEYMOUTH BAY, IN DORSET. Ze was niet gewend dat hij zijn zaken zo goed op orde had. Meestal liet hij zulke dingen aan haar over. De inham lag buiten het stadje, zoals Daisy had beschreven, voorbij de strandhutten met hun zelfgemaakte geruite gordijntjes, de gemeentelijke plantenbakken vol opzichtige begonia's en dahlia's, de eenzame kraampjes die thee en fris verkochten en de druppels roomijs die op het beton waren gevallen. Langzaam verdwenen de speelhallen en winkeltjes met toffee en zuurstokken achter hen uit het zicht, en het duurde niet lang voordat plaatselijke bewoners – of zo zagen ze er in elk geval uit – de enige wandelaars waren die zij en Rob tegenkwamen toen ze over het pad van door onkruid omzoomde betonplaten liepen.

Ze hielden even halt voor een oorlogsmonument waarop de doden uit Weymouth uit de Eerste Wereldoorlog vermeld stonden, en verder, meer naar beneden en enigszins aarzelend omdat er weinig ruimte voor hen over was, nog meer doden uit de Tweede Wereldoorlog. Claire las sommige namen in gedachten voor, gewoon voor het geval dat er nog ergens iemand was die het belangrijk vond dat er aan hen werd gedacht. Naast het monument lag een perkje met een bordje GEDENKTUIN, beplant met kruisen van hout dat door de wind was uitgebleekt en versierd met rode papieren klaprozen. Ook hier treuzelden ze even, zonder iets te zeggen, voordat ze verder liepen, nu opeens hand in hand, en het pad verruilden voor de kiezels op het strand, op weg naar het punt waar het zand hard was van de likkende zee en het zeewier felgroen als kool. Vanaf de top van het lage klif dat nu oprees uit het strand werden ze de hele tijd in de gaten gehouden door hooghartige, heen en weer paraderende kraaien.

Claire keek voor zich uit en zag eindelijk waarnaar ze op weg waren: een korte pier die zich uitstrekte in wat Bowleaze Cove moest zijn. Erachter lag een gebouw dat het grootste hotel leek dat ze ooit had gezien, een reusachtige vesting die zich langs de hele baai uitstrekte. Ze had er nooit aan willen denken dat het hier nu heel anders zou zijn. Dat was een vergissing geweest. Robs blik volgde de hare.

'Nou, dat is iets wat er in de tijd van Constable in elk geval niet stond.'

'En ook niet in die van Daisy,' zei ze. 'Dan had ze er wel iets over geschreven. Je kunt het niet over het hoofd zien.'

Dat was nog maar de eerste teleurstelling. De tweede werd zichtbaar toen ze langzaam rond de baai liepen, die steeds meer op een permanent attractiepark ging lijken, compleet met een achtbaan in felgeel en knalroze, een kartbaan, een terrein vol caravans en een café dat dankzij zijn brede, lage vorm ongetwijfeld weerstand kon bieden tegen winterse stormen. Er stonden ook huizen waarvan ze vermoedde dat ze in de jaren vijftig waren gebouwd, maar dat wist ze niet zeker.

Ze wendde zich tot Rob. 'Het is wel veranderd, hè? Het is niet zoals in de tijd van Daisy.'

'Natuurlijk is het veranderd. Maar dat is toch niet zo vreemd? Het is alweer een hele tijd geleden. Wat is er in de afgelopen decennia nu niet veranderd?'

'Ik wilde dat het hetzelfde zou zijn.'

'Nou, als je even die botsautootjes en springkastelen buiten beschouwing laat, zul je zien dat het helemaal niet zo anders is.'

Ze draaide zich om en zag meteen dat hij weer gelijk had. Wanneer was dat in vredesnaam gebeurd, dat hij gelijk had en zij niet? Want daar was het, het uitzicht dat Constable had geschilderd, niet zo heel veel anders dan het ooit was geweest. Er lagen meer huizen verspreid over de heuvels, en de rand van het klif was stomper geworden doordat een deel was afgebrokkeld, maar de zee en het strand waren nog altijd hetzelfde, en ook de lucht moest er tijdens het verblijf van Constable elke dag weer anders hebben uitgezien, want die was voortdurend in beweging, zelfs tussen de penseelstreken door.

'Zie je wel?' zei Rob. 'Zo erg is het niet.'

'Nee, dat is zo.'

'Mooi.'

Bij het café kocht hij voor hen allebei een plastic bekertje met thee. Ze namen de bekers mee en gingen op een bankje zitten dat, volgens het bordje dat op de rugleuning was geschroefd, was neergezet ter herinnering aan iemand die van dit uitzicht had gehouden. De stilte tussen hen was afwachtend, het was de vraag wie als eerste iets zou zeggen. Uiteindelijk was dat Rob.

'Ik begreep eerst niet waarom je zo opging in dat gedoe met Daisy. Ik snapte niet waarom je het voortdurend over haar had. Maar nu ik die brieven heb gelezen begrijp ik waarom het zo veel voor je betekent.'

'Ik denk dat ik er te veel betekenis aan toegekend heb, Rob. Het spijt me zo. Ik kon maandenlang aan niets anders denken. Ze was er voor me toen ik iemand nodig had.' Het voelde bijna beschamend om dat te zeggen en toe te geven aan haar gevoelens voor iemand die er nooit echt was geweest, die ze zelfs nooit had ontmoet en die haar brieven nooit aan haar had gericht.

'Het geeft niet,' zei hij. 'Ik wil gewoon zeggen dat ik het begrijp. Maar nu moeten we aan de toekomst denken, en niet aan het verleden blijven hangen. Die brieven zijn een stukje familiegeschiedenis; het was nooit de bedoeling dat ze jouw leven zouden worden. Denk je niet dat oma ons over Daisy zou hebben verteld als het echt zo belangrijk was geweest? Dat heeft ze niet gedaan. Daisy's leven is geen deel van jou, jullie zijn niet dezelfde persoon. Ik heb die brieven gelezen en kan je dit vertellen: jij bent heel anders. Lees die brieven en bekijk die schilderijen. Dat vind ik nog steeds een geweldig idee. Maar je moet niet het gevoel hebben dat je indruk moet maken op Daisy. Denk niet dat iets goed is omdat zij het toevallig doet of denkt.'

'Ik kan er niets aan doen, ik mag haar.'

'Nee, je mag niet haar, maar je voelt je aangetrokken tot de inhoud van haar brieven. Kijk eens naar het uitzicht. Iemand zou dit vandaag kunnen schilderen, en dan zou het niet eens zo veel anders zijn als toen Constable dat deed. Maar je zou niet zien dat er vlak om de hoek nog een heel stadje ligt. Je zou niet weten dat er net een bus vol kinderen wordt afgezet bij dat attractiepark. Het zou maar een deel van het verhaal vertellen. Dat zijn de brieven ook, snap je. Niet meer dan een deel van haar leven.'

'Ze was eenzaam, net als ik.'

'Misschien, in het begin. Maar volgens mij bleef ze dat niet lang. En dat hoef jij ook niet te blijven, want je hebt mij, zoals zij Richard had. Je hebt nog altijd je vrienden, je hebt nog altijd je familie, net als zij. Als je wilt, staan ze voor je klaar.'

Hij had Dominics naam niet genoemd, en nu besefte ze dat hij dat ook niet zou doen. Dominic was zo met Daisy verweven geraakt dat ze had toegestaan dat hij er deel van was geworden. Dat was nog iets waarvoor ze Rob nooit genoeg had gewaardeerd: dat hij simpelweg aardig kon zijn. De enige geluiden waren nu de zee, het verre geraas van het verkeer op de drukke kustweg en het gekrijs van de meeuwen boven hun hoofden.

Claire wist dat het nu haar beurt was om iets te zeggen, en uiteindelijk deed ze dat ook, kijkend naar de zee en die nog altijd grijze hemel, schoppend tegen het losse zand aan haar voeten en de gescheurde plastic wikkel van een lolly die een vermoeid kind lang geleden op de terugweg naar de auto had weggegooid.

'Dat weet ik,' zei ze behoedzaam. 'Ik ben het een tijdje vergeten doordat er in mijn gedachten alleen plaats was voor Oliver. Heb ik je ooit verteld hoe het was? Heb ik het je echt verteld?'

'Ja. Wel honderd keer. Maar als je wilt, mag je het me nog eens vertellen. Alleen nu zonder te huilen. En vertel me het hele verhaal.'

Het begon op het politiebureau. Ze brachten me ernaartoe in een politieauto, zodat ik aangifte kon doen nu mijn herinnering aan de jongens nog vers was. Ik vond het niet erg om mee te gaan, ik wilde het achter de rug hebben. Ik wilde niet alleen zijn. Ik geloof niet dat er iets mis was, niet echt. Ik was van streek door die stomp in mijn buik, maar meer niet. Ik was vooral heel erg geschrokken. Maar ik had natuurlijk meteen naar het ziekenhuis moeten gaan. Zou het dan anders zijn gelopen? Volgens de dokter niet, het zou niets hebben uitgemaakt, maar hij kon moeilijk zeggen dat het wel zo was, nietwaar, toen het allemaal zo was afgelopen? Ze gaven me thee in een plastic bekertje. Niemand vroeg of ik er iets in wilde hebben. Een vrouw gaf me het bekertje. Melk en twee klontjes suiker, ik weet nog dat ze dat zei. Ik bleef daar maar zitten wachten totdat ze naar me toe zouden komen om met me te praten, maar ik had het gevoel dat ik hun tijd verspilde.

Nog voordat ik het bloed zag, wist ik dat er iets mis was. Ik voelde de warmte ervan bijna in mijn onderbroek. Ik zette het bekertje zo snel neer dat ik het omgooide. Ik zie die thee nog langs de tafelpoten naar beneden lopen, op de vloer, terwijl ze me allemaal met nietszeggende gezichten aan zaten te kijken. Ik rende naar de wc op het politiebureau, duwde al die vreemden opzij en sloot mezelf op in een hokje. En toen: het bloed. Dik, met donkere stukken erin. In het begin was er helemaal niet veel. Jezus, het was bijna niets. Wie had ooit kunnen denken dat mijn kind uit zo weinig bestond?

Toch had ik het gevoel dat ik onder het bloed zat, dat mijn handen en de vloer ermee besmeurd waren, dat het langs de gevlekte tegels druppelde en de barsten vulde. Ik wist niet wat ik moest doen. Ik denk dat ik heb geschreeuwd, en iemand is vast hulp gaan halen, en ze riepen iemand die eerste hulp kon verlenen en die belde een ambulance. Hij heette ook Rob, dat weet ik nog. Hij wist niet wat hij moest doen. Hij nam me mee naar een kamertje en hield mijn hand vast terwijl we op de ambulance zaten te wachten. Er was ook een vrouw bij. Misschien dachten ze dat dat zou helpen. 'Kunnen we iemand voor u bellen?' bleef ze maar zeggen. 'Waar kunnen we uw man bereiken?' Ze probeerden je mobieltje en je nummer op je werk en het nummer van thuis. Ik wilde zo graag dat je bij me zou zijn. Ik ben nog nooit zo bang geweest als toen. Ik wist niet waar ze me naartoe zouden brengen. Ik had je nodig, Rob, en je was er niet. Je had belangrijker dingen te doen.

In het ziekenhuis zetten ze me in een rolstoel en namen ze me mee naar een hokje. Ik hoefde niet te wachten. Toen kwam er een dokter binnen die vragen begon te stellen. Hij vroeg hoe lang ik al zwanger was, en ik zei: 'Twintig weken.' Kun je je voorstellen hoe erg het was om dat te moeten zeggen? God, ik was er zo trots op als ik 'twintig weken' tegen mensen kon zeggen, ik was verdorie al op de helft. Hij zei dat ik mijn benen wijd moest doen en voelde vanbinnen. Er was iemand bij, een student, en hij keek hem aan en zei: 'Ik controleer de cervix, om te zien of er sprake is van ontsluiting.' Toen zei hij niets meer. Ik voelde nog steeds de druk van zijn hand vanbinnen, en toen keek hij op en zei dat hij vreesde dat er sprake was van wat ze 'een onvermijdelijke miskraam' noemden, een late mis-kraam. 'Het spijt me,' zei hij. 'Het is al bezig. Begrijpt u wat dat betekent? Dat betekent dat we niets meer kunnen doen. We zullen voor de zekerheid een echo maken. Bent u alleen? U kunt nu beter niet alleen zijn.'

Ze brachten me naar een andere kamer, en daar kwam ie-mand anders de echo maken, een vermoeide vrouw die eruit-zag alsof ze al dagen dienst had. Ze maakte een echo, het ging net zoals bij die andere echo's. Weet je dat nog? Hoe blij we toen waren? Weet je nog dat we niet konden geloven hoe snel het hartje klopte? Dat we foto's meekregen voor thuis? Ze smeerde de gel uit over mijn buik en duwde de sonde ertegen-aan, bewoog hem snel en klinisch heen en weer, en toen keek ze naar het scherm, en ik probeerde ook te kijken en moest mijn nek uitsteken omdat ze het scherm had weggedraaid. Het was niet zoals de eerste keer, toen niet. Er was niets, geen be-weging, niets, alleen de kartelige omtrek van wat mijn baby had moeten zijn, die zich aan me had willen vastklampen maar nu al was verdwenen. 'Het spijt me,' zei ze. 'Is er iemand die u kunt bellen?' Dat was alles wat ze zeiden. 'Het spijt me. Is er iemand die u kunt bellen.' De keren daarvoor hadden ze ge-zegd: 'Gefeliciteerd, goed gedaan, wilt u weten of het een jon-gen of een meisje is?'

Dat waren de woorden die ze had kunnen gebruiken, maar in plaats daarvan zei ze: 'Je hebt gelijk. Je hebt het al vaak genoeg gehoord. We hoeven het er niet nog een keer over te hebben.'

Eindelijk keken ze elkaar aan, recht in elkaars ogen, en zagen niets anders dan spijt en pijn. Claire had bijna door de koude leegte tussen hen in heen gereikt om opnieuw zijn hand te pak-ken, maar ze boog zich voorover en trok haar sandalen uit, draaide zich naar hem om, dwong zichzelf tot een glimlach en zei: 'Wie er het eerste is.'

Voordat hij iets kon doen, was ze al weg en begon ze te rennen, rende ze over het vochtige, zoute zand en voelde ze het ongeremde gevoel door haar heen gaan, en daardoor begon ze nog harder te rennen. Toen hoorde ze Robs voetstappen achter zich, steeds dichterbij. Ze wist dat hij haar zou inhalen en dat ze zich door hem in zijn armen zou laten nemen onder wat opeens een ongelooflijk blauwe en onbewolkte hemel was. Toen waren ze terug in het hotel en op hun kamer. Daar legden ze de laatste restjes droefheid en verdriet af, samen met elkaars kleren, en vrijden ze nogmaals, met overtuiging en hoop en met wat ze zich als liefde herinnerde. De ramen stonden wijd open en de gordijnen wapperden voortdurend in en uit, maar ze hoorde niet eens het gefluister van Dominics naam in de bries.

De volgende dag was het helder en fris, precies zoals een dag aan zee hoorde te zijn. Een nieuwe dag, de voetafdrukken van de dag ervoor weggespoeld door het tij – maar de rest was er nog, ook de herinnering aan de tranen die ze de avond ervoor allebei hadden laten stromen nadat hij zich van haar had teruggetrokken en ze in elkaars armen in slaap waren gevallen, zoals ze vroeger ook hadden gedaan.

Rob bewoog als eerste en schudde haar voorzichtig wakker. 'Vanochtend de boulevard,' zei hij, 'als je dat tenminste nog steeds wilt.'

'Alleen als jij dat ook wilt,' zei ze.

'Natuurlijk. Dat zei ik toch? We maken dit af, maar we doen het samen.'

Ze gingen op pad na een ontbijt dat veel beter was dan Claire op grond van de buitenkant van het hotel had kunnen vermoeden. Waarom betaalden ze in Londen eigenlijk zo veel geld voor minder? Ze sloegen dit keer rechts af, richting het centrum en weg van Bowleaze Cove, en liepen met ferme passen langs de kust, hun longen vol zeelucht. Claire voelde dat een strakke opwinding als een brok in haar keel bleef steken en bedacht hoe gemakkelijk het zou zijn om hen nu tegen het lijf te lopen, Daisy en Richard, in een stevige omhelzing, onwetend van de mensen om hen heen. Toch was Rob degene die zei: 'En dan te bedenken dat ze hebben gelopen waar wij nu lopen.'

'Ze gingen ook op de foto,' zei ze. 'Dat was hier. We hadden die foto mee moeten nemen. Dan hadden we kunnen kijken waar het precies was.'

'Dan moeten wij ook op de foto gaan. Ik heb de camera bij me.'

Tijdens hun wandeling stak er een steeds fellere wind op, en nu voelde ze de koude en sterke vlagen die aan haar trokken en haar probeerden terug te duwen in de richting waaruit ze waren gekomen. Het begon ook te regenen, met grote, dikke druppels die op het beton onder hun voeten uiteenspatten en het plaveisel donker kleurden. Er was bijna niemand aan wie ze het konden vragen, maar toen beende er even verderop een oudere man die zijn hond uitliet voorbij, en Rob wist hem in te halen, zwaaide met de camera en vroeg: 'Zou u een foto willen nemen?'

Ze stonden naast elkaar tegen de reling geleund en Claire voelde de arm van Rob om zich heen. 'Lach eens,' zei de vreemde, en dat deed ze, en ze hoopte dat Rob het ook deed, want de regen kwam nu in stromen naar beneden, de man werd al ongeduldig en ze kon zien dat ze maar één kans zouden krijgen. Toen was het voorbij en bogen Rob en zij zich samen over het piepkleine schermpje heen en zag ze dat ze er allebei net zo blij uitzagen als op hun trouwfoto's.

'Kijk eens,' zei ze, met een blik op Rob, wederom glimlachend, maar met tranen in haar ogen. 'We zijn gelukkig, hè?' Ze kon niet voorkomen dat haar stem even stokte.

'Ja,' zei hij, ook nog altijd glimlachend. 'Ik denk dat we dat zijn.'

De trein terug naar Londen vertrok aan het einde van de middag, en ze waren er al minstens twee koude, sombere uren van tevoren klaar voor, in dit Britse weer, maar het waren in elk geval twee uur die ze samen konden doorbrengen, elkaar warm houdend in de snackbar, dicht bij elkaar. Ze zaten niet tegenover elkaar, maar naast elkaar, zodat ze elkaar konden aanraken, alsof ze in een Parijs café zaten, en keken naar de wereld om hen heen, of in elk geval naar het kleine stukje dat ervan te zien was in deze regen.

In de trein vroeg Rob aan Claire of hij de brief van Daisy mocht zien, zodat hij nogmaals kon lezen wat ze over het uitzicht had geschreven.

'Die heb jij,' zei ze. 'Ik zag dat je die envelop in je hand had voordat we uit het hotel vertrokken.'

'Nee, ik heb hem niet. Ik dacht dat ik hem aan jou had gegeven. Je zei dat je hem in je tas wilde bewaren.'

'Maar je hebt hem niet aan me gegeven, Rob. Dat weet ik zeker.' Claire zat al in haar tas te rommelen, hoewel ze wist dat de brief er niet was, dat ze die op de een of andere manier in het hotel hadden laten liggen. De trein bewoog, de deuren waren dicht. De buitenwijken van Weymouth verdwenen al uit het zicht.

'Ik heb hem op het nachtkastje gelegd. Dat weet ik nog. Vlak naast je tas. Je kon hem niet missen.'

Claire keek op van haar gezoek, dat in zinloze paniek had plaatsgevonden. 'Hij is er niet,' zei ze. 'We zijn hem vergeten. Hoe heb ik zo stom kunnen zijn? We hadden hem nooit mee moeten nemen. Misschien zit hij in de koffer. Zou dat kunnen?' Haar blik ging naar het bagagerek aan het einde van de coupé, waar hun eigen koffer onder een berg andere verborgen lag.

'Daar is hij niet,' zei Rob, en ze zag dat hij nauwlettend haar reactie in de gaten hield. 'Dat weten we allebei. Ik wil wel even kijken, als je dat echt wilt, maar eerst wil ik dat je me vertelt wat het ergste is wat er kan gebeuren als blijkt dat we hem echt kwijt zijn, voor altijd. En haal eerst even diep adem. Denk aan wat echt belangrijk is.'

'We zouden een deel van het verhaal kwijt zijn. Een stuk geschiedenis. Hij is waardevol.'

'Ja, maar die brief is niet meer dan een stuk papier. Je kent het verhaal al, je hebt het vaak genoeg gelezen. Of we de brief nu hebben of niet, dat verandert toch niets aan wat er is gebeurd? Er is altijd nog Daisy, die deed wat ze deed en net zoals wij allemaal haar leven probeerde te leiden. Dat snap je toch wel? Je hebt die brieven niet echt nodig, niet nu.'

'Nee.' Ze schudde langzaam haar hoofd, en toen beslister, en meende het bijna.

Hij had gelijk. De brief lag er nog, precies waar hij hem in zijn herinnering had neergelegd en zij hem niet had opgepakt. De receptioniste zei dat ze hem de volgende ochtend zou posten. Claire hoorde het staartje van het gesprek toen Rob vanaf de gang terug de coupé in liep. Hij zei dat ze hem per aangetekende post moesten versturen omdat het belangrijk was. En toen bedankte ze hem, omdat hij begreep hoeveel het betekende, ze kuste hem en proefde het zoute water op zijn lippen. Ze leunde tegen hem aan en draaide haar hoofd om, kijkend naar het eindeloze, steeds wisselende uitzicht buiten de besloten ruimte van de trein, ervan dromend daar te zijn, onderdeel van de buitenwereld, en door het gras te rennen, zonder een bepaald doel, maar altijd met Rob aan haar zijde.

10

Zelfportret – Rembrandt

Toen Robs vader Nick ongeveer een week later op een avond belde, was Claire alleen thuis. Meestal gaf ze de telefoon met-een aan Rob, of zei ze, als hij er niet was, snel 'Ik zeg wel dat je hebt gebeld' en hing dan op. Deze keer viel hij haar in de rede voordat ze haar vertrouwde zinnetje kon afmaken. Hij wilde haar net zo graag spreken als Rob, zei hij. Hij had de af-gelopen week in Canada gezeten; had Rob haar niet verteld dat hij daarnaartoe zou gaan om de verkoop van zijn moeders huis te regelen? De opwinding was duidelijk in zijn stem te horen, zelfs toen hij sprak over onbelangrijke zaken zoals de parkeer-tarieven op het vliegveld, de vertraagde vlucht en het slechte eten aan boord. Hij nam haar al vertellend mee door de douane in Canada en daarna in de taxi die door het drukke verkeer naar het huis van zijn moeder was gekropen. Ze had hem in de rede kunnen vallen, of kunnen zeggen dat hij moest op-schieten, maar ze wist dat het verhaal zo in hem opwelde en dat ze elke wending wilde volgen. Ze liepen samen met zijn woorden langzaam de treden van de veranda aan de voorkant op, door de deur die klemde in het kozijn en moest worden opengetrapt, en toen het huis in dat werd leeggehaald door de boedelruimer die hij had ingehuurd.

Vanaf dit moment ging hij sneller praten, toen hij beschreef hoe hij door de galmende kamers had gelopen die hij zelf amper kende omdat zijn moeder hier pas een paar jaar geleden was gaan wonen, in dit nieuwe, gemakkelijke huis, geschikt voor een vrouw die geen zin meer had in onbetrouwbare leidingen en strekkende meters tapijt.

De boedelruimers hadden in het midden van elke kamer de kartonnen dozen hoog opgestapeld en de paar overgebleven meubels ertegenaan geschoven, zodat hij gemakkelijk naar alle spullen kon wijzen en kon zeggen of ze moesten worden weggegooid (wat voor het meeste gold), verkocht of naar Engeland verscheept. Als laatste was hij naar haar slaapkamer gegaan, zelfs nu nog bang dat hij zijn moeders privacy schond. Hier was hij, naast heel veel andere dingen, op haar antieke mahoniehouten schrijftafeltje gestuit, dat eigenlijk niet meer was dan een doos waarvan het scharnierende deksel kon worden opengeklapt zodat er een hellend schrijfblad zichtbaar werd dat was afgezet met een rand van leer waarin gouden versieringen waren gestempeld. Het was het soort tafeltje waarvan je je kon voorstellen dat dames uit een ander tijdperk het hadden gebruikt om elegante brieven op duur papier te schrijven, hoewel de meeste van die bureautjes, vertelde hij, niet in het bezit waren geweest van dames in salons, maar van militairen die ze de hele wereld over hadden gesleept, van het ene slagveld naar het andere.

Toen hij het deksel had opengeklapt, zag hij, meteen bovenop, een foto liggen van zijn moeder met een onbekende vrouw, allebei nog meisjes, op Edenside, en daardoor moest hij denken aan een oud verhaal, namelijk dat zijn moeder na haar trouwen dit tafeltje mee naar Canada had genomen, dit bureautje en een koffer kleren, en zo aan haar nieuwe leven was begonnen. Hij wist op dat moment dat hij meteen het deksel dicht zou doen en het schrijftafeltje zelf mee naar huis zou nemen, zodat het niet hoefde te worden opgestuurd. Hij had het meegenomen naar het hotel waar hij logeerde, het zorgvuldig ingepakt en het als bagage naar Engeland vervoerd, VOOR-ZICHTIG BREEKBAAR. De vlucht was wederom vertraagd geweest, het eten even slecht, en nu was hij eindelijk thuis en was het tafeltje onderweg geen enkel moment zoek geweest.

'Wat vind je ervan?' zei hij ten slotte.

Ze kon alleen maar denken dat ze in dat bureautje misschien iets over Daisy zou ontdekken, even levend als haar brieven, levendiger dan ooit.

'Wanneer kunnen we langskomen?' vroeg ze.

Met verbaasde, vergenoegde stem antwoordde hij: 'Wanneer je maar wilt, natuurlijk. Dat weet je inmiddels toch wel? Wat dacht je van dit weekend?'

'Dat is goed. Dat zou ik fijn vinden. Ik zal het met Rob overleggen.' Ze hoorde Rob dat zo vaak zeggen. *Ik zal het met Claire overleggen.* Het was een hele verandering om het eens andersom te horen.

Ze namen de brieven van Daisy mee naar Hertfordshire, allemaal, vanaf de eerste tot die van deze maand, de brief van augustus, die ze zelf nog niet eens had gelezen. Ze had niet langer het gevoel dat ze de brieven dicht bij zich moest hebben, niet zoals voorheen, niet nu ze niet langer het enige in haar leven waren omdat ze nu ook Rob weer had. Ze kwamen op vrijdagavond aan, op tijd voor een laat avondmaal. Het schrijftafeltje stond in de gang, nog steeds ingepakt. Claire zag het zodra ze over de drempel stapte. Mooi zo. Nick had echt op hen gewacht. Rob volgde haar blik en zei: 'Het is nu te laat. We beginnen er morgen wel mee.'

'Ik dacht erover om vanavond de brieven voor te lezen,' zei ze. 'We kunnen het om beurten doen en zo je ouders bijpraten.'

Nick, die aan kwam lopen met twee glazen koele, frisse witte wijn, hoorde hen met elkaar praten. 'Goed idee, Claire. We kunnen meteen beginnen. Ik zal het tegen Priscilla zeggen.'

Dus dat was wat ze deden, tot laat op de avond, later dan ze ooit eerder was opgebleven tijdens een bezoek aan Robs ouders. Ze had niet de neiging de excuses te gebruiken die ze doorgaans hanteerde om vroeg te kunnen ontsnappen. Ze gaven de brieven aan elkaar door en lazen ze om beurten hardop voor, waarbij Claire de woorden vloeiend over haar lippen liet rollen terwijl de stemmen van de anderen, voor wie het verhaal minder vertrouwd was, af en toe haperden. Nick zat met zijn ogen dicht achterovergeleund in een fauteuil, en Claire wist dat hij zich zijn moeder probeerde voor te stellen, opnieuw jong, een moeder die lang geleden was vervangen door een oudere, breekbaarder versie. Hij genoot van de stukjes waar Daisy het over hem of Elizabeth had, dat zag Claire aan de manier waarop hij overeind kwam op het versleten gebloemde chintz en zijn oren spitste.

Priscilla was de eerste die iets zei toen Claire de passage voorlas waar Richard en Daisy elkaar voor de eerste keer ontmoetten.

'Hoe zei je dat die man heette? Richard hoe?'

'Dacre.'

'Richard Dacre. Nick, herinner je nog al dat gedoe toen Rob werd geboren? Je moeder wilde graag dat we hem Richard zouden noemen, maar daar wilde ik niets van weten. Ze maakte zich er behoorlijk druk over, en we hebben eigenlijk nooit begrepen waarom. Ze was gewoon niet het type dat zich snel druk maakte, hè? Dat ben je toch niet vergeten?'

Nick deed zijn ogen open. Claire en Rob keken hem allebei verwachtingsvol aan. 'Ja, nu je het zegt, ik kan me er nog wel iets van herinneren,' zei hij. 'We bleven bij ons besluit, en wat zei ze er uiteindelijk over? Wacht even, ik weet het weer. Ze zei dat het er eigenlijk niet zo veel toe deed omdat de initialen toch hetzelfde zouden zijn. Robert Dawson. R.D.'

'Richard Dacre,' zei Claire triomfantelijk. 'Ze wilde hem Richard noemen, naar de geliefde van Daisy. Dat moet voor haar een manier zijn geweest om hem niet te vergeten.'

'De geliefde van Daisy?' zei Priscilla. De schrik was zichtbaar in de manier waarop de randjes van haar mond, waarin de lippenstift van die dag begon uit te lopen, verstrakten.

'Wacht maar af, Priscilla,' zei Claire lachend. 'Wacht maar af. Rob, nu is het jouw beurt om voor te lezen.'

Toen ze klaar waren, was het bijna middernacht, maar Claire had het gevoel dat het later was. Naarmate het verhaal vorderde, was de spanning in haar binnenste toegenomen. Het was vreemd het in de stemmen van de anderen te horen. Ze was eraan gewend geraakt het in de stem van Daisy te horen, al was dat eigenlijk de stem van haarzelf.

'Zullen we nu de volgende lezen, Claire? Die van augustus?' zei Nick.

'Goed,' zei ze, en toen, met de nodige moeite: 'Priscilla, wil jij de volgende brief voorlezen?'

'O, graag,' zei ze, en Claire wist dat ze het meende. Ze waren inmiddels aan de koffie toe. Priscilla dronk haar kopje leeg, schraapte luid haar keel en begon:

augustus 1943

Lieve Elizabeth,
Het belangrijkste nieuws is dat het schilderij eindelijk klaar is. Ik was erbij toen Richard zijn penseel neerlegde en wilde het natuurlijk dolgraag zien, maar ik kneep 'm ook behoorlijk! Het was zo zenuwslopend, al dat wachten totdat hij me het zou laten zien. Ik had er nog helemaal niets van gezien. Hij had me laten beloven dat ik niet stiekem zou kijken en daaraan heb ik me gehouden. Het was het ideale moment, een prachtige zomeravond, de zon ging net onder. Het atelier was gevuld met een warm, oranje licht waardoor zijn hele gezicht straalde. Je hebt tijd om dat soort dingen waar te nemen als je voor een kunstenaar model zit (dat klinkt toch

indrukwekkend!), want je kunt alleen maar kijken en nadenken.

Hij pakte mijn hand en we liepen samen naar de ezel. Het was alsof ik zijn eigen ruimte binnenliep, want daar zit hij altijd. Je ziet daar zijn voetafdrukken, alleen die van hem, in de kalk en de verf die in de vloerplanken is gedrongen. Toen trok hij met een bijzonder zwierig gebaar het laken van het doek en liet me, voor de eerste keer, mezelf zien, of in elk geval een versie van mezelf. Aanvankelijk schrok ik heel erg. Niemand van ons weet natuurlijk hoe we er echt uitzien. Ik wist eerst niet wat ik ervan moest denken, maar ik bleef staan en zei tegen mezelf dat ik moest blijven kijken. Het was tegelijkertijd angstaanjagend en prachtig. Bedenk je eens dat nu is vastgelegd hoe ik ben, vandaag, op 4 augustus 1943! Over heel veel jaar zal ik mijn kinderen en kleinkinderen kunnen vertellen dat ik zo ben geweest. Geen rimpels. Zacht haar, golvend. Verzorgd. Belangrijk, in elk geval in Richards ogen. Het is erg moeilijk te beschrijven, want hoewel ik kan zien dat ik het ben, kloppen de kleuren niet helemaal, en de vormen ook niet. Maar wanneer je het allemaal bij elkaar ziet, op een paar meter afstand, krijgt het vanzelf vorm. Richard is er zo mee in zijn nopjes. Hij zegt dat het precies weergeeft wie ik ben. Ik draag dat sjaaltje met dat patroontje dat je me voor mijn achttiende verjaardag hebt gegeven. Weet je dat nog? Dat met die bloemetjes. Je zat al die tijd te zeuren dat je er zo lang voor had moeten sparen, maar nu ben je vast blij dat je dat hebt gedaan.

Op het schilderij zie je me hard aan het werk op kantoor, en ik lijk veel trotser op wat ik doe dan ik in werkelijkheid dacht te zijn. Dat is aardig van hem – voor mij, natuurlijk, en ook voor juffrouw Johnson die het dolgraag wil zien en geen dag voorbij laat gaan zonder te vragen of het al klaar is. Er ligt een rij geslepen potloden naast me, en op de vensterbank achter me staat een verlepte plant. Die dingen staan er in het echt ook, al heeft hij ze in fellere kleuren geschilderd dan ze in werkelijkheid zijn. Ik zou willen dat hij die plant ook iets feller had geschilderd, want nu weet iedereen dat ik hem nooit water geef. Dat had hij kunnen doen. Kunstenaars kunnen immers doen wat ze willen. Maar hij zegt dat hij de plant zo veel mooier vindt, met die levende stukjes groen en heel veel verlept bruin langs de randjes. Het is symbolisch, omdat dingen tegenwoordig goed en slecht zijn en het leven soms eindeloos door lijkt te gaan hoewel het aan de randjes wat rafelig is. Toen hij me dat eenmaal had uitgelegd, zag ik wel wat hij bedoelde, maar zullen anderen het ook zien?

Op het schilderij is het raam achter me beplakt met gekruiste stukken bruin papier, zodat het glas niet naar binnen kan spatten als er onverwacht een bom mocht afgaan, en zelfs dat ziet er op het schilderij beter uit dan in het echt, bijna als gebrandschilderd glas. Buiten zie je het karkas van het gebouw tegenover ons kantoor, waar vroeger nog meer kantoren stonden. Het is nog steeds lelijk, daar kan hij niets aan veranderen, zelfs nu ze het opnieuw aan het opbouwen zijn. Hij heeft de bloemen die eromheen groeien niet geschilderd, hoewel er wel een paar staan. Ook dat is volgens hem symbolisch.

Het eerste wat Richard nu gaat doen, is het naar kantoor brengen, zodat juffrouw J en de meisjes het kunnen zien. Daarna gaat het naar het comité, en duim maar voor ons dat ze het mooi zullen vinden. Als het ooit wordt geëxposeerd, zal hij door het dolle heen zijn van pret. Het is toch gek, dat wilde ik vroeger ook, liever dan wat dan ook, maar nu weet ik het niet meer zo zeker. Het is zo lang iets persoonlijks geweest, tussen mij en hem, en ik wil het eigenlijk niet delen. Maar ik weet dat Richard het nooit alleen voor ons heeft bedoeld.

Je zult blij zijn te horen dat ik het schilderij in de National Gallery niet heb overgeslagen, al zat ik met mijn eigen schilderij dat af moest. Ik ben er nu te veel aan gewend geraakt om elke maand te gaan en het dan af te strepen. Het schilderij was een zelfportret van Rembrandt. Hij schijnt er heel veel te hebben gemaakt, in allerlei verschillende poses en telkens met andere kleren aan. Ik zou ze heel graag allemaal naast elkaar willen zien, in chronologische volgorde, zodat je kunt zien hoe hij door de jaren heen is veranderd (of hoe hij in elk geval dacht te zijn veranderd, want niemand kan er zeker van zijn hoe hij er echt uitzag). Maar zo werkt het tegenwoordig natuurlijk niet in het museum. Dit is het allerlaatste zelfportret dat hij ooit heeft gemaakt, want hij is hierop al drieënzestig en dat is het jaar waarin hij is overleden. Volgens mij is dat nog niet eens zo slecht. Ik dacht dat ze in die tijd niet ouder werden dan een jaar of veertig. Hij heeft zichzelf tegen een donkere, aardse achtergrond geschilderd, en hij rijst eruit op in nog meer bruin. Hij draagt een jas die is dichtgeknoopt en is afgezet met iets wat op bont lijkt, maar het is moeilijk te zeggen wat het is omdat al dat bruin in elkaar overloopt. Ik vind het effect niet erg vrolijk, al was Rembrandt nog zo vaardig. Het is al met al tamelijk somber. Volgens Richard zijn kleuren als bruin minder expressief dan geel of blauw, en Rembrandt had tegen het einde van zijn leven zo weinig geld dat hij zich alleen goedkope materialen kon veroorloven. Dat stemt toch somber, nietwaar, het idee dat levens, zelfs die van beroemde mensen, vaak zo naar en armoedig eindigen. Ik zou graag willen dat mijn leven kleurig eindigt.

Ik ben tot de slotsom gekomen dat Rembrandt dit zelfportret puur voor zijn eigen genoegen heeft gemaakt. Ik kan me maar moeilijk voorstellen dat iemand dit heeft gekocht. Wie wil er nu een portret van een kunstenaar als je ook een portret van jezelf kunt krijgen? Zijn geliefde en zijn zoon waren toen al dood, dus de enige die het kon waarderen, was Rembrandt zelf. Het is zo'n verdrietig idee, dat hij in een leeg huis rondscharrelde met alleen zijn eigen schilderijen als gezelschap. Het is in alle opzichten een verdrietig schilderij. Je kunt alle problemen in het leven van Rembrandts gezicht aflezen. Het is ouderdom, dat is het, dat zie je aan de wallen onder zijn ogen en de rimpels op zijn voorhoofd, en aan al die toefjes wit haar op zijn kalende hoofd. Hij heeft ook een grijze snor, die volgens mij helemaal niet zo mooi is als hij ooit was, en een pluizig baardje. Nou ja, zo eindigen we vroeg of laat allemaal. Ik hoef niet te hopen dat ik zonder rimpels eindig, denk ik. Zijn trekken zijn vrij onduidelijk, alsof hij al aan het wegteren is en dat ook weet – of misschien verbeeld ik me dat.

Hierdoor ben ik me gaan afvragen hoe Richard er op zijn drieënzestigste uit zal zien. Met wit haar, net als Rembrandt, of kaal? Hij zal nog altijd lang zijn, tenzij hij een kromme rug krijgt. Hij zal waarschijnlijk hetzelfde tweedjasje dragen als nu, alleen met nog meer verf rond de manchetten. En ik? Ik heb het aan Richard gevraagd, en hij zei dat hij me dan weer zal schilderen zodat we kunnen zien hoeveel ik ben veranderd – of niet. Wat aardig dat hij dat zei, vind je niet? Dat betekent iets, of misschien wel alles.

Ik heb Charles helemaal niets over Richard verteld. Natuurlijk niet. Ik heb niets van hem gehoord, al weken niet. Je denkt toch niet dat hij iets vermoedt? Ik wil hem niet teleurstellen, niet nu hij aan het front zit, tenzij het echt niet anders kan. Hij hoeft het niet te weten, nog niet. Het kan wel wachten.

Heel veel liefs,

Daisy

De volgende dag was het stralend weer, of zo noemden ze het in elk geval op de radio. Een stralende augustusdag. Nu de zon scheen, leken zelfs de koude stenen van het huis warm te worden, en voor de verandering zag Claire hoe mooi het hier kon zijn toen ze 's morgens het raam opende en de nectarzoete geur van de tuin inademde. Had Constable dat proberen vast te leggen met zijn *Hooiwagen*? Ze begreep nu waarom het zo belangrijk voor hem was geweest om alles vast te leggen. De klimrozen tegen de muur stonden in volle bloei en tuimelden knalroze en felrood over elkaar heen, sterker geurend dan ooit. Beneden in de perken groeiden late klaprozen die nu al knakten in de hitte, met bloemblaadjes die zo hun best moesten doen om te overleven dat ze gekneusd oogden.

Ze ontbeten buiten in de tuin, met croissants, baguettes en aardbeienjam, alsof ze op vakantie in Frankrijk waren. Het had heerlijk moeten zijn, maar het deed Claire te veel denken aan de laatste keer dat ze croissants had gegeten, in bed met Rob, voordat ze hem alleen had gelaten en naar Dominic was gegaan – en later thuis was gekomen en het briefje van Rob had gevonden, en de kruimels nog steeds op het aanrecht. Ze kon zich er niet toe zetten de verse koffie uit de cafetière te drinken. Die rook te sterk. Ze vroeg zich af hoeveel Robs ouders wisten. 'Niets,' had Rob haar verzekerd. 'Helemaal niets. Ik ben niet naar mijn ouders gegaan toen...' Hij wilde het zomin zeggen als Claire. *Toen ik je verliet. Toen ik je verliet. Toen ik dacht dat ik misschien niet meer terug zou komen.*

'Maar waar...' vroeg ze.

'Een hotel,' zei hij. 'Het was eenzaam, alleen ik en de tv. Roomservice. Warme witte wijn uit de minibar.'

Claire vroeg zich af of ze op een dag om deze absurditeiten zouden kunnen lachen. Nee, dacht ze. Waarschijnlijk niet. Waarschijnlijk zouden ze er nooit om kunnen lachen en zouden ze er geen seconde van vergeten, maar misschien hoorde dat ook zo. Misschien zou het hen eraan herinneren dat ze nog altijd iets hadden om voor te vechten.

Tijdens het ontbijt spraken ze over Daisy, want nu ze voor het eerst iets met elkaar gemeen hadden, wilde niemand die band loslaten. Ze speculeerden over wat er kon zijn gebeurd totdat de koffie koud was en er slechts een zweem van het aroma in de lucht hing. Of Daisy bij Richard zou blijven. En zo ja, wat er dan met Charles zou gebeuren. Hoe het schilderij van Daisy er echt uitzag. Waar het was gebleven. Wat Elizabeth er allemaal van had gevonden. Niemand stelde de vraag die Claire zichzelf telkens stelde wanneer ze een volgende envelop van de stapel pakte, namelijk waarom de brieven waren opgehouden. 'Kunnen we niet de volgende brief lezen?' vroeg Nick smekend, en Rob was degene die zei nee, daarvoor zou hij tot september moeten wachten. Ten slotte kwam er een einde aan al het speculeren en vulde Nick de verwachtingsvolle stilte door de kartonnen doos uit de gang te pakken en haalde Priscilla een keukenschaar tevoorschijn om het plakband door te knippen. Samen tilden ze het uit de doos, het schrijftafeltje dat op Edenside had gestaan en waaraan Daisy zelf misschien wel een paar keer had gezeten, om een bedankje of een uitnodiging voor een etentje te schrijven, haar tere handen rustend op het leer. Nick klapte het deksel open, tilde het schrijfvlak omhoog en liet zien wat er allemaal onder verborgen lag. Claire had tot nu toe nooit beseft hoe eenvoudig het was om iemands leven bloot te leggen.

Bovenop lag de foto van de twee meisjes, allebei nog jong, op de grens van volwassenheid, met een eendere glimlach, zelfverzekerde blikken, hun haar losjes opgestoken. Ze zaten buiten aan een smeedijzeren tafel en op de achtergrond lag een stel fietsen. Ze droegen truien met een v-hals en korte mouwen over katoenen bloesjes, en hun knielange rokken zagen er te zwaar en warm uit. Ze hadden wel een tweeling kunnen zijn, in dezelfde kleren, met hetzelfde haar, maar een van hen was

Elizabeth en de ander was Daisy, en Claire herkende Daisy aan haar spontane glimlach en de manier waarop ze recht en zonder angst in de lens keek. Achter hen waren de stenen muren van een huis te zien, waarover klimop zich een weg zocht naar het dak, en zelfs als Nick het niet had herkend, zou Claire nog hebben geweten dat het Edenside was. Was Elizabeth degene geweest die hun namen achterop had geschreven, met de toevoeging EDENSIDE, 1937? Was Charles degene geweest, vroeg ze zich af, die achter de camera had gestaan en tegen hen had gezegd dat ze moesten glimlachen toen hij de ontspanner indrukte en hun gestalten klein en veraf door de zoeker zag?

Het volgende voorwerp was een stevig opgevouwen vel papier. Nick vouwde het open en spreidde het uit over de houten tuintafel met zijn ruwe laag korstmos. Claire zag meteen dat het een stamboom was, het soort dat op een middag haastig op papier was gezet, en niet zorgvuldig op perkament was gekalligrafeerd om aan volgende generaties te worden doorgegeven. Claire zag dat Nicks vinger als vanzelf naar de naam van zijn moeder gleed, waaronder haar geboortejaar, 1920, was genoteerd, met daaronder weer zijn eigen naam en zijn geboortejaar, 1942, en naast hem zijn broer Brian. Bij hen alle drie stond er een liggend streepje achter het jaartal, wat in het geval van zowel Nick als Brian aangaf dat ze nog leefden en bij Elizabeth betekende dat er niemand was geweest om haar dood vast te leggen. Haar blik kruiste even die van Nick toen ze dat zag, en ze wist dat hij, net als zij, dacht: dat moeten we later invullen. Er was geen vermelding van Nicks huwelijk met Priscilla, en al helemaal geen verwijzing naar Rob. Dat betekende dat Elizabeth hier decennia geleden voor het laatst naar moest hebben gekeken.

'Waar is Daisy, Nick?' vroeg ze. 'Ik zie haar naam nergens staan.' En toen volgde ze het pad van zijn vinger die langzaam, aarzelend, over het vel papier bewoog. Daar was ze, Daisy, hoewel Claire MARGUERITE MILTON zag staan, genoteerd in een duidelijk handschrift. Tot dan toe had Claire er geen moment aan gedacht dat Daisy misschien niet haar echte naam was; dom natuurlijk, want het was een afleiding van Marguerite, dat in het Frans 'madeliefje' betekende en in die tijd vaak door Daisy werd vervangen. Marguerite. Daardoor leek ze op de een of andere manier veel meer volwassen.

Net als bij Elizabeth was het eerste jaartal onder haar naam ook 1920.

En de laatste datum, genoteerd in de zwartste, dikste inkt, luidde ontstellend genoeg 8 NOVEMBER 1943.

Toen Claire dat zag, vloog haar hand naar haar mond, nog voordat het echt tot haar doordrong, en ze vreesde dat ze moest overgeven. Rob zag haar bewegen en legde instinctief zijn hand op haar arm. Ze keek dankbaar naar hem op.

'Daarom zijn er niet meer brieven. O, god, dat is de reden.' Claire zei alleen maar hardop wat ze al die tijd had vermoed.

Rob bleef haar arm vasthouden. 'We hebben het altijd wel gedacht, dat ze niet meer in leven zou zijn.'

'Maar drieëntwintig, Rob. Ik had nooit gedacht dat ze zó jong zou sterven.'

Priscilla en Nick keken hen met een vreemde blik aan. Maar ze gaven niet om Daisy, niet zo veel als zij. Dat kon ook niet. Ze was voor hen niet belangrijker dan de andere namen in de stamboom, en zelfs nog minder belangrijk dan sommige van de andere namen, zoals Elizabeth en Bill, mensen van wie Nick had gehouden en die niet alleen namen of rariteiten waren, maar zijn ouders.

Nu merkte ze dat haar vinger naar Daisy's naam gleed, en daarna naar die van Elizabeth, en daarna verder naar de strakke, ferme lijnen die huwelijken en kinderen aangaven, en nog meer huwelijken, nog meer kinderen, om ten slotte te eindigen bij het enige wat de meisjes bond: een gemeenschappelijke overgrootouder.

Ze bleef onderweg alleen steken bij Daisy's – Marguerites –

ouders: Edmund en Alicia, ouderwetse namen voor mensen die waren geboren in een tijd die zelfs anders was dan de periode waarin hun eigen kinderen zouden opgroeien. Alicia was in 1935 overleden, toen Daisy nog maar vijftien was geweest. Arme Daisy, dacht Claire, nog een reden om 'arme Daisy' te denken, hoewel ze door de brieven al had geweten dat Daisy en haar vader in 1942 nog maar met hun tweetjes waren.

'Wat betekent dat allemaal, pap?' vroeg Rob. 'Hoe waren Elizabeth en Daisy precies met elkaar verwant?'

'Nou, als ik het hier zo zie, denk ik dat ze achternichtjes waren, of achterachternichtjes. Ik kan nooit onthouden wat wat is. Volgens mij was de oma van Daisy een zuster van de oma van Elizabeth.'

'En wat ben ik dan van Daisy?'

'Ik heb echt geen idee. Ik weet niet hoe je dat moet noemen. Een neef in de zoveelste graad? Wat zeg jij ervan, Priscilla? Jij bent meestal beter in dit soort dingen dan ik.'

'Ik denk dat Rob een achterachterachterneef is. Het is een vrij verre verwantschap. Dat kunnen we allemaal zien.'

'Nou, misschien niet zo heel ver,' zei Nick met een bedachtzame blik op Claire.

Ze haalde diep adem en verwoordde een waarheid die ze vanaf het allereerste begin had onderdrukt. 'Het geeft niet, Nick. Ze is niet eens familie van me, niet echt, zelfs geen heel verre familie. Aangetrouwd telt niet echt mee, toch?'

'Ik schaam me een beetje,' zei hij. 'Nu ik het allemaal zo opgeschreven zie staan. Als ik aan al die mensen uit mijn familie denk. Ik heb hun namen zelfs nooit gekend, en nu zijn ze allemaal dood.'

Hij had gelijk. Dat zag Claire ook, nu ze met haar eigen vinger langs al die namen ging. Het was niet alleen Daisy. Het was ook iedereen die voor haar kwam, en tegelijk met haar, ook Elizabeth, al die mensen die nu allemaal niet meer waren dan stof. Daisy betekende alleen maar iets voor hen vanwege de brieven. De brieven hadden haar teruggebracht, maar dat was alles. Aan Daisy ontsproot geen tak van de stamboom, er waren geen kinderen of kleinkinderen die de lege ruimte konden vullen. Alleen brieven, louter vellen papier en zinnen en een leven waaraan te snel een einde was gekomen.

'Mijn moeder zou het heerlijk hebben gevonden dat je dit allemaal hebt gedaan, dat je die brieven hebt gelezen en naar de schilderijen bent gaan kijken. Ik weet zeker dat ze er van alles over had willen horen,' zei Nick nu.

Dat weet ik niet zo zeker, dacht Claire. Als die brieven er niet waren geweest, had ik nooit kennisgemaakt met... Ze wilde die zin niet afmaken. Woest schudde ze haar hoofd. Maar het was voorbij. Het was allemaal voorbij. Precies op dat moment boog Priscilla zich voorover en stak haar hand uit naar Nick en zei: 'Je hebt gedaan wat je kon. Meer verwachtte ze niet.'

Hij keek haar aan en zei: 'Dat weet ik. Maar ik mis haar.'

'Natuurlijk. En je zult haar altijd blijven missen,' antwoordde ze. 'Kom op, ga nog eens koffiezetten.'

Je hoeft niet te huilen waar de kinderen bij zijn, dat bedoelde ze eigenlijk, en Claire zag meteen dat hij elk moment in tranen kon uitbarsten. Hij pakte de cafetière en liep naar binnen, en voor het eerst in al die jaren dat Claire hen kende, besefte ze dat er nog iets als liefde tussen hen bestond. Ze verbeterde zichzelf. Niet 'iets als liefde', maar meer dan genoeg om het vol te houden. Dat betekende dat ze meer geluk hadden gehad dan vele anderen, begreep ze nu.

Ze richtten opeens allemaal weer hun aandacht op het tafeltje, alsof ze op iets waren betrapt. Rob nam nu de leiding en begon er allerlei papieren uit te halen, oude kwitanties, vergeelde kaarten en kaartjes, die voor hen allemaal zonder betekenis waren. Het was grotendeels het afval van decennia dat zich rustig had kunnen verzamelen omdat Elizabeth niet de moeite had genomen om het weg te gooien. Het waren voorwerpen die door de jaren heen een dusdanige betekenis voor haar hadden gekregen dat ze moesten worden bewaard. Er zat een tijdschrift tussen, met de titel *Burlington*, waarvan de hoekjes omkrulden en dat door ouderdom dof was geworden. Ze legden het opzij, zodat ze het konden lezen wanneer ze daar tijd voor hadden. Het interessantst waren de andere foto's, een handjevol maar, die nooit in albums waren geplakt of waren ingelijst, maar die belangrijk genoeg waren geweest om te worden bewaard. Er waren een paar wazige kiekjes van Elizabeth en haar baby'tje Nick, die ze allemaal braaf bestudeerden. Daarna volgden foto's waarop het gezin weer compleet was en Bill, terug uit de oorlog, trots zijn arm om zijn vrouw had geslagen en de baby op de foto nu Brian was, terwijl Nick naast hem stond en de broekspijp van zijn vader vasthield.

Terwijl Rob en Nick de foto's aandachtig bekeken, pakte Claire die eerste foto nog eens, en het was alsof ze een herinnering vasthield die niet de hare was. Ze waren vriendinnen geweest, Daisy en Elizabeth, goede vriendinnen. Dat zag ze. Al die vakanties die ze samen hadden doorgebracht, het gedeelde plezier, de lange brieven. Ze waren degenen die echt iets met elkaar gemeen hadden, die een gezamenlijk verleden hadden. Dat hadden zij en Daisy niet. Daisy had haar brieven geschreven zonder ook maar een moment aan Claire te denken omdat Claire simpelweg nog niet bestond. Elizabeth was echt geweest, en hetzelfde gold voor Richard, en Charles, en Molly en al die andere meisjes op kantoor. Hoe zou Daisy hebben gereageerd als iemand haar toen had verteld dat op een dag een andere vrouw haar brieven zou lezen en dezelfde schilderijen zou bekijken als zij had gezien en daardoor bijna in bed zou belanden met een aantrekkelijke vreemdeling die ze had ontmoet? Claire had geen idee. Dat was juist het hele punt. Ze kon het niet weten. Maar ze vermoedde dat Daisy erom zou hebben gelachen.

Er lag nog maar één velletje papier in het mahoniehouten

schrijftafeltje, dat zo veel meer oorlogen had overleefd dan alleen maar die van Daisy en Richard.

'Het is van Edmund. Wie is dat?'

'De vader van Daisy,' zei Claire. 'Weet je nog? Kijk, hij staat recht boven haar in de stamboom.' Zou Elizabeth hebben geraden wat er was gebeurd, zelfs nog voordat ze verder was gekomen dan 'Mijn lieve?' Rob was degene die de brief hardop las.

12 november 1943

Mijn lieve Elizabeth,

Ik heb heel lang nagedacht over hoe ik deze brief aan jou moest beginnen, want het aan jou vertellen is nog het allermoeilijkste. Ik weet dat je erg goed bevriend was met Daisy, en er is geen gemakkelijke manier om je dit te vertellen. Ze is dood. Mijn dochter is er niet meer. Wie had kunnen denken dat er zo weinig woorden nodig zijn om zo veel te zeggen?

Ik wil dat je weet wat er is gebeurd, voor zover ik dat zelf weet. Ik denk dat dat het uiteindelijk gemakkelijker voor je zal maken, zij het misschien niet nu. Hoe vaker ik het moet uitleggen, des te bedrevener ik erin word. Je zult het moeilijk kunnen geloven, zo ver weg van hier, maar ik heb haar lichaam gezien en haar hand vastgehouden, en al het leven was eruit weggevloeid. Het was een luchtaanval. Kun je je dat voorstellen, nadat het zo veel maanden rustig is geweest? Ik denk dat we allemaal waren gaan geloven dat de sirenes nooit meer zouden loeien. Daarin hebben we ons vergist. Ze was te ver van een schuilkelder. Er is een bom ontploft en daardoor is een bakstenen muur ingestort. Die is niet alleen op haar gevallen, maar ook op anderen. Ze lagen allemaal samen onder het puin beklemd. Men zegt dat ze niet heeft geleden. Misschien zeggen ze dat tegen alle rouwende ouders. Dat is nog het ergste, de gedachte dat ze daar hulpeloos heeft gelegen, dat haar lichaam bezweek onder de druk van al die stenen, en dat ze wist dat ze niet weg kon komen.

Haar identiteit kon worden vastgesteld dankzij haar bonnenkaart. Ik bleef hopen dat ze zich hadden vergist en dat ze nog leefde, maar ik werd de hele reis naar Londen door een droom op de been gehouden. Ze stuurden me naar een mortuarium, om het lijk te identificeren. Ik had gedacht dat ze er net zo uit zou zien als vroeger, toen ze als klein meisje in bed lag te slapen. Ik was vergeten dat ze groot was geworden.

Ze hadden haar schoongemaakt omdat ze wisten dat ik zou komen. Dat was aardig. Er lagen ook andere doden, niet eens afgedekt, met gezichten die bleek waren van het stof van het pleisterwerk. Ze zagen er allemaal zo oud uit. Dat kwam door het stof, dat maakte hen even uitgedroogd als die stumpers in Pompeii. Zij lag er ook tussen, mijn enige dochter, mijn mooie kindje, en ze zag er zo vredig uit. Dat zei ik in elk geval tegen mezelf. Er was geen bloed te zien. Ze is aan inwendige verwondingen overleden, dat zei men tegen me. Ze droeg dat sjaaltje dat jij haar jaren geleden hebt gegeven, dat met die bloemetjes. Daar was ze altijd dol op.

Als het had gekund, had ik haar naast haar moeder laten begraven, maar tegenwoordig kunnen lichamen niet meer worden vervoerd. Er zijn te veel regels. Er is geen tijd voor. De begrafenis is morgen, op de begraafplaats in Highgate. Ik verwacht niet veel bezoekers. Ik weet amper aan wie ik het moet vertellen. Ik heb lieve briefjes ontvangen van Molly, een meisje dat met haar op kantoor werkte, en van haar cheffin, juffrouw Johnson. Ik hoop zo dat ze komen. Het meisje Molly vroeg of ik het aan Richard had verteld, alsof dat iemand is die het zou moeten weten. Weet jij wie ze bedoelde? Ze noemde geen achternaam en Daisy heeft nooit over een Richard gesproken. Ik heb een bericht naar Charles gezonden. Het verlies zal hem natuurlijk zwaar vallen. Het spijt me dat de omstandigheden dusdanig zijn dat je hier pas van zult horen als de begrafenis al achter de rug is. Voor Daisy maakt dat niets uit. Dat weet ik, want ik heb haar gezien. Ze was er niet meer. Maar bezoek op een dag haar graf, als je daartoe in staat bent, en denk dan aan de tijd van vroeger.

We zijn de laatste jaren zo aan de dood gewend geraakt, meer dan natuurlijk is, maar ik had nooit gedacht dat ik nog eens de enige twee vrouwen zou moeten begraven van wie ik echt heb gehouden, eerst Alicia en nu Daisy. Ik had haar nooit naar Londen moeten laten gaan. Ik had haar bij me moeten houden. Maar je weet zelf hoe ze was. Als ze eenmaal iets in haar hoofd had, liet ze zich door niemand tegenhouden. Dus misschien wil ik alleen maar zeggen dat het zo niet had hoeven gaan. Mijn arme, verpletterde jonge Daisy. Tot aan vorige week beschouwde ik mezelf bijna nog als jong. Nu kom ik krakkemikkig de dag door, gebroken door dit vreselijke verdriet. Ik wist vijfentwintig jaar geleden mijn oorlog door te komen. Lieve God, waarom werd mijn dierbare Daisy niet hetzelfde gegund? Lieve Elizabeth, vergeef me dat ik zo afdwaal. Ik weet dat je je eigen verdriet zult moeten verwerken, je hoeft niet met het mijne te worden belast. Ze heeft niet veel achtergelaten, het arme kind, wat kleren en papieren, meer niet. Ik zal een pakje maken van alles waarvan ik denk dat het iets voor jou kan betekenen en hoop dat het je samen met deze brief zal bereiken. Het voelt niet juist om de geheimen van mijn kind te lezen. Ik ben te oud om het te begrijpen.
Liefs,
Edmund

'Waarom heeft hij geen telegram gestuurd?' vroeg Claire toen Rob eindelijk het einde van de brief had bereikt. 'Elizabeth had het meteen moeten horen.'

'Misschien was dat te duur,' opperde Priscilla.

'Of misschien dacht hij dat het niet uitmaakte,' zei Rob. 'Dood is immers dood. Er is niets aan te veranderen.'

Claire gaf geen antwoord. Ze dacht aan hoe lang de brief onderweg was geweest, en dat die tijd Daisy een paar weken meer van het leven had gegeven, net zoals de vondst van de brieven haar op een bepaalde manier een paar maanden meer had gegeven.

In de trein terug naar Londen zeiden ze amper iets omdat ze allebei doodmoe waren vanwege alle gebeurtenissen. Claire liet zich achterover tegen de gestoffeerde zitting vallen en voelde de ruwheid van de stof onder haar haar en vroeg zich af hoeveel kalende hoofden vol roos daar eerder tegenaan hadden geleund. Toen pakte Rob haar hand en legde ze haar hoofd op zijn schouder terwijl de trein voortratelde.

'Je gaat samen met mij naar het schilderij van Rembrandt kijken, hè?' vroeg ze ten slotte, naar hem opkijkend.

'Natuurlijk. Dat hoef je niet eens te vragen,' antwoordde hij.

Ze liet zich weer tegen hem aan vallen en viel toen in slaap. Geen dromen. Geen nachtmerries. Alleen slaap.

Ze gingen de volgende dag al naar het zelfportret van Rembrandt kijken, aan het begin van de avond, toen het museum vrijwel verlaten was. Aanvankelijk voelde het ongemakkelijk, als een eerste afspraakje, vol gehaaste opmerkingen gevolgd door een plotselinge stilte. Ze liepen zij aan zij door het gebouw, over vloeren waarop hun kantoorschoenen harde geluiden maakten, in de wetenschap dat ze niet veel tijd hadden omdat het museum weldra dicht zou gaan. Maar het zelfportret van Rembrandt was gemakkelijk te vinden op de afdeling Schilderkunst 1600-1700.

Claire had niet de indruk dat Rembrandt een knappe man was geweest, in elk geval niet op zijn drieënzestigste, met zijn bolle neus en pafferige trekken die door de jaren heen hun scherpte hadden verloren. Het toefje haar op zijn kin zag er zielig uit, de gevouwen handen voor zijn buik leken te groot, en het hele schilderij was gedompeld in somberheid, zoals Daisy ook al in haar brief had geschreven. Het leek zo onaardig om het tussen twee andere werken te hangen, twee veel mooiere Rembrandts, in elk geval in de ogen van Claire, een schilderij van een vrouw die met haar benen in het water stond en haar hemd tot aan haar dijen optrok, en een van een vrouw die leek te bezwijken onder het gewicht van sieraden en goud. Het waren allebei mooie jonge vrouwen, en, volgens de bordjes naast de doeken, allebei geliefden van de schilder. Arme Daisy, dacht ze. Ze had gehoopt nog zo vaak voor Richard te kunnen poseren, maar ze had nooit de kans gekregen.

Rob stond naast haar en deelde met haar de informatie uit de audiorondleiding die hij bij de ingang had gehaald en waarvan ze het meeste al wist dankzij de brief van Daisy, maar ze hoorde nu ook dat Rembrandt naast het verlies van zijn vrouw en zoon een faillissement had gekend waarvan hij zich nooit had weten te herstellen. In de loop der jaren was hij zijn huis, zijn verzameling prenten en schilderijen en zijn eigen kunst kwijtgeraakt, om nog maar te zwijgen van zijn goede naam. De paar opdrachten die hij nog had gekregen, hem ongetwijfeld met de nodige twijfel verleend, waren niet gunstig ontvangen, en hij veranderde van een gevierd publiek figuur in een oude man die verborgen in de schaduwen van een wereld vol armoede leefde, een wereld van brood en kaas, niet van vlees en wijn, waarin de gebrande oker spaarzaam moest worden gebruikt. Ze vroeg zich af wat hij van het leven had gevonden. Dacht hij aan het weinige wat hij nog had, urenlang starend in de spiegel, met zijn penseel in de hand? Dacht hij aan zijn overleden zoon? Of bad hij nog steeds dat hij het eeuwig zou volhouden, met of zonder geld om te schilderen, omdat dat in elk geval nog een soort van bestaan was, hoe teleurstellend het verder ook was?

Het verbaasde haar dat Rembrandt nog altijd zo'n zelfverzekerde blik had. Ongetwijfeld had hij willen leven, dat wilde bijna iedereen, eeuwig leven. Ze vroeg zich af hoe zij zich op die leeftijd zou voelen, wanneer ze haar dieper wordende rimpels en droge lippen in de spiegel zou zien en haar handen vol ouderdomsvlekken over elkaar zou vouwen. Zou ze nog altijd ergens in de verte naar de vorm van Oliver zoeken, beseffend dat het dan niet meer zo lang zou duren voordat ze zijn vingers rond de hare zou voelen? Het zou beter zijn als Rob zich bij haar spiegelbeeld voegde, zodat hij haar over haar dunner wordende haar kon strelen, zich herinnerend hoe het ooit had aangevoeld, denkend dat het nog steeds zo was. Toen ze dat dacht, zag ze de eenzaamheid achter Rembrandts uitdagende blik.

Toch was Rembrandt er in elk geval in geslaagd voort te leven in zijn werk, net zoals Daisy had gehoopt voort te leven in het schilderij dat van haar was gemaakt. Mensen wisten nog wie hij was, en dat kon je niet bepaald zeggen van de familieleden op oude zwart-witfoto's die net zo lang van de ene op de andere generatie werden doorgegeven totdat niemand meer wist wie de gezichten waren die zo plechtig recht in de camera keken. Gezichten op een foto, jaartallen in een stamboom. Ze had het in de ogen van hen allemaal gezien toen ze de spulletjes van Elizabeth hadden bekeken. Het stelde allemaal niet zo veel voor. Dankzij zijn roem kon Rembrandt voortleven in de verbeelding van het publiek en hun musea en hun boekwinkels. Maar misschien had hij dat wel allemaal willen verruilen voor nog één keer samen zijn met zijn gezin, zonder op een cent te hoeven te kijken, voor nog één aangename eigen herinnering voordat hij zijn penseel neerlegde en zijn ogen voor altijd sloot. Dat zou Daisy ongetwijfeld wel hebben gedaan. Daisy zou alle liefde van Claire, alle pogingen van Claire, al haar eigen brieven hebben verruild voor een leven met Richard. Claire nam haar dat geen moment kwalijk.

Nu ze opnieuw naar het schilderij keek, besefte ze dat Rembrandt zichzelf helemaal niet zo vermoeid en gerimpeld had hoeven afbeelden. Hij had ervoor kunnen kiezen een sterke man te schilderen die tegen de wereld opgewassen was. Maar die moeite had hij niet genomen. Het was een eerlijk schilderij, concludeerde ze, dat een waarheid toonde die iedereen kende, zeker wanneer de dood naderde, wanneer het bijna voorbij was en je je nergens meer kon verstoppen. Rijkdom, juwelen, het maakte allemaal niets meer uit. Hier was Rembrandt, die zich uitsluitend aan hemzelf toonde omdat niemand anders de moeite wilde nemen om te kijken, en die ervoor had gekozen zichzelf af te beelden als een bijna gebroken man.

11

Portret van Giovanni Arnolfini en zijn vrouw – Jan van Eyck

Rob was degene die het schilderij van Richard wist op te sporen en dat met zo weinig trompetgeschal meldde dat Claire aanvankelijk niet eens wist wat hij bedoelde.

'Het schilderij dat Richard van Daisy heeft gemaakt,' zei hij, bij het zien van de niet-begrijpende uitdrukking op haar gezicht. 'Het bevindt zich in het Imperial War Museum. Het hangt er niet, het ligt in hun depot. Daar zijn de meeste stukken geëindigd. Ze willen het aan ons laten zien, Claire. Ik heb voor zaterdag een afspraak gemaakt.'

Haar hart bonsde. Het was nog niet voorbij, het verhaal van Daisy. Er was meer te doen, er waren redenen om door te gaan. 'Hoe heb je het gevonden?' zei ze.

'Door onderzoek te doen. Ik heb wat in het rond gebeld.' Nu ze de opwinding in zijn stem hoorde, besefte ze dat ook hij erdoor werd meegesleept, dat dit hen hielp bij elkaar te blijven, en ze was hem dankbaar.

Een gevoel van opwinding dat te veel op angst leek hield haar tot diep in de nacht wakker, lang genoeg om haar uiteindelijk haar vruchteloze pogingen te doen staken en zachtjes de slaapkamer te verlaten en alleen met lege handen in de woonkamer te gaan zitten – totdat ze in de hoek de rugzak van Rob zag staan, die hij na hun terugkeer uit Hertfordshire in de hoek had neergegooid. Ze hadden geen van beiden de energie gehad om hem op te ruimen, zeker Claire niet, die uitgeput was door alle emoties. Ze wist dat in de rugzak het tijdschrift zat dat Nick hun bij vertrek in de handen had gedrukt, en iets zei haar dat dit moment, een rustige nacht waarin ze niet zou worden gestoord, waarvoor Daisy moest hebben gebeden, het juiste moment was om het te lezen.

Ze sloeg doelloos de bladzijden om, net zoals Elizabeth of Daisy kon hebben gedaan, hoewel het papier toen niet zo vergeeld was geweest en evenmin de muffe geur van oude kranten op de vingers van de lezer had achtergelaten. Haar ogen gleden over de advertenties voor uniformen en hoezen voor gasmaskers, die zij aan zij stonden met die voor tandpasta en limonade; oproepen van vrouwen op het platteland die personeel zochten en van geestelijken die vroegen of mensen kleding wilden doneren voor slachtoffers van bombardementen. Een halve pagina was gewijd aan het streng toespreken van huisvrouwen die niet optraden tegen een mysterieus wezentje dat de 'spilkever' werd genoemd en dat blijkbaar toesloeg zodra ze een rok weggooiden in plaats van die te verstellen. Het was een wereld vol tegenstellingen waarin ze hadden geleefd, bedacht ze, gapend: een wereld vol zorgen.

Het was een advertentie halverwege het tijdschrift, een advertentie voor kunstenaarsbenodigdheden, die het eerst haar aandacht trok, met het tekeningetje van een palet en een penseel, als bewijs dat er zelfs toen de oorlog al vier jaar aan de gang was nog iets aan materiaal moest zijn geweest. Pas toen zag ze het artikel ernaast: LIEFDE EN LEVEN IN TIJDEN VAN OORLOG: OBSERVATIES UIT DE ZALEN VAN DE NATIONAL GALLERY, geschreven door ene Richard Dacre. Ze schoot overeind, amper in staat het te geloven, maar toen besefte ze dat dit de reden was dat Edward het tijdschrift samen met de andere spulletjes van Daisy had opgestuurd en dat Elizabeth het zo zorgvuldig had bewaard.

Ze las het artikel langzaam, deze studie van dezelfde schilderijen die zij en Daisy hadden gezien, en Dominic en Rob ook, vol plechtige zinnen waarvan ze vermoedde dat een man die gewend was aan het hanteren van een penseel ze met de nodige moeite op een schrijfmachine moest hebben getikt. Hij schreef over technieken en stijlen, over materiaal en pigmenten, maar ook over de kunstenaars en hun onderwerpen. In die woorden las Claire nog iets meer, namelijk dat hij begreep dat deze werken een verhaal vertelden, een verhaal dat groter was dan de schilderijen zelf, en dat de kern van dat verhaal luidde dat alle kunst over het leven ging en grotendeels over de liefde. Dat was een les die ze allemaal hadden geleerd, zij en Rob, en Daisy ook.

Opeens wilde ze niet langer alleen zijn. Ze sloop terug naar de slaapkamer, met het tijdschrift in haar hand, en luisterde bij de deur naar de gestage ademhaling van haar man, wetend dat ze hem wakker wilde maken.

'Wat is er, Claire? Hoe laat is het?'

'Laat,' zei ze. 'Maar ik wilde je dit laten zien.'

Toen ze het tijdschrift in zijn handen duwde, gleed er een ansichtkaart tussen de bladzijden vandaan, die op het dekbed tussen hen in landde, met de voorkant naar boven, en ze zag een afbeelding van een schilderij dat ze ondanks de verschoten kleuren meteen herkende. Het was het *Portret van Giovanni Arnolfini en zijn vrouw* van Jan van Eyck en toonde een man en zijn echtgenote die voor de schilder poseerden, waarbij de vrouw haar hand open op die van haar man had gelegd. De man had zijn andere hand met een groetend gebaar opgestoken, de vrouw drukte haar andere hand tegen haar buik. Ze waren allebei gekleed in dure, met bont afgezette kleren; de vrouw droeg felle kleuren, groen en blauw, waardoor haar schoonheid op die van een pauw leek in vergelijking met de kleurloze mantel en donkere hoed van haar man. Ze werden getoond tegen een achtergrond waarvan zelfs de kleinste details rijkdom uitstraalden. De vensters hadden bruin glas, sinaasappels die van ver waren gekomen lagen achteloos verspreid over de vensterbank, alsof het niet erg was als er eentje weg zou rollen. Er hing een opgepoetste kroonluchter en er was een klein, harig hondje dat duidelijk als huisdier in plaats van als waakhond moest dienen. Naast de vrouw stond een hemelbed met rood beddengoed en rode draperieën. Het was een schilderij van een bruiloft, dat wist Claire nog van school, de bruiloft van een koopman en zijn reeds zwangere vrouw, door Van Eyck met elkaar verbonden met stijve gebaren en in aarzelende liefde. Het tafereel werd weerspiegeld in een spiegel die achter hen aan de wand hing, en het was alsof die reflectie dit verre, al lang heengegane paar nog verder weg voerde.

De ansichtkaart lag tussen hen in, en geen van beiden verroerde zich. Ten slotte pakte Rob de kaart op en draaide hem om, met Claire nu in zijn armen en alleen het doffe schijnsel van de lamp op het nachtkastje om de tekst bij te kunnen lezen.

Mijn allerliefste Daisy Milton,
Ik heb sir Kenneth Clark geschreven en hem gevraagd of hij het *Portret van Giovanni Arnolfini en zijn vrouw* tentoon wil stellen. Het is een van hun werken. Als hij ja zegt, neem ik je er mee naartoe en zal ik je voor dat doek kussen.
Wil je in de tussentijd met me trouwen? 8 november op het kantoor van de burgerlijke stand in Chelsea. Dat is aanstaande maandag. Alles is geregeld. Je hoeft er alleen maar te zijn. Met bloemen in je haar.
Met al mijn liefde, voor altijd,
Richard

8 november 1943. Dezelfde dag die zo vastberaden op Elizabeths stamboom was genoteerd. De laatste dag van het leven

van hun onstuitbare en toch zo kwetsbare Daisy. Er leek nog zo weinig te zijn wat kon worden gezegd, en toch begonnen ze allebei tegelijk.

'Denk je dat...'

'Ik vraag me af...'

'Ervoor?'

'Erna?'

Niet in staat ook maar een zin af te maken die het waard was te worden uitgesproken, omdat er geen antwoorden waren en Claire vreesde wat ze niet wilde horen. Dat Daisy de burgerlijke stand nooit had gehaald. Dat ze op weg was geweest om bloemen te kopen of op de bus naar Chelsea had staan wachten. Dat ze Richard nooit had horen zeggen 'Ik, Richard, neem jou, Marguerite, tot mijn wettige echtgenote' of wat ze toen ook hadden gezegd. Toch zou Daisy hiermee het bewijs hebben gehad, als dat nog nodig was geweest, dat hij van haar hield, dat hij die dingen meende die hij tegen haar had gezegd, en dat hij wilde dat ze voor altijd bij elkaar zouden blijven. 'Met al mijn liefde, voor altijd'. Er school een toekomst in die woorden, een heel leven dat nog voor hen lag, zonder angst, vol eerlijkheid. Was dat niet het enige wat ertoe deed?

Op zaterdag stopte Claire de foto van Daisy, de foto waarop ze samen met Richard stond, en de foto van de jongere Daisy en Elizabeth in haar tas. 'Dan kunnen we zien of het portret echt lijkt,' legde ze uit. Rob nam zijn camera mee, zodat hij een foto kon nemen om in te lijsten.

Ze pakten de ondergrondse naar Lambeth North, een deel van Londen waar ze normaal gesproken nooit kwamen, en liepen vanaf het station over de saaie Kennington Road. Het verkeer was druk, en zoals zo veel straten in Londen was ook deze gevuld met een mengeling van goedkope kruideniers, slijterijen en wedkantoren, met af en toe een winkeltje met een pasgeverfde felgekleurde pui dat wanhopig de indruk probeerde te wekken dat dit een wijk in opkomst was, en niet een buurt op zijn retour. Claire was moe en wist dat Rob dat ook moest zijn, en het voelde alsof het stof van de straat in haar ogen werd geblazen, hoewel er helemaal geen wind stond. Ze zag nog steeds het artikel van Richard voor zich, afgedrukt in lange, smalle kolommen en kloeke letters, vol woorden die aan het einde van de regel waren afgebroken en door iedereen konden worden gelezen; en zijn ansicht, in simpele bewoordingen, alleen voor de ogen van Daisy bestemd.

Ze liepen gehaast, verlangend om het museum te bereiken, en haalden gezinnen in die kinderen meesleepten die nu al liepen te jammeren, en stelletjes die de tijd wilden doden voordat het tijd was voor de lunch in een of ander eetcafé. Toen ze de hoek omsloegen en Lambeth Road in liepen, zagen ze het Imperial War Museum voor zich liggen, in een park dat was vernoemd naar iemand van wie Claire nog nooit had gehoord en die al lang was vergeten. Bij de ingang stonden een paar grote kanonnen waarbij enkele bezoekers voor een foto poseerden. Claire liep er met een boog omheen, maar Rob liep op de kanonnen af omdat hij er zoals iedere man door werd aangetrokken. Ze bleef binnen op hem wachten, op een stoeltje van grijs metaal dat kraakte wanneer ze achteroverleunde, met haar voeten plat op een tegelvloer die haar aan een ziekenhuis deed denken. Ze nam niet de moeite de andere uitgestalde stukken te bekijken. Ze wilde alleen maar het schilderij zien. Ze vond het niet erg de rest over te slaan. Ze wist al wat ze hadden, daarvoor hoefde ze niet eens te kijken. Bonnenboekjes, gasmaskers, propaganda-affiches, lange lijsten met namen van doden, brieven van kinderen die met moeite een potlood hadden vastgehouden en nooit antwoord van hun vader hadden ontvangen, hem nooit meer terug hadden gezien. Al die eindeloze verhalen. Eentje was voor haar al genoeg. Het verhaal van Richard en Daisy.

Een conservator kwam naar beneden en sprak hen aan bij de informatiebalie. 'We verwachtten u al,' zei ze. 'Was het onderwerp van het schilderij familie van u?' Ze stelde haar vraag aan Claire.

Claire aarzelde even en wist dat ze moest zeggen: *nee, dat is ze niet. Ze heeft niets met mij te maken.* 'Nee,' zei ze. 'Ze is geen familie van mij. Ze was een verre nicht van mijn echtgenoot.' Echtgenoot. Wanneer had ze dat woord voor het laatst hardop uitgesproken? Een woord dat zei: *Ik heb nog steeds enig recht op hem. We hebben recht op elkaar.* Ze glimlachte, en toen ze naar Rob keek, zag ze dat hij ook glimlachte.

'Dat klopt,' zei Rob. 'Ik geloof dat we hebben vastgesteld dat ik een verre neef van haar ben.'

'Goed, komt u maar met mij mee. Ze staat op onze afdeling olieverfschilderijen.'

Ze volgden de vrouw door de verborgen doolhof van het museum, door afdelingen waar het publiek niet werd toegelaten, over een grijs tapijt door grijze gangen langs grijze kasten, en door de kamer met prenten, waar aquarellen en houtskooltekeningen werden bewaard in laden die de rijke geuren van hout en boenwas afgaven. Daarna ging het verder de diepten van het gebouw in en kwamen ze ten slotte uit in een groot magazijn dat zo fel werd verlicht door de hanglampen aan het plafond dat Claire eerst niet eens de schilderijen zag die zich in de schaduwen hadden teruggetrokken. Zodra ze die wel zag, besefte ze dat het er honderden waren, of misschien wel duizenden, in goudkleurige lijsten, die naast elkaar op metalen rekken hingen die op rails naar voren konden worden geschoven.

'Goed,' zei de conservator. 'De naam was Dacre, hè? Ze staan op alfabetische volgorde. Hier is het. De D van Dacre.'

Ze stapte de schemering in en trok aan een van de metalen rekken, dat piepend op zijn wieltjes over de rails naar het felle licht gleed.

Opeens was Daisy er, onverwachter dan Claire had gedacht, aan haar onthuld zoals ze ooit aan haarzelf was onthuld door het wegtrekken van een wit stoflaken. Haar lach, die bijna onmiddellijk te herkennen was, was op het schilderij nog breder dan op de foto's. Claire hoefde de foto's niet eens te pakken om weten hoe groot de gelijkenis was. Het was de eerste keer dat ze Daisy in kleur zag, buiten haar eigen verbeelding, en het was alsof Richard dat effect had willen benadrukken door niet alleen haar lach, maar alles aan haar weer te geven in kleuren die feller waren dan ze in het echt hadden kunnen zijn. Haar ogen waren fonkelend blauw, een blauw dat terugkwam in het sjaaltje rond haar hals, dat ze van Elizabeth had gekregen. Haar wangen waren rougerood, en ook die kleur kwam terug, in het rode notitieboekje dat voor haar op het bureau lag. De schrijfmachine nam een groot deel van de voorgrond in beslag en zag er zwaar en lomp uit. Het moest hard werken zijn geweest, de hele dag op die toetsen slaan, maar Richard had Daisy met sierlijke handen afgebeeld, alsof ze beter geschikt was voor het uitdelen van theekopjes en borden met broodjes. Wel, dat was het leven dat Daisy zou hebben gekend, nietwaar, in elk geval voordat de oorlog begon, voordat ze haar baan kreeg, voordat ze naar Londen kwam, voordat haar leven echt begon. Richard had haar handen mooi gevonden, dat had Daisy zelf gezegd. Dat was het allereerste aan haar dat hem was opgevallen, toen hij haar de handschoen had gegeven die ze had laten vallen.

Daar zijn we dan, Daisy, zei ze tegen zichzelf, *daar zijn we eindelijk. Is dat liefde in je ogen? Wat probeer je ons te vertellen, met je geslepen potloden en je verlepte plant?* Maar toen ze opnieuw keek, zag ze dat de plant helemaal niet verlept was. Hij was groen en levend, zwaar van de knoppen, en helemaal niet dood. En het gebombardeerde perceel tegenover het kantoor was niet kaal en grijs. Richard had toch de bloemen geschilderd die daar groeiden en de gevallen bakstenen overwoekerden.

'Kijk eens, Rob,' zei ze. 'Hij heeft het schilderij veranderd.

Waarom zou hij dat hebben gedaan? Het ziet er anders uit dan Daisy het heeft beschreven.'

'Ik heb geen idee,' zei hij, en hij wendde zich tot de conservator. 'Weet u dat? De beschrijving die wij van het schilderij hebben, is niet helemaal hetzelfde.'

'Dat gebeurt wel vaker. Dat soort dingen doen kunstenaars nu eenmaal. Vaak zijn ze niet tevreden met het resultaat en blijven ze van alles veranderen. Misschien gold dat ook voor hem. Het komt vaak voor.'

Claire wist dat de vrouw gelijk had, maar vond het toch een onbevredigend antwoord en vroeg, te bruusk: 'Is het schilderij ooit tentoongesteld?'

De conservator wendde zich tot haar. 'Dat heb ik voor u opgezocht, en ja, dat is het. Het werd uitgekozen voor een tentoonstelling van oorlogskunst in de National Gallery. Ik heb nergens kunnen vinden of het daarna nog eens te zien is geweest. Sommige doeken reisden door het hele land of werden zelfs naar Amerika verscheept, maar niets wijst erop dat dat ook voor dit werk gold.'

'Waarom niet?' vroeg Claire, die op hetzelfde moment dat Rob een arm om haar heen sloeg werd getroffen door het gevoel dat iemand haar had beledigd.

De conservator antwoordde nerveus: 'Nou, ik denk dat ze het in verhouding met de andere werken niet goed genoeg vonden. Er was veel concurrentie. Alleen de allerbeste schilderijen gingen op reis. Die van Henry Moore, Stanley Spencer, dat soort dingen. U moet weten dat er erg veel kunstenaars waren en dat deze schilder, deze Richard...'

'Dacre,' zei Claire kortaf.

'Ja, Dacre. Hij was niet echt bekend in die tijd, ben ik bang. Hij was niet een van die kunstenaars die toen als een grote belofte werden gezien.' Ze moest de uitdrukking op Claires gezicht hebben gezien, want ze probeerde het nu haastig te herstellen. 'Natuurlijk was hij nog erg jong toen hij dit maakte. Hij heeft niet veel tijd gehad om naam te maken. Als het anders was gelopen, had hij misschien wel heel beroemd kunnen worden. Wie zal het zeggen?'

'Hoe bedoelt u?'

'Nou, hij is in 1943 overleden.'

'Wat?' Nu klonk Claire vooral heel erg ontzet.

'O, het spijt me, ik dacht dat u dat wel wist. Misschien had ik dat eerder moeten zeggen. Toen ik hoorde dat u zou komen, heb ik het een en ander opgezocht, en ja, hij is tijdens de oorlog omgekomen. Door een luchtaanval, geloof ik. Dat is natuurlijk erg triest, zeker wanneer u bedenkt dat dit plan in het leven was geroepen om kunstenaars te beschermen, ze zeg maar buiten de vuurlinie te houden, al wilde natuurlijk niemand dat hardop toegeven. En sommige kunstenaars hebben het helaas niet gered.'

Dus Richard was ook dood. Dat was het enige wat Claire echt hoorde. Net als Daisy, in 1943, maar ook op dezelfde manier als Daisy, samen met Daisy? Ze voelde dat ze misselijk werd en keek naar Rob. Ze hoefde niets te zeggen.

'Mijn vrouw,' zei hij tegen de conservator. 'Mag mijn vrouw even gaan zitten?'

Maar er was geen stoel, er waren alleen rollen bubbeltjesplastic en een trapleer die tegen de muur geleund stond. Uiteindelijk hielpen de conservator en Rob haar naar een houten karretje dat normaal gesproken waarschijnlijk werd gebruikt om schilderijen te vervoeren, en ze voelde een ongelooflijke opluchting toen ze zich erop kon laten vallen. Terwijl Rob het doek van alle kanten fotografeerde, keek ze er vanaf het karretje nogmaals naar. Het was niet goed genoeg geweest om het tijdens de oorlog buiten Londen te laten zien, het was niet goed genoeg om het nu in het Imperial War Museum tentoon te stellen. Het was afgewezen, ingepakt en weggezet tussen talloze andere werken, slechts terug te vinden door een ingang in een index, en tot nu had niemand het gewild of er zelfs maar naar willen kijken. Arme Daisy, die zo veel hoop uit dit schilderij had geput en had gedacht dat het voor altijd zou overleven – en dat had het, tot nu toe in elk geval, maar alleen maar in het donker, tussen het stof.

Het was niet de schuld van Richard, ze geloofde niet dat het geheel aan hem te wijten was. Een deel van het probleem was zijn keuze voor het onderwerp, dat zag ze nu ze er echt goed naar keek. Er was niets meer te zien dan een typiste die aan het werk was. Dat was geen thema voor grootse kunst, het was anders dan sommige van de andere schilderijen die ze had gezien en waarop mannen en vrouwen stonden die de handen uit de mouwen staken op scheepswerven en in ziekenhuizen, die vochten tegen een achtergrond van vonken of olie of bloed, of waarop gevechtsvliegtuigen stonden die op jacht naar hun prooi een rookpluim aan de hemel achterlieten. Nee, dit was simpelweg een weergave van de routine en de verveling van de oorlog. Er was geen spoor van drama te zien. Ze besefte nu dat Richard er niet voor had gekozen een meesterwerk te schilderen. Hij had ervoor gekozen Daisy te schilderen. Hier was zijn liefde te zien. Dus uiteindelijk was er helemaal geen arme Daisy. Ze had zich gelukkig mogen prijzen met Richard.

Ze waren zo vroeg thuis dat Claire nog tijd had om naar de bibliotheek te gaan, vastbesloten Richard in minstens één boek aan te treffen en te weten dat iemand het de moeite waard had gevonden zijn naam te noteren; ze was niet zo dom te denken dat ze hem in de kunstencyclopedie zou vinden die Rob haar had gegeven, onder Dacre, R., keurig tussen Cranach and Degas. Rob ging met haar mee. Ze zette hem neer tussen de oude mannetjes en hun kranten en liep naar de afdeling Kunst en Design. Een boek over Britse kunstenaars, dat moest ze hebben. Ze trok er een van de plank en bestudeerde het register. Niets. Helemaal niets. Ze liet haar vinger langs de planken gaan, langzaam, uit angst dat ze het zou missen, het boek waarvan ze niet wist of het bestond maar dat ze moest vinden. Er moest toch wel ergens een regel of twee te vinden zijn. Dat hadden hij en Daisy toch wel verdiend. Toen vond ze het, een boek over Britse kunstenaars tijdens de Tweede Wereldoorlog.

Ja, hij stond in het register.

Pagina 186. Slechts één vermelding, maar toch, een vermelding. Ze sloeg langzaam de bladzijden terug, zich afvragend hoe vaak dit boek was geopend – ongetwijfeld zelden – en hoe vaak iemand pagina 186 had opgezocht – waarschijnlijk nooit.

Daar stond hij.

Dacre, Richard.

Geboren in 1915. De schilderijen van Dacre, die werk vervaardigde in opdracht van het War Artists' Advisory Committee, waren samen met die van collega-kunstenaars te zien in de National Gallery. Hij maakte deel uit van de kleine Chelsea Group, waarover erg weinig bekend is. Een groot deel van zijn oeuvre is waarschijnlijk tijdens de Tweede Wereldoorlog verloren gegaan.

Geen foto. Geen afbeelding. Geen enkele naam van een schilderij.

Een voetnoot. In een voetnoot stond nooit iets belangrijks.

Voetnoot 32, onder aan de pagina, in piepkleine lettertjes samengeperst tussen de andere, vertelde alleen de opmerkzaamste lezers dat er tijdens de Tweede Wereldoorlog een handjevol kunstenaars was omgekomen, onder wie Richard Dacre.

Waar, dat was allemaal waar, net zoals het waar was dat ze dit altijd al had geweten. Richard en Daisy, verliefd, al dan niet getrouwd, en allebei overleden. Hun levens waren lang voor de geboorte van Claire al geschiedenis geweest. De regels van de bibliotheek konden niet verhinderen dat Claire de naam van Rob riep, en evenmin dat hij naar haar toe rende en haar tussen de rekken aantrof, met het boek voor haar op de grond.

12

De dochters van de schilder op jacht naar een vlinder – Gainsborough

Claire hield haar kennis over de baby wekenlang voor iedereen geheim, en bijna ook, maar niet helemaal, voor zichzelf. Voor de hoofdpijn en de misselijkheid kon ze aanvankelijk nog een gemakkelijke verklaring bedenken. Daisy was dood, haar leven was opgehouden voordat ze de kans had gekregen samen met Richard gelukkig te worden. Dat was voor Claire even moeilijk te aanvaarden als het al die jaren geleden voor Elizabeth moest zijn geweest, die het nieuws te laat en ver weg had vernomen. Dan was er Rob, en de vreugde vermengd met de inspanningen van wat voelde als het begin van een nieuwe relatie. Ze had meer dan genoeg reden om moe te zijn. Maar de menstruatie die veel te laat leek te zijn, had ze overgeslagen, besefte ze nu, en die daarna ook. Ze liep op een gegeven moment bij de plaatselijke drogist langs de schappen, met contant geld in haar ene hand en de krant in de andere, hopend dat er geen bekende binnen zou komen op het moment dat ze het in cellofaan verpakte blauw-witte doosje met de zwangerschapstest uit het schap haalde, ermee naar de kassa liep, afrekende en het diep in haar tas wegstopte.

Ze voerde de test thuis uit, alleen, wetend wat ze wilde zien maar ook wetend dat er niet echt een reden voor een test was.

Terwijl de seconden wegtikten, verscheen het zwakke blauwe kruisje, om vervolgens niet meer weg te gaan, waardoor er een golf van opwinding door haar heen ging, net als bij de eerste keer, toen ze allebei al wekenlang hadden gedacht dat ze zwanger was. Toen had Rob samen met haar zitten wachten. Nu was dat niet zo, en ze had geen idee wat hij zou zeggen als ze hem het nieuws zou mededelen.

Ze besloot te beginnen met Daisy en haar geheim mee te nemen naar de National Gallery, om het daar door de stofvlokken heen de stilte in te fluisteren. Het was sowieso tijd voor de volgende brief. Ze pakte die van de stapel. Hierna kon er nog maar eentje zijn, die van oktober, voordat Daisy voor altijd was gestopt met schrijven. Het doorlezen van de laatste brieven voelde als aftellen naar het einde, al was dat niet echt logisch omdat Daisy al die tijd al dood was geweest, al vanaf het allereerste begin. Het zou geen rol moeten spelen. Ze was vastbesloten het geen rol te laten spelen.

september 1943

Lieve Elizabeth,

Ik moet even diep ademhalen voordat ik begin.
Ik zal beginnen met het schilderij. De rest zul je snel genoeg weten. Het schilderij is van Gainsborough en toont zijn twee dochtertjes, zijn eigen meisjes, Mary en Margaret. Is dat niet prachtig als een kunstenaar zijn eigen kinderen schildert? Het lijkt veel meer te betekenen dan een schilderij van een echtgenote of een geliefde, waarvoor de meeste schilders kiezen. Ik denk graag dat bij dit werk de vaderliefde in elke penseelstreek zit. Ik denk dat het iets heel bijzonders is, de liefde tussen ouder en kind. Dat weet jij ook. Jij hebt Nicky. Ik begrijp het niet, nog niet, maar ik denk dat het een van die dingen is die je pas kunt begrijpen als het je overkomt – totdat er echt een kindje is,

warm en wriemelend, dat alleen maar verlangt naar warmte en geborgenheid. Toen ik nog klein was, probeerde moeder me altijd te schilderen. Ik weet niet of ik haar ooit de kans heb gegeven. Ik dacht dat het een spelletje was. Ik weet nog dat ik een keer ben weggerend en me achter de gordijnen in de woonkamer heb verstopt, en toen ik me omdraaide, zag ik dat ze zwaaiend en lachend met een penseel achter me aan zat. Ik wist toen niet wat het voor haar betekende om schilderijen te maken van haar kindje dat groot werd. En ik heb ook iets verloren, de kans om een van haar schilderijen vast te houden, in de wetenschap dat het uit liefde was gemaakt. Richard heeft me verteld dat Gainsborough meerdere portretten van zijn dochters heeft geschilderd, en ze staan er altijd samen op. Op dit werk rennen ze over een tuinpad, hand in hand. Margaret, de jongste, steekt haar hand uit naar een witte vlinder met zwarte stipjes langs de randen van zijn vleugels die net is neergestreken op een distel. Mary houdt haar tegen – wat lief dat ze zo goed op haar zusje let! Dat lijkt bijna onwaarschijnlijk als je bedenkt hoe broertjes en zusjes doorgaans met elkaar omgaan. Ik denk dat Margaret in het echt moet hebben gekookt van woede vanwege al dat 'Niet doen' en 'Ik ga het tegen mama zeggen' waar oudere zussen zo dol op zijn. Ik denk trouwens niet dat Margaret die vlinder heeft gevangen. Die is vast weggevlogen voordat ze dichterbij kon komen, zoals de meeste dingen die je graag wilt hebben: net buiten bereik, zodat ze niets anders had dan een prikje in haar vinger en tranen die haar vader kon wegvegen met een zakdoek vol verfvlekken.

Zal ik het nu opschrijven, Elizabeth, zodat je niet hoeft te raden?

Ik krijg een kindje.

Er is geen gemakkelijke manier om dit te zeggen, zeker

niet wanneer je niet getrouwd bent. Het enige wat ik heb, is de verlovingsring van Charles, en dat is erger dan niets. Bovendien heb ik die na Weymouth niet meer gedragen. Het zou niet goed hebben gevoeld als ik die altijd maar aan mijn vinger had gezien, fonkelend in het zonlicht. Je bent tot nu toe de enige die het weet. Je mag tegen niemand iets zeggen, dat moet je me beloven, niet terwijl ik nog niet weet of mijn leven in elkaar zal storten.

Ik heb het nog niet aan Richard verteld omdat ik doodsbang ben voor wat hij zal zeggen, of voor wat hij juist niet zal zeggen. Stel dat hij niet eens zal zeggen dat het een verrassing is en we er het beste van zullen maken, dat we gaan trouwen en gelukkig zullen worden? Stel dat er alleen stilte en verdriet volgt en we ieder onze eigen weg zullen gaan? En denk maar niet dat ik het laat weghalen. De meisjes op het werk hebben het daar soms over, dat het allemaal kan worden geregeld en dat niemand er iets van hoeft te weten. Nou, dat ga ik niet doen. Ik hou van Richard. Dan kan ik zijn kind toch niet iets aandoen? Het groeit in me. Het is al een baby'tje. Het heeft me nodig. Weet je wat ik dacht toen ik het ontdekte? Als Richard me niet wil, heb ik altijd nog Charles. Charles zal er altijd zijn. Ik kan met hem trouwen als hij weer terug is, hij zal het kind als het zijne erkennen, en niemand hoeft er iets van te weten. Dat soort dingen komen vaker voor. Nou, het was dwaas van me dat te denken. Gisteren heb ik eindelijk een brief van hem ontvangen. Hij heeft een ander leren kennen, een meisje dat ergens vlak achter de frontlinie werkt – een meisje dat echt helpt de oorlog te winnen en graag de vrouw van Charles wil worden. Hij was heel vriendelijk. Dat is hij altijd. Hij zei dat het hem heel erg speet dat hij me zo van streek maakte, maar dat hij er zeker van was dat ik wel begreep dat dit was wat hij echt wilde, en dat we bovendien allebei weten dat ik nog niet aan trouwen toe ben. Hij besloot zijn brief met de verzekering dat hij onze mooie tijd samen nooit zou vergeten en dat ik hetzelfde moest proberen. Even goede vrienden.

Dus dat verklaart waarom hij me nooit die beloofde kousen heeft gestuurd, en ook niet iets anders. Ik wou dat ik erom kon lachen, maar dat kan ik niet. Hij zegt dat ze gaan trouwen zodra hij toestemming heeft geregeld. Tegen de tijd dat jij deze brief krijgt, zal het allemaal achter de rug zijn, op de huwelijksreis na. Wat kon ik anders doen dan terugschrijven en hem veel geluk wensen? Hoe vaker ik zijn brief las, des te meer pijn het deed. Het was nog niet eens een kantje, en hij moest al voordat hij begon precies hebben geweten wat hij wilde schrijven. Er was niets doorgestreept, er waren alleen maar besliste woorden, regels vol, die samen een wonderlijke mengeling vormden van excuses, spijt en (het ergste van alles, al denk ik dat hij er niets aan kon doen) opwinding. Het was erger geweest als ik nog steeds van hem had gehouden, of had gedacht dat dat zo was. Maar de gevoelens die ik eerder voor hem had, wat die ook waren, zijn lang geleden al verdwenen, en kijk eens hoe ik me heb gedragen. Ik kan hem niet echt iets kwalijk nemen.

Dus het wordt nu Richard en ik, of ik in mijn eentje, en denk eens aan al het gedoe als het ik alleen wordt. Ik denk niet dat pa dan nog met me wil praten. Hij zou het simpelweg niet begrijpen. Hij denkt nog steeds dat ik zijn kleine meisje ben dat zinloze dromen najaagt, terwijl hij alleen maar wil dat ik een nestje ga bouwen. Arme pa. Ik ga hem niets vertellen, tenzij het echt niet anders kan. Ik wou alleen dat moeder er nog was. Ze had wel geweten wat ik moest doen. Dat wist ze altijd. Vergeef me, Elizabeth. Ik moet al huilen als ik aan haar denk, of misschien komt dat ook wel door de baby. Ik huil tegenwoordig om alles, om elke zinloze tragedie in ons uitzichtloze bestaan, om iedere jongen die tijdens de verduistering wordt neergeslagen, om iedere vondeling die in een houten kistje bij het ziekenhuis wordt achtergelaten zonder zelfs maar een briefje erbij met een naam erop. Nou, ik wil mijn kindje wel, dat is het enige wat ik zeker weet. Ik zal haar in mijn armen nemen en altijd van haar houden. Weet je nog dat ik je vertelde over *De geboorte van Christus*? Al dat gebazel van me, over dat Jezus in het middelpunt van de belangstelling stond en er helemaal geen aandacht voor Maria en Jozef was? Wat zul je daarom hebben gelachen. Maar nu weet ik beter. Ik zie in dat ik ongelijk had, en weet je waarom? Omdat ook mijn kindje het verdient om door mij en alle anderen te worden aanbeden. Mijn kindje zal beeldschoon en slim en volmaakt zijn, net als jouw Nicky! Kijk maar naar Botticelli, zelfs hij begreep hoe het zat. Het heeft bij mij alleen iets langer geduurd. Het is net een geheim dat niemand me had verteld, of misschien probeerden ze dat wel en was ik doof. Maar nu niet meer. Ik verander, lichaam en geest.

Als je me nu zou zien, zou je het niet kunnen raden. Het is nog maar twee maanden; sinds Weymouth, natuurlijk. Ik word wel een tikje dikker rond mijn middel, maar dat heeft nog niemand gemerkt. Juffrouw Johnson blijft me voortdurend op de vingers tikken omdat ik almaar afgeleid ben, en ik ben ook telkens heel erg misselijk. Ze is misschien een oude vrijster, maar je houdt haar niet voor de gek. Ze weet dat er iets aan de hand is, en omdat we hier met allemaal meiden zitten, kan ze er zeker van zijn dat het iets met mannen te maken heeft.

Ik blijf maar voor me zien dat ik een kindje in mijn buik heb, al is ze nu nog zo klein. Ik stel me voor dat ik haar en Richard meeneem naar Weymouth, dat we de kinderwagen voortduwen langs het strand dat alleen maar uit zand bestaat, zonder prikkeldraad, en dat ik tegen hem zeg: 'En dan te bedenken dat we hier...' Ik bid dat de oorlog voorbij mag zijn voordat zij wordt geboren. Ik wil niet dat mijn kind ter wereld komt bij het geluid van het luchtalarm. Ik wil dat Richard haar schildert, niet wanneer ze nog rimpelig is als een gedroogd appeltje, maar wanneer ze kan lopen en hij haar naar zich toe kan roepen. Dat zou een mooi moment zijn.

Je denkt vast dat het ook een jongen kan zijn en verbaast je natuurlijk omdat ik het steeds over 'haar' heb. Dat komt omdat ik na het zien van dat schilderij van Gainsboroughs dochters telkens aan meisjes moet denken. Het wordt een meisje, dat weet ik gewoon.

Ik ben zo blij dat ik het schilderij van deze maand heb gezien, Elizabeth. Daardoor ben ik gaan nadenken over wat het betekent, dat kleine wezentje dat in me aan het groeien is en een kind zal worden dat over een bospad rent, achter een vlinder aan – en wie weet wat er daarna nog allemaal zal gebeuren. Nu lijkt het allemaal veel echter, als dat nog iets mocht betekenen. Wanneer ik aan dat schilderij denk, geloof ik bijna dat we een toekomst samen hebben, en misschien ook wel met ons drietjes. Wat denk jij? Voor zover je er iets over kunt zeggen, zo ver weg. Zeg maar gewoon wat ik wil dat je zegt. Je weet wel wat. Meer vraag ik niet.

Tegen de tijd dat ik je weer schrijf, zal ik het aan Richard hebben verteld, als ik de moed bijeen kan rapen.

Heel veel liefs,

Daisy

De schok was zo groot dat Claire aanvankelijk amper het schilderij zag waarvoor ze was gekomen, al hing het vlak voor haar. Ze hield Daisy's brief stevig in haar hand geklemd. Ook Daisy kreeg een kind. Ook Daisy had gedacht aan het nieuwe leven. Ook Daisy had iets gevoeld wat niet echt vreugde was en was al verstrikt geraakt in onzekerheden en moeilijkheden. Vervolgens besefte ze, met een brok in haar keel, dat het niet alleen Daisy was die het leven had verloren. Haar baby was met haar gestorven, het amper gevormde hartje was net als dat van haar moeder trager gaan kloppen onder het gewicht van die ingestorte muur. Claire had zich voorgesteld dat Daisy tijdens die laatste momenten had gedacht aan Richard, of aan de vader die ze achterliet, of aan de moeder die ze weldra weer zou zien. Nu was ze er zeker van dat ze aan haar ongeboren kind moest hebben gedacht. Wat had de medewerker in het mortuarium gezien toen hij het stof van haar gezicht veegde? Aanvaarding, paniek of simpelweg verdriet? Zou hij hebben geraden wat daarachter schuilging, welk geheim ze had verborgen? Nee. Haar vader had in zijn brief geschreven dat er geen bloed was geweest. Er zou geen lijkschouwing zijn verricht, daar was geen reden toe. Het was overduidelijk hoe ze aan haar einde was gekomen.

En wat Richard betreft, had ze het nog aan hem kunnen vertellen? En zo ja, wat had hij gezegd? Er kon niet veel tijd zijn geweest om het tegen hem te zeggen. Ze zag Daisy voor zich, opgerold in bed, briefpapier in haar hand, huilend of bijna in tranen, niet goed wetend wat ze moest doen, terwijl Richard ondertussen ergens anders was, de laatste hand legde aan het doek dat naar haar zou worden genoemd, of misschien een ansichtkaart kocht en bedacht wat hij daarop wilde schrijven. Had ze het maar geweten, dan was haar zo veel ellende bespaard gebleven. Had ze alles maar tot een gelukkig einde kunnen brengen, zonder het geringste spoor van zenuwen op haar voorhoofd. Dat was alles wat Claire nu voor Daisy wenste. Misschien was het ook zo gegaan. Dit was immers de brief van september. Het artikel en het aanzoek waren van later datum. Maar dat was in november geweest, vlak voor het einde. Stel dat er in de tussentijd voor Daisy niets anders was geweest dan onzekerheid en tranen?

Toen ze daaraan dacht, wilde ze het nieuws meteen aan Rob vertellen, zodat iemand zou weten, nu zou weten, dat ze opnieuw de kans had gekregen om moeder te worden.

Maar eerst was er het schilderij, daarvoor was ze gekomen. Ze stopte Daisy's brief terug in haar tas en probeerde zich te concentreren. Een groep schoolkinderen van hoogstens zeven, acht, stommelde door de zaal en vulde die met harde geluiden en onophoudelijke bewegingen. Ooit zou ze zich eraan hebben geërgerd. Nu dacht ze alleen maar: op een dag loopt mijn kind hier ook achter een juf aan, hopend dat het snel tijd is voor het eten, zich afvragend wat ik vandaag op haar boterhammen heb gedaan. Het wordt natuurlijk een meisje, net als het kindje van Daisy zou zijn geweest, een nog mooier meisje dan de dochters van Gainsborough. Daar waren ze dan, jagend op een vlinder, precies zoals Daisy al had beschreven, vol hoop en optimisme, en ze herinnerden Claire aan hoe Laura en zij ooit waren geweest, toen hun vader nog bij hen had gewoond en tegen hun fietsjes had kunnen duwen en een ijsje voor hen in het park had kunnen kopen. Wat was dat allemaal snel voorbijgegaan. De Margaret van Gainsborough kon niet veel ouder zijn dan vier en was gekleed in het lichtblauw, met een schort dat wapperde omdat ze zo snel liep. Mary, die een jaar of zeven, acht leek te zijn, was gekleed in het geel en had de punt van het schort over haar schouder geslagen. Ze droegen allebei het soort jurk waarin je tegenwoordig alleen nog bloemenmeisjes op een bruiloft zag lopen. De meisjes hadden allebei bruin haar, opgestoken, en bleke gezichten met blozende wangen. Als hun ogen niet hetzelfde waren geweest, zou dat al voldoende zijn geweest om duidelijk te maken dat ze zusjes waren. De randen van de achtergrond zagen er onafgemaakt uit, alsof Gainsborough had beseft dat alleen zijn dochters belangrijk waren. Ze hielden elkaars hand vast alsof ze echt van elkaar hielden, en misschien was dat ook wel zo. Op een dag, dacht ze, zal ik ook zulke kinderen hebben, niet een maar twee, of misschien wel meer. Haar hart steeg hoog op als een vlinder bij die gedachte.

'Ik krijg een kind,' zei ze snel, zodra Rob van zijn werk thuis-kwam en de voordeur had geopend. De vorige keer had ze 'we' gezegd, niet 'ik'. Ze had de woorden langzaam uitgesproken, het er niet meteen uit gegooid. Ze had geweten hoe hij zou rea-geren.

Stilte. Zijn gezicht was ondoorgrondelijk.

'Ik wil het ook,' zei ze, en op het moment dat ze dat zei, be-sefte ze dat het waar was, dat het verlangen in haar nog altijd hevig was.

Stilte.

Maar toen, langzaam, verscheen er iets waarvan ze wist dat het een glimlach was, en ze wilde niet het risico lopen dat die weer zou verdwijnen. Ze wierp zich in Robs armen en zei: 'Dank je. Omdat je er blij mee bent.'

Hij sloeg zijn armen om haar heen en zei: 'Natuurlijk ben ik dat. Waarom denk je in vredesnaam dat ik dat niet zou zijn?'

Vanwege wat er met Oliver is gebeurd.

Vanwege wat er met mij is gebeurd.

Vanwege de manier waarop ik je heb behandeld.

Vanwege Dominic.

Vanwege het feit dat ik dit allemaal niet verdien.

Ze zei dat alles niet hardop, omdat Rob haar het praten on-mogelijk maakte met een kus.

Later, veel later, zei hij dat ze moest gaan kijken wat er op de keukentafel lag. Ze dacht dat er misschien weer bloemen zouden staan, maar deze keer lag er alleen een bruine envelop met Robs naam erop. 'Wat is dat?' riep ze naar hem. Ze hoorde dat hij naar de keuken liep en in de deuropening bleef staan.

'Papieren die ik heb opgevraagd. Ik heb contact opgenomen

met het stadsarchief, en daar hebben ze gekeken wat ze over Daisy konden vinden. Ze zeiden dat ze iets naar me zouden opsturen. Ik dacht dat je wel nieuwsgierig zou zijn.'

Ze herinnerde zich hoe graag ze de inhoud van Elizabeths schrijftafeltje had willen blootleggen. Nu aarzelde ze, denkend aan Daisy en aan de duisternis, het gewicht, het dikke stof dat langzaam haar longen vulde. Wat stierven mensen toch gemakkelijk, de ene minuut nog levend en een volgende helemaal verdwenen. Dat gold ook voor Daisy, die door Richard op de een of andere manier meer levend was afgebeeld dan het leven zelf.

'Zullen we het nu openmaken?' vroeg ze.

Ze wist wat ze hem wilde horen zeggen, en hij zei: 'Nee, laten we wachten totdat we de laatste brief hebben gelezen.' Dus er was nog iets meer tijd voordat ze afscheid moest nemen. Iets meer tijd, maar niet veel, niet genoeg. Er zou nooit genoeg tijd met Daisy zijn, dat had er nooit kunnen zijn. Haar leven was een leven dat voorbij was. Die gedachte maakte Claire verdrietig, heel erg, maar het deed minder pijn dan voorheen, omdat ze nu wist dat een ander leven was begonnen, niet alleen dat van haar baby, maar op de een of andere manier ook dat van haarzelf.

13

De graflegging – Bouts

Lieve Elizabeth,

Ik was zo blij iets van je te horen. Je brief is zo snel
aangekomen dat ik bijna de kranten ga geloven die zeggen
dat het tij van de oorlog ten gunste van ons is gekeerd. Het
is erg lief van je om te zeggen dat ik naar je toe kan
komen, maar we weten allebei dat dat niet gaat, zelfs als ik
de overtocht zou kunnen maken. Jij moet vooral aan Bill
en Nicky denken, en bovendien zou je mijn aanwezigheid
niet gemakkelijk kunnen verklaren.

Het schilderij van deze maand is een ellendig geval, ben
ik bang, maar dat is wel passend omdat ik me ook
ellendig voel. Ik had nooit gedacht dat ik zo hondsmoe
kon zijn. Het is zo'n worsteling, vanaf het moment dat ik
's morgens mijn bed uit probeer te komen totdat ik
mezelf aan het einde van de dag naar huis sleep. Ik neem
aan dat het een goede voorbereiding is op het
moederschap. En de misselijkheid! Ach, daar weet je alles
van. Molly zegt dat het wel over zal gaan. Ik heb het haar
verteld. Niet dat er veel te vertellen viel, want ze had het
al geraden toen ze merkte hoe ik me gedroeg. Ze vroeg

me er op de man af naar en ik wilde niet liegen.

Ik moet bekennen dat ik bijna niet naar het schilderij was gaan kijken, maar uiteindelijk heb ik mezelf streng toegesproken en gezegd dat ik gewoon moest gaan. Wanneer de baby er eenmaal is, heb ik genoeg tijd om thuis te gaan zitten kniezen.

Goed, daar gaan we dan. Het schilderij heet *De graflegging* en is gemaakt door Dieric Bouts. Heb je ooit van hem gehoord? Ik niet, maar het klinkt Nederlands. Op het schilderij zie je dat het lichaam van Christus in een stenen graf wordt gelegd door twee mannen van wie ze denken dat het Jozef van Arimathea en Nicodemus zijn, in elk geval volgelingen van Jezus, geholpen door de maagd Maria en Maria Magdalena – die er trouwens nog ellendiger uitziet dan op *Noli me tangere*. Op de achtergrond staan nog meer mensen, die allemaal even ontzet zijn. Het is niet bepaald het beste schilderij als voorbereiding op weer een jaar oorlog, maar dat is misschien niet meer zo belangrijk. Ik krijg namelijk steeds meer het gevoel dat mijn leven altijd al zo is geweest, en dat al mijn herinneringen aan vroeger, goed en slecht, niet meer dan dromen zijn, helemaal niet echt – herinneringen aan een tijd toen we nooit bang of alleen waren en er nooit iemand overleed, behalve degene die het allerbelangrijkste voor me was. Maar ik ben niet de enige die in de afgelopen paar jaar heeft geleden. Voor wie geldt dat niet?

Alsof het allemaal nog niet erg genoeg is, verkeert het schilderij ook nog in erbarmelijke staat. Zelfs ik zie dat. Het is namelijk op linnen geschilderd, niet op hout, en het is dus heel erg kwetsbaar. En Bouts heeft geen olieverf gebruikt. Ik weet niet zeker wat hij wel heeft gebruikt, maar het was niet bepaald bestendig. Door de eeuwen heen (vijf in totaal) zijn de kleuren verbleekt of smoezelig geworden. Het lijkt wel alsof de mantel van Maria Magdalena onder de vlekken zit, en dat kan niet altijd zo zijn geweest.

Helemaal bovenaan zie je een strookje van de hemel dat wel zijn oorspronkelijke kleur heeft behouden – min of meer – doordat het een tijdlang door een lijst werd beschermd, maar voor het overige heeft het doek een bleke, geelbruine zweem waardoor Jezus nog doder lijkt dan hij echt is, als dat menselijkerwijs mogelijk is. Ik ben er vrij zeker van dat zijn gezicht niet zo grijs oogde toen het schilderij net af was.

Toen ik Richard erover vertelde, zei hij dat de kleuren natuurlijk ooit feller zijn geweest en dat de stof aan de achterkant vroeger minder verschoten was. Het komt door de ouderdom. Het was ooit een meesterwerk, zegt hij, dus waarom zou dat het nu niet zijn? Toch gaf zijn uitleg me niet echt een beter gevoel. Ik zie wat ik zie. Het maakt me niet uit dat iemand het vijfhonderd jaar geleden heel anders zag. Het gaat om het nu. Dus wat mij betreft is dit geen goede keuze voor het schilderij van de maand. Niet omdat de figuren niet goed zijn afgebeeld, of omdat de achtergrond niet klopt. Het is eerder dat niemand in een tijd als deze op een dergelijk werk zit te wachten. Ik heb er eens goed naar gekeken, en het enige wat ik zag, was een stervend schilderij van een dode man. Deze oorlog heeft al genoeg doden gekend, we hoeven er niet nog meer in een museum te zien.

Toen ik naar die ellendige Jezus keek, kon ik alleen maar denken aan al die duizenden mannen en vrouwen die in hun graf zijn gelegd, heel erg koud, heel erg dood, zonder ooit te weten wie met een laatste menselijke aanraking afscheid van hen nam. En ook de kinderen, lieve God, sommige waren nog zuigelingen, heengegaan voordat ze zelfs maar hadden geleerd te glimlachen, beland in graven net zo diep als die van hun ouders. Niet alleen hier, maar ook in Duitsland, en Frankrijk, en Polen, Italië, Japan en al die andere landen. Het lijkt zo eindeloos. Misschien was de keuze voor dit schilderij achteraf gezien toch niet zo slecht. Het is in elk geval eerlijk. En dood is tenminste dood. Dat is het einde, wat mij betreft. Degenen die echt lijden, zijn zij die achterblijven, voor wie het lijk van hun dierbare het laatste is wat ze van een echt mens zien. Je kunt hen maar beter nooit meer zien, dat vind ik. Je kunt maar beter een telegram ontvangen en denken aan een houten kruis dan te worden geconfronteerd met bloed of verminkte ledematen of de simpele waarheid van de dood. Vroeger hield ik altijd een lijst bij van al mijn kennissen, het deed er niet toe hoe vaag, die gewond waren geraakt of om het leven waren gekomen. Dat heeft niet lang geduurd. Het had iets macabers, en bovendien werd de lijst veel te lang. En ik kende hen trouwens niet echt, het waren vrienden van vrienden, de broer van iemand met wie ik op school heb gezeten, de verloofde van een meisje op kantoor. Sommige mensen zullen zeggen dat ik me daarmee gelukkig mag prijzen, maar dat verandert niets aan mijn mening over die verdraaide lijst. Ik kreeg het gevoel dat de dood zich langs de randen van mijn leven ophield en niets liever wilde dan dichterbij kruipen zodra ik hem de kans zou geven. Uiteindelijk heb ik het vel papier verbrand en zag ik al die namen in het niets verdwijnen, opnieuw vergeten.

Helaas moet ik je vertellen dat we in de afgelopen week weer luchtaanvallen boven Londen hebben gehad, wat betekent dat er meer namen dan gewoonlijk aan de lijsten met slachtoffers zijn toegevoegd. We hebben er allemaal zo'n genoeg van. De schuilkelders zitten elke nacht overvol en de golfplaten schuilhut in de tuin staat onder water, dus deze keer heb ik maar besloten in mijn eigen bed te blijven liggen, waar ik van sirenes droom, ook als ik er niet naar luister. Afgelopen nacht is er in de straat waar ik werk een bom afgegaan, een zware. Op weg naar kantoor moest ik door het puin heen lopen. Stel je eens voor, Elizabeth, daar liep ik dan in mijn nette schone kleren, om de slangen van de brandweer heen die nog steeds bezig was de mensen uit dat pand te halen. Ze zeiden dat ik door moest lopen, ze zaten allemaal onder het vuil en liepen te hoesten doordat ze de hele nacht rook en stof hadden ingeademd. Je kunt het beste maar niet al te diep ademhalen en de brandlucht negeren, dat heb ik van de vorige keren geleerd. En niet denken aan wat er onder al die smeulende stenen zou kunnen liggen. Dat is het allerbelangrijkste.

Kun je je voorstellen hoe het moet zijn om levend te worden begraven? Erger dan dat kan eigenlijk niet. Het idee is op zich al gruwelijk. Ik doe mijn uiterste best niet aan dat soort dingen te denken, maar de gedachten kruipen toch mijn hoofd binnen.

Dat is nog een reden dat ik niet blij was met *De graflegging*. Ik moest er gewoon van rillen toen ik dat lichaam zag dat ze in dat onversierde grijze graf lieten zakken. Bedenk je eens hoe donker en bedompt dat moet zijn geweest toen de deksteen eenmaal op zijn plaats lag. Het zal Jezus niet veel hebben kunnen schelen. Hij is een paar dagen later toch weer opgestaan. Mij laat het zeker niet koud.

Maar je moet je geen zorgen maken, dat heeft geen zin. We zijn aan dit soort dingen gewend geraakt. Ik weet hoe ik op mezelf moet passen, en bovendien heb ik Richard, en de baby. Als hij bij me is, en dat is meestal, dan ben ik niet bang – en ook als we niet bij elkaar zijn, is er altijd nog een deel van hem dat me gezelschap houdt. Richard en ik blijven tot in de kleine uurtjes zitten, we kijken naar de draaiende zoeklichten buiten en luisteren naar de doffe bons die aangeeft dat er weer een bom gevallen is. We vertellen elkaar verhalen over hoe het vroeger was, net genoeg om ons te laten lachen. We houden op als het huilen een van ons nader staat dan het lachen. Wanneer hij in slaap valt, vertel ik hem graag over de baby. Ik fluister in zijn oor, voor het geval hij het nog steeds kan horen.

Ik wil dat hij zo veel mogelijk slaapt. Hij moet goed uitrusten omdat hij pas heeft gehoord dat hij naar het buitenland wordt gestuurd, waar hij onze jongens aan het front moet tekenen. Hij heeft er zelf niets over te vertellen, maar ik weet dat hij ook zou gaan als dat wel zo was. Hij wil erbij horen, en dat kan ik hem niet kwalijk nemen. Dat willen alle mannen. Richard is wat dat betreft niet anders dan Charles. Ik wil niet dat hij gevaar loopt, natuurlijk niet, niet nu ik hier alleen achterblijf en met de dag dikker word en voortdurend zal moeten wachten op nieuws, goed of slecht. We hebben nog ongeveer een week samen. Meer niet. Net genoeg om alles bij elkaar te zoeken wat hij nodig heeft, maar er is erg weinig tijd om afscheid te nemen. Is de kans groter dat hij sterft als hij weet dat hij binnenkort een kind zal hebben om voor te leven, of is die juist kleiner? Zou ik onze laatste uren en minuten samen verpesten met mijn nieuws? Of kunnen we de tijd die ons rest beter doorbrengen in het hier en nu, zonder aan de toekomst te denken, en moeten we elkaar vertellen hoeveel we van elkaar houden? God, ik ben zo bang dat hem iets overkomt. Wanneer hij een potlood in zijn hand heeft, ziet hij niets meer, behalve zijn schetsboek en wat er vlak voor zijn neus staat.

Ik moet me vermannen. Ik heb al genoeg somberheid gekend. Tegenwoordig kan ik dat gemakkelijker van me afzetten dan vroeger. Dat komt omdat er nieuw leven in me groeit, stukje bij beetje. Mijn kindje is nog zo klein dat ik me niet kan voorstellen dat ze ooit sterk genoeg zal zijn om alle dood op de wereld te verdrijven, maar dat is ze, en ik weet zeker dat Richard niets zal overkomen. Samen gaan we daarvoor zorgen, zij en ik.

Er is ook goed nieuws. Het comité heeft besloten het schilderij tentoon te stellen dat Richard van me heeft gemaakt. Hij loopt voortdurend te grijnzen. Niets is mooier dan hem zo te zien. Zijn lach is adembenemend. Dat is altijd al zo geweest. Hij moet er een bijschrift voor verzinnen. Ik vraag me af wat hij gaat bedenken. Denk je dat hij mijn naam zal noemen? Juffrouw Daisy Milton. Ik hoop het maar. Denk je dat ze het ergens in een museum zullen hangen, of gewoon in een kantine voor arbeiders? Duim voor me dat ze het in de National Gallery hangen. Dat is tegenwoordig mijn tweede thuis. Dan kan ik ernaar gaan kijken, ook als Richard dat niet kan.

Volgende maand wordt het een schilderij van Renoir. Het heet *De paraplu's*. Richard zegt dat ik beslist moet gaan kijken, ook als hij er niet is, omdat het een heel ander werk is dan *De graflegging* en hij weet dat ik het mooi zal vinden. Hij wil me iets te doen geven, voor het geval ik zonder hem de moed verlies. Ik ga natuurlijk kijken. Dan kan ik niet alleen jou, maar ook hem erover schrijven.

Tot ziens en veel geluk. Dat zijn we allemaal tegen elkaar gaan zeggen toen de eerste bommen vielen, zelfs tegen vreemden. We zeggen het nu weer. Dus denk aan mij, hier in Londen, en wens ons allemaal veel geluk.

Heel veel liefs,

Daisy

Dat was de brief, maar het was nog niet voorbij. Zodra Rob haar de envelop van oktober had gegeven, had Claire beseft dat er meer was dan alleen deze brief. De envelop was te dik, te zwaar. Claire wist precies hoeveel Daisy's brieven doorgaans wogen, hoe ze aanvoelden. Deze was heel anders. Meer vellen, meer woorden. Het waren brieven van Daisy aan Richard, nooit afgestempeld, nooit verzonden, maar slechts stof tot nadenken, telkens weer opgepakt en neergelegd, uitgevouwen en dichtgevouwen, en ten slotte door een rouwende vader die niet had durven lezen wat zijn kleine meid had geschreven ingepakt en naar een verre nicht gestuurd. Ze haalde diep adem en begon te lezen, eerst de ene en toen de volgende.

oktober 1943

Mijn liefste Richard,
Waar moet ik beginnen? Je gaat weg, en ik heb je nog zo veel te vertellen voordat je gaat. Ik wil niet dat je weggaat, maar je moet, net als alle anderen, en ik mag dankbaar zijn dat je nu pas afscheid hoeft te nemen. Sinds je het me hebt verteld, fantaseer ik dat ik met je meega, een stukje maar, maar dat gaat natuurlijk niet. Ik blijf hier, net zoals altijd, alleen op de plekken waar we vroeger samen waren, en ik zal elke minuut aan je denken.
Ooit lag er een ander leven voor me in het verschiet. Een leven vol bals in fonkelende danszalen, etentjes met kristallen glazen, af en toe een feestje bij iemand thuis. Een leven vol vriendinnen die ik van school kende, inmiddels volwassen en verloofd, of al getrouwd en zich afvragend wanneer ze moeder zouden worden. Ik zou nog steeds bij mijn vader hebben gewoond en net hebben gedaan alsof ik het huishouden bestierde, tot vermaak van ons dienstmeisje. In dat andere leven was ik waarschijnlijk ook weldra getrouwd. Het had niet veel gescheeld! Een knappe jonge vrouw in een japon van wit satijn, versierd met parels, die trouwt met een knappe jongeman in een nieuw net pak. Ik had de sluier van mijn moeder gedragen, als pa die had bewaard, en oranje bloemen in

mijn haar. Pa had me naar het altaar geleid, met zijn gezicht half afgewend zodat ik de tranen in zijn ogen niet hoefde zien en niet zou weten hoe dit hem aangreep. Mijn nicht Elizabeth was mijn bruidsmeisje geweest en had mijn lippenstift en poeder voor me in haar tas bewaard en ervoor gezorgd dat mijn haar goed zat voor de foto's. Ik had tegen mijn knappe jongeman gezegd dat ik het zo erg vond dat mijn moeder er niet bij kon zijn, en hij had me een kneepje in mijn hand gegeven en gezegd dat hij het begreep. We hadden tijdens ons bruiloftsontbijt heerlijk gegeten, zonder te hoeven denken aan eieren in poedervorm of het opsparen van suiker of wat te doen met de restjes. Misschien waren er zelfs wel druiven geweest, uit een warm land hier ver vandaan, en waren de allerkleinste van de tros gevallen en ergens in een hoek gerold, zonder dat iemand het zag of er ook maar iets om gaf. O, Richard, stel je dat eens voor. Het gepraat, het gelach, de onbekommerde vrolijkheid!

Misschien was ik gelukkig geworden met zo'n leven. Misschien had ik me verveeld. Ik zou waarschijnlijk niet beter hebben geweten. Maar als iemand me na school had verteld hoe het allemaal zou lopen, zou ik er geen woord van hebben geloofd. En ik zou zeker nooit hebben geloofd dat ik de kans op een ander leven met beide handen zou hebben aangegrepen, vastbesloten het niet te laten gaan. De oorlog heeft me dat andere leven gegeven, niet alleen mij, maar ook jou, en iedereen. Het is een leven waarin je slaapt wanneer je de kans krijgt, tussen snurkende vreemden. Een leven waarin Harrods meer uniformen dan jurken verkoopt. Waarin je de ene dag nog een huis hebt, vol met spulletjes, dat je een dag later alleen nog maar als 'puin' kunt beschrijven – en dan nog zeg je dat het veel erger had kunnen zijn. Het belangrijkste is dat het een leven is dat ruikt naar olieverf en terpentine en een zomerbriesje dat naar binnen waait door een open raam boven een straat die bakt in de zon.

Ik heb geleerd wat liefde is, Richard. Dat heb jij me geleerd, en nog heel veel andere dingen. Maar met de liefde kwam ook de angst. In al die vier jaar van de oorlog, met zijn verschrikkingen en dood en verwoesting, ben ik nog nooit zo bang geweest als nu, elke nacht dat je niet bij me bent. Je zegt dat ik niet bang hoef te zijn, niet nu ik jou heb, maar zie je niet dat ik bang ben je te verliezen? Ik dacht altijd dat de oorlog draaide om Engeland en om vrijheid, dat we gewoon moesten wachten totdat het allemaal achter de rug is. Maar het gaat om meer dan dat. Het gaat over liefde en over jou en mij en een heel nieuwe wereld die voor ons openligt.

Ik vecht voor mijn leven, Richard, dag in dag uit, worstelend, hevig hopend dat ik blijf leven. Net als iedereen om me heen! Beloof me dat je hetzelfde zult doen. Je gaat me verlaten en ik wil dat je voorzichtig bent en naar me terugkeert.

Ik begin nu te raaskallen in plaats van te zeggen wat ik echt wil, namelijk dat ik blij ben dat ik je heb leren kennen en dat ik de afgelopen maanden alleen maar met jou en gedachten aan jou heb gevuld. Ik ben je dankbaar voor je liefde en wil dat je weet dat je in ruil daarvoor al mijn liefde zult krijgen. Ik krijg jouw kind, en wat er verder ook gebeurt, ik heb nergens spijt van.

Veel liefs voor mijn Richard,
van zijn Daisy.

oktober 1943

Liefste Richard,

Ik ga deze brief tussen je spulletjes stoppen en hoop dat je hem snel zult vinden, zodat je weet dat ik aan je denk en je het beste wens. Zal ik hem in een van je sokken doen? Of in je doos met potloden? Dan zul je hem snel vinden, dat weet ik.

Ik weet niet waar ze je naartoe sturen, maar het zal natuurlijk ver weg zijn. Dat is het enige waar we zeker van kunnen zijn. We zullen het allebei in ons eentje moeten zien te rooien, gevaarlijk en verdrietig als het is, en we moeten blijven geloven dat het bijna voorbij is. Ik bid dat jou, en alle anderen die bij je zijn, niets zal overkomen. Schrijf me als je de gelegenheid hebt. Het kan me helemaal niets schelen als je saaie dingen te melden hebt. Als je hoort dat er ergens nylons te koop zijn, probeer er dan een paar te pakken te krijgen en stuur ze me toe. Ik zal ze bewaren en aantrekken als je weer terugkomt en ik je van het station kom ophalen. Het zal niet lang meer duren, dat zegt iedereen. In de tussentijd ga ik verder met mijn bezoekjes aan de National Gallery en probeer ik het niet al te erg te vinden dat je niet bij me bent.

Ik hou van je en weet dat je van mij houdt en ik denk dat dat het allerbelangrijkste is.

Veel kusjes en liefs, ik hoop dat je snel weer veilig terugkomt.

Tot ziens, voor nu, en veel geluk,

Daisy

Twee brieven, twee manieren om afscheid te nemen, en Daisy had niet eens geweten waaraan Richard de voorkeur zou hebben gegeven: de uitbarsting van liefde en de last van vrouw en kind die met de eerste gepaard gingen, of de korte groet die hem volkomen zorgeloos had laten zijn. Ze had niet beseft dat Daisy door zulke onzekerheden werd geplaagd. Daisy kwam altijd zo zelfverzekerd over, maar nu puntje bij paaltje kwam, had ze geen idee wat ze moest beginnen en moest ze erkennen dat ze Richard in de voorbije maanden niet goed genoeg had leren kennen om te weten wat hij het liefste zou willen lezen, of misschien wist ze niet eens goed wat ze zelf wilde zeggen.

Rob was naast haar komen zitten, zodat hij de laatste regels over haar schouder kon meelezen.

'Denk je dat hij het wist, Rob?' zei ze ten slotte. 'Denk je dat ze hem heeft verteld dat hij vader werd?'

'Ik denk het wel. In elk geval zodra ze zijn aanzoek had gelezen. Ik denk dat ze het hem daarna wel durfde te vertellen.' Het inzicht van een man, waardoor alles veel eenvoudiger leek.

'Ze heeft hem deze brieven nooit gestuurd.'

'Maar dat betekent niet dat ze nooit iets heeft gezegd. Ze moet veel meer aan haar hoofd hebben gehad dan de dingen die ze opschreef. De brieven zijn slechts een klein deel van haar.'

'Ik had het graag zeker willen weten, dat is alles. Het was belangrijk. Hij had het moeten weten. Dat wil toch iedereen weten, voor het geval er iets gebeurt?'

Zijn hand was naar de hare gegaan en ze wist dat hij precies begreep wat ze bedoelde, net als vroeger het geval was geweest. 'Er gebeurt niets, deze keer niet. Je hoeft niet bang te zijn. Het is heel anders dan wat Daisy is overkomen. En natuurlijk heeft hij het geweten. Hij was kunstenaar. Hij kende elke centimeter van haar. Hij moet de veranderingen in haar hebben gezien. En wat ze zelf schrijft, dat ze van alles in zijn oor fluisterde, hopend, maar ook weer niet, dat hij al sliep? Waarschijnlijk heeft hij elk woord gehoord.'

Ze begon opnieuw te huilen. Dat kwam natuurlijk door de zwangerschap. Door de hormonen leek alles veel erger dan het was.

'Weet je het zeker?' vroeg ze.

'Ja. En als je me niet gelooft, moet je maar naar de foto's kijken die we van het schilderij hebben gemaakt. Waarom denk je dat hij die plant minder verlept heeft gemaakt en meer bloemen heeft toegevoegd? Dat kan hij alleen maar hebben gedaan omdat hij het wist, maar hij wilde het net zomin als zij hardop zeggen.'

'En daarom heeft hij het geschilderd.' Ze stond nu voor de foto die Rob had gemaakt van het schilderij van Daisy achter haar schrijfmachine, die ze had ingelijst en naast de foto van Daisy en Richard in Weymouth had gezet. Toen ze de vorm van de bloemen volgde, en van het zielige kantoorplantje met zijn knoppen, wist ze dat Rob gelijk had, maar dat kon niet verhinderen dat er meer tranen opwelden. Rob veegde ze weg met zijn vingertoppen, en opeens voelde ze zich veilig. 'Zo is het wel genoeg,' zei hij. 'Het is een mooie dag, de zon schijnt. Zo is het wel genoeg, oké?'

'Ik kan er niets aan doen, maar ik wilde gewoon dat het goed zou eindigen. Ik had graag gewild dat de laatste brief vol liefde en licht zou zijn, maar dat is niet zo. Die is somber en ellendig, net als het schilderij. Het is een vreselijke gedachte dat Daisy de tijd die haar nog restte helemaal alleen op haar kamer doorbracht, zich afvragend wat ze moest doen.'

'Zo zijn mensen nu eenmaal, Claire. Ze weten niet altijd wat ze moeten doen. Daar moeten ze zelf achter zien te komen.'

'Dat weet ik wel,' zei ze, en zonder het te willen wendde ze haar blik af. 'Maar het voelt niet als een einde. De losse draadjes zijn niet afgehecht. Die bungelen nog.'

'Dat komt doordat het niet zomaar een verhaal is. Daisy heeft het niet verzonnen. Dit was haar leven. Daisy en Richard wisten niet wat hun te wachten stond. Ze dachten dat ze nog een heel leven voor zich hadden, met meer dan genoeg tijd om elkaar alles te zeggen wat ze wilden.'

Net als wij, dacht ze, en ze sprak die woorden uit, op een toon alsof het een vraag was.

'Ja,' zei hij, 'net als wij.' Als ze nog tranen had gehad, zou ze opnieuw hebben gehuild. 'Goed, zullen we er nu echt een punt achter zetten en kijken welke papieren het archief ons heeft toegestuurd?'

Hij liep naar de keuken om ze te pakken, kwam terug en ging naast haar zitten. Toen wilde hij de envelop openscheuren. Op het allerlaatste nippertje hield Claire hem tegen.

'Ik doe het wel. Ik moet dit doen.'

'Weet je het zeker?'

'Heel zeker,' antwoordde ze, en zonder zichzelf de tijd te geven om te aarzelen scheurde ze de envelop open en haalde de dunne velletjes papier eruit, drie in totaal. Ze legde ze op de salontafel, het een op het ander, en het was alsof ze allemaal waren doordrenkt van de dood.

Overlijdensakte.

Tijdstip en plaats van overlijden.

Doodsoorzaak.

Die woorden kwamen op Claire af, terwijl Rob zich eroverheen boog en zei: 'Ja, dit is zonder twijfel onze Daisy. Kijk maar. Marguerite Milton. Leeftijd drieëntwintig, en als beroep staat "typiste" vermeld.'

'Dat zijn niet de dingen die belangrijk zijn.'

'Natuurlijk wel. We willen ons niet vergissen. We moeten het zeker weten.'

Maar ze wisten allebei zeker dat zij het was omdat ze zagen wat de doodsoorzaak was, 'overleden ten gevolge van oorlogshandelingen', en hoe de datum luidde, 8 november 1943. Ene Geoffrey Smith van de civiele bescherming had de calamiteit aan de autoriteiten gerapporteerd. Het kwam zo bot over, op die manier gesteld, in zwarte letters op wit papier.

'Staat er waar ze is overleden? Dat weten we nog niet.'

'Hier. Elm Park Gardens, Chelsea.'

'Chelsea? Daar had Richard zijn atelier. Hij moet bij haar zijn geweest. Godzijdank. Godzijdank is ze niet alleen gestorven.'

'Laten we eens kijken,' zei Rob, die het tweede velletje pakte en de details vergeleek. Maar Claire hoefde niet te kijken om te weten dat ze gelijk had, en ze zag het nu al voor zich, de twee die stierven – maar niet meteen – door de bakstenen die op hen neerkwamen, en die hun laatste adem uitbliezen zonder te beseffen dat het de laatste was. Met hun armen om elkaar heen geslagen. Daisy die met haar laatste krachten 'Richard, ik krijg een kind' fluisterde en Richard die antwoordde 'Dat weet ik, ik ben zo blij' en met zijn laatste beetje kracht naar haar glimlachte. Waarna ze allebei rustig waren weggegleden. Natuurlijk hoefde het helemaal niet zo te zijn gegaan. Dat wist ze best. Ze waren waarschijnlijk doodsbang geweest en hadden vreselijke pijnen geleden, in een ongemakkelijke houding, niet in staat te bewegen, en al helemaal niet in staat iets te zeggen of elkaar vast te houden. Maar omdat ze het niet zeker kon weten, koos ze voor wat haar het beste leek, voor het einde dat Daisy had verdiend.

'Heb ik gelijk?' vroeg ze.

'Ja,' zei Rob. 'Je hebt gelijk. Ze waren samen.'

Toen het derde vel, en godzijdank voor dat. Het was een huwelijksakte, afkomstig van de burgerlijke stand in Chelsea, die er net zo uitzag als hun eigen akte van amper twee jaar geleden en die plechtig meldde dat Marguerite Milton, leeftijd drieëntwintig, in het huwelijk was getreden met haar kunstenaar Richard Dacre. Ze hadden allebei getekend. De handtekening van Richard zag er net zo uit als die op zijn schilderij van Daisy; ook die van Daisy was te herkennen, ondanks dat deftige, kaarsrechte 'Marguerite'. De datum luidde 8 november 1943, het beste bewijs dat ze zich had kunnen wensen om zeker te weten dat Daisy voor haar dood gelukkig was geweest, en Richard ook. Er was in elk geval een kort moment geweest waarop alle angsten over de naderende scheiding en de oorlog, over een toekomst die net zozeer gevuld zou zijn met wiegjes en bedjes als met penselen en ezels, hadden plaatsgemaakt voor die onvervalste vreugde die Claire al eerder op hun gezichten had gezien, op de foto uit Weymouth, op het schilderij in het Imperial War Museum en zelfs op papier, in die paar woorden op de achterkant van Richards ansicht.

Claire had eerder die week het archief van de National Gallery gebeld. Er was haar verteld dat kunsthistorici tegenwoordig niet langer dachten dat het schilderij van Jan van Eyck een bruiloft uitbeeldde. Ze spraken nu over 'het portret van Giovanni Arnolfini en zijn verloofde'. Ze dachten evenmin dat de vrouw op het schilderij in verwachting was, maar eerder dat de bolling van haar buik iets te maken had met de heersende en vrij wonderlijke mode uit die tijd. Het bed, dat zo'n groot deel van de ruimte op het doek innam, was niet bedoeld als een verwijzing naar huwelijkse geneugten. Nee, had de stem aan de andere kant van de lijn gezegd, dat was helemaal niet het geval. Het schilderij liet de woonkamer van de koopman zien, en in die tijd was het heel normaal om een bed in de kamer te hebben. Hoewel veel mensen erom hadden gevraagd, was het doek tijdens de oorlog niet als schilderij van de maand getoond, waarschijnlijk omdat het als te kostbaar en te belangrijk werd beschouwd om het risico te nemen. Maar dat was allemaal niet belangrijk, in elk geval niet voor Claire, voor wie de koopman en zijn echtgenote niet meer waren dan stijve onderwerpen die door een eeuwenoude lijst bij elkaar werden gehouden, en ook niet voor Richard en Daisy, wie het niets had kunnen schelen. Het enige wat ertoe deed, was dat ze toch met elkaar waren getrouwd, in een eenvoudige plechtigheid die niet lang duurde maar wel genoeg was om aan elkaar, en aan de wereld, te laten zien dat ze nu bij elkaar hoorden.

'Ik wil zien waar Richard en zij zijn gestorven,' zei ze.

'Weet je dat zeker? Heel zeker?'

'Ja,' zei ze vastberaden, met het tafereel dat ze voor hen had bedacht nog steeds in haar gedachten. 'Dan kunnen we het verhaal afmaken. Dat is mooi. Zo hoort het.'

Elm Park Gardens stond nog altijd in het straatnamenboek dat Rob van de plank haalde en was in de tussentijd dus niet van naam veranderd, en even later zagen ze het in het echt, een straat die niet verschilde van de andere straten die ze op weg hierheen waren gepasseerd. Nu Claire er eenmaal was, besefte ze dat ze nooit echt om zich heen keek. In al die jaren dat ze in Londen woonde, had ze nooit naar een straat gekeken en zich afgevraagd waarom er nieuwe panden tussen de oude stonden, en ze had nooit gedacht wat ze nu dacht, nu ze samen met Rob Elm Park Gardens insloeg, namelijk dat dit een van de plekken was geweest waar de bommen waren neergekomen die sommige mensen op de vlucht hadden doen slaan en andere hadden ingesloten. En gedood. Al die kantoren en hoge gebouwen van beton en metaal stonden in deze stad omdat ze na de oorlog waren gebouwd, op platgewalste, lege percelen waar ooit huizen hadden gestaan die niet eens meer herinneringen waren.

De overlijdensakte vermeldde niet precies waar Daisy was gevonden, maar toen Claire de hele straat bekeek, zag ze dat er maar één plek was die in aanmerking kwam. De meeste huizen zagen er nog net zo uit als ze er toen moesten hebben uitgezien, in rijen gebouwde panden van rond 1800 of, als ze nog niet zo oud waren, dan toch in elk geval van ver voor de oorlog. Slechts een van de gebouwen was nieuwer dan de rest, en erg lelijk, met een gevel vol grijze strepen vanwege de sombere stadsregen. Ze begon te rennen zodra ze het zag, niet in staat zich in te houden. Door de inspanning en de snelheid drong er een onheilspellend geluid haar oren binnen, en ze wist dat dat het geluid was van het luchtalarm dat Daisy vertelde dat ze dekking moest zoeken, nu meteen, voordat het te laat was. Toen ze bij het gebouw aankwam, liet ze zich tegen de lelijkheid aan vallen, hijgend door de inspanning, en voelde ze het beton langs haar wang schrapen. *God, niet nog meer tranen, alsjeblieft niet.* Rob kwam achter haar staan; ze had tijdens het rennen zijn bezorgde voetstappen achter zich gehoord.

'Het was hier, hè? Ze is hier gestorven, hè?' zei ze. Ze keek hem aan, vragend om bevestiging, net zoals ze lang geleden had gedaan.

'Ik denk het wel. Ik denk dat het hier was.'

'Er is niets van over.'

'Ze hadden het moeilijk zo kunnen laten als het was. Stel je voor hoe Londen eruit zou hebben gezien als ze dat hadden gedaan. Ze zijn meteen met de herbouw begonnen, nog voordat de oorlog voorbij was. Ik weet nog dat mijn vader me dat heeft verteld.'

Ze maakte zich los van de muur, maar bleef er met haar hand tegenaan leunen. 'Ik had graag gezien dat er iets was wat aan deze plek herinnerde.'

'Daarvoor is haar graf, Claire. Dat is alles wat gewone mensen hebben. Je kunt moeilijk voor iedereen die is gestorven een plaquette ophangen of een bankje neerzetten. Het moeten er duizenden zijn geweest.' Hij trok haar voorzichtig weg. 'We kunnen daar even gaan zitten. Kom maar. Dan kun je even op adem komen en kunnen we bespreken wat we nu gaan doen.'

Ze liet zich door hem meevoeren, naar de overkant van de straat, langs de smeedijzeren hekken het parkje in. Het was zo'n plek die ooit goed onderhouden moest zijn geweest, maar nu niet meer. In een hoekje was een basketbalveldje, ter vermaak van tieners, maar natuurlijk was het ongebruikt, bedekt met mos, en hier en daar kwam het gras rondom het geplastificeerde gaas omhoog. Een deel van het zwarte metalen hek was gebarsten en beschadigd. Roest kwam als merg uit de binnenkant tevoorschijn. Er waren maar weinig goede plaatsen om te sterven, dacht Claire, denkend aan de vieze vloer, het bloed, de stank van het ziekenhuis, de stank van haar angst. Boven haar hoofd lieten de herfstbladeren hun droge slangengeritsel horen. Ze huiverde onwillekeurig en voelde toen dat Rob een arm om haar heen sloeg en haar naar zich toe trok.

'Voel je iets, Rob? Voel je haar?'

'Nee,' zei Rob. 'Ze was hier heel lang geleden. Ze was slechts een passant.'

'Ik voel ook niets,' zei ze verdrietig, en toen liep ze weg, liet ze de plek achter zich waar Daisy had gelegen, bedolven en bang, misschien met Richard naast haar, maar voor hetzelfde geld ook niet. Voor Claire was het iets gruwelijks geworden, het ronddwalen op de ongemakkelijke plekken van de doden, bij het vallen van de avond, denkend aan al die plekken waar bommen waren gevallen, aan al die geesten die ze elke dag passeerde. Het enige wat ertoe deed, was dat Daisy en Richard dood en verdwenen waren.

Daarna gingen ze naar de National Gallery. *De graflegging* kon haar op geen enkele manier opbeuren. Zoals Daisy al had geschreven, waren de kleuren allemaal verbleekt of bruin geworden. Er was geen spoor te zien van afzonderlijke penseelstreken, geen bewijs dat deze Dieric Bouts, die de National Gallery nu Dirk noemde, een paar stappen achteruit had gedaan om zijn werk te bekijken en vervolgens weer verder was gegaan met schilderen. Het groepje personen rondom het lijk van Jezus oogde vlak, net als het landschap op de achtergrond – als je de bomen, velden en golvende heuvels in de verte tenminste zo kon noemen.

Maria Magdalena was inderdaad opnieuw van de partij, knielend op de voorgrond en in het rood gekleed, maar het rood was zo verbleekt dat het niet langer opviel. Een groen gevoerde mantel was om haar heen getrokken, en haar gebroken-witte gezicht werd omlijst door een gebroken-witte omslagdoek die aan de kap van een non deed denken. Ze zag er heel anders uit dan de sierlijke schoonheid die Claire lang geleden op *Noli me tangere* had gezien. Hier kreeg Maria opvallend genoeg wel de kans om Jezus aan te raken, al was dit de dode, lege huls van zijn lichaam, en ze ondersteunde met een van haar handen zijn bovenbeen terwijl men hem voorzichtig in een rechthoekig, onversierd graf liet zakken. Ook voor de Heilige Maagd was er een laatste aanraking, en zij hield haar handen losjes om de pols van haar zoon geslagen en trok zijn hand omhoog om te laten zien waar de spijker tijdens de kruisiging was geslagen. Ze leek helemaal niet op de frisse, natuurlijke jonge vrouw die Correggio op zijn *Madonna met mand* had afgebeeld. Nee, het was moeilijk te geloven dat deze onbuigzame gestalte ooit had gelachen tijdens het aankleden van haar kind – maar dat kwam omdat haar zoon dood was en ze misschien nooit meer zou lachen.

Jezus zelf oogde mager en breekbaar, gewikkeld in een wade die in de loop der tijd vuil van ouderdom was geworden. Een doornenkroon hing scheef rond zijn hoofd, verstrikt in futloos, donker haar, en onder zijn ribben was een gapende wond zichtbaar waarvan het bloed inmiddels was opgedroogd maar niet weggeveegd. Er waren ook anderen, nietszeggend en naamloos, die alleen maar bijdroegen aan het verdriet door met hun gewaden en hoofddoeken hun tranen weg te vegen. De twee vrouwen maakten de meeste indruk op Claire – de moeder en de prostituee – die als de onwaarschijnlijkste metgezellen waren verenigd in hun rouw om een man die in zijn jeugd was geveld, die hen had achtergelaten om de rituelen van de dood te voltrekken en wier levens nu even koud en leeg zouden zijn als het stenen graf.

Het viel haar op dat het zo vaak de vrouwen waren die een omlijsting voor een mensenleven vormden, huilend van vreugde wanneer een baby voor het eerst ademhaalde en jammerend van wanhoop wanneer een man dat voor het laatst deed, heen en weer wiegend, in het zwart gekleed, rukkend aan hun kleren en krabbend aan hun gezichten met een kracht die angstaanjagend was. Het viel haar op dat er op de meeste van de schilderijen die ze had gezien, en die allemaal door mannen waren gemaakt, minstens één vrouw had gestaan, een vrouw op elk moment en in elke rol van het leven. Zelfs De

Sarto was tijdens het schilderen waarschijnlijk bijgestaan door een vrouw op de achtergrond, die hem iets te eten had gebracht of had geprobeerd om hem heen de vloer te vegen. En wat Rembrandt betreft, die de aandacht alleen op zichzelf had gericht: hij had waarschijnlijk dolgraag een vrouw om zich heen willen hebben.

Al dat lijden en al die trouw, al die kracht en al die zwakte die zo onlosmakelijk met elkaar waren verbonden. Er was de mengeling van angst en vreugde van het moederschap op Botticelli's *De geboorte van Christus* en Correggio's *Madonna met mand*; het verlangen dat iedere vrouw voelde, dat haar kind gelukkig mocht worden, maar wetend dat dat nooit zou lukken, niet altijd, hoezeer ze ook haar best deed. De aarzelende eerste stapjes die de dochters van Gainsborough in het leven hadden gezet, zonder goed te weten waar ze moesten gaan. Er was de pijn en het genot van liefde in al haar facetten, van Apollo's onbeantwoorde passie voor Daphne tot de bereidwillige sensualiteit van *De Rokeby Venus*. En daarachter de vrouwen die simpelweg de dagelijkse bezigheden uitvoerden waaraan nooit een einde kwam, zoals de dienstmeid op de binnenplaats van De Hooch of de vrouwen van Constable die zich ophielden langs de randen van *De hooiwagen*, die waarschijnlijk elke dag van hun leven water pompten, maaltijden bereidden en borden wasten en die er aan het einde nog zouden zijn om een hand wit als marmer vast te houden en een traan te laten om een dode man. Opeens was het haar grootste wens dat er vrouwen op Daisy's begrafenis waren geweest, zoals haar vader had gehoopt, vrouwen als juffrouw Johnson en Molly, die misschien niet van haar hadden gehouden maar haar in elk geval hadden begrepen en wisten in wat voor kleren ze begraven wilde worden; vrouwen die een handjevol aarde op het deksel van de houten kist hadden geworpen en hadden gebeden dat haar moeder op haar, en misschien ook op Richard, en de baby, zou wachten.

Arme Daisy, dacht ze, begraven en verborgen. In dit schilderij was geen vreugde te vinden. Ze wendde zich af en wilde niets liever dan thuis zijn, met de lichten aan, het water opgezet voor de thee, en haar hoofd vol met gedachten aan haar kind en het kloppende hartje.

14

De paraplu's – Renoir

Het was zo'n grafsteen waarop vreemden die op weg waren naar een ander graf misschien een blik zouden werpen en dan tegen elkaar zouden zeggen: 'Wat triest dat ze zo jong is gestorven' of 'Het kwam vast door de oorlog' of 'Die arme man, dat je je eigen kind moet begraven'. Vervolgens zouden ze hun hoofd schudden, doorlopen en er nooit meer aan denken. Claire dacht al die dingen ook toen ze voor het graf stond en met gemak de woorden in de steen kon lezen die nog niet echt was verweerd en nog niet met klimop of korstmos was begroeid omdat hij, in vergelijking met veel andere, nog niet zo oud was.

MARGUERITE ABIGAIL MILTON
Geliefde enige dochter van Edmund en Alicia Milton
Verliet dit leven op 8 november 1923
Op de leeftijd van drieëntwintig jaar
'Boterbloemen en madeliefjes
O de fraaie bloemenpracht
Breng ons weer de lente
Zonnig, fraai en zacht.'

Het had even geduurd voordat ze het graf hadden gevonden, nadat ze eindeloos hun vingers langs de rijen met namen in het officiële register hadden laten gaan dat op het poorthuis van de begraafplaats werd bewaard en Claire lange tijd heen en weer had gelopen over de bospaden, de snippers schors en bladeren opzijvegend totdat ze het juiste pad en daarna het juiste graf had gevonden. Het was slechts een van honderden grafstenen, en Daisy was slechts een van de duizenden doden, het zoveelste burgerslachtoffer op de lijst. Ze wist nog dat er in een van de brieven iets had gestaan over bloemen, en over doodgaan. Wat was het ook alweer? Ze droeg alle brieven mee in haar tas. Ze had gedacht dat het misschien van belang zou zijn om ze mee te nemen naar deze plek waar Daisy echt lag, diep begraven in de grond, en die anders was dan de andere plaatsen waar ze korte tijd was geweest. Nu bladerde ze door de velletjes die haar zo vertrouwd waren geworden dat ze het vrijwel meteen vond. Juni 1943. 'Op een dag zullen wij ook dood en begraven zijn, en dan zal er niets aan ons herinneren, behalve de bloemen die zich met ons voeden.' Het was iets wat ze misschien zonder nadenken had opgeschreven, maar nu leek het een voorspelling. Arme Daisy, die hoopte dat ze zou worden herdacht met paarse wilgenroosjes en roomwit fluitenkruid, of misschien zelfs met de uitbundigheid van rozen. Er groeide niets dan gras rond de steen, dun en slap, zoals al het gras in deze tijd van het jaar, en er lagen afgevallen bladeren. Geen spoor van bloemen, geen teken dat er iemand was die iets om haar gaf en, dat was nog het ergste in de ogen van Claire, geen enkele verwijzing naar Richard.

Had ze maar wat bollen meegebracht, sneeuwklokjes, of misschien narcissen, zodat ze die in de grond had kunnen stoppen, al was dat waarschijnlijk niet toegestaan. Nu had ze alleen een bosje anjers in cellofaan, en ze hield niet eens van anjers, maar het dag en nacht geopende winkeltje naast de bushalte waar ze ze had gekocht had niets anders gehad. Door de flikkerende tl-buizen had het interieur felblauw geleken, en hierbuiten zagen de bloemen er nog lelijker uit dan toen ze ze uit hun plastic emmer had getrokken. Ze legde ze toch voor de grafsteen, wetend dat ze alleen maar zouden wegrotten totdat iemand, misschien, op een dag het verteerde bosje zou weghalen. Het was beter geweest als ze boterbloemen en madeliefjes had gehad, zoals het versje al zei, die eenvoudige, mooie woorden die haar vader had uitgekozen, de vader die haar, zoals Daisy zelf ook had geweten, nog steeds als zijn kleine meisje zag. Door het rijmpje moest Claire aan andere woorden denken, die ze lang geleden op school had geleerd van een leraar die nog in ouderwetse methoden geloofde en ondanks het minachtende protest van zijn leerlingen wilde dat ze teksten uit hun hoofd leerden: 'En de vroege madelief, vergeten', en dat gold nu ook voor haar Daisy.

Het was duidelijk dat Edmund nooit had geweten dat ze was getrouwd – de huwelijksakte was nog niet verwerkt toen de overlijdensakte werd getekend en er een begrafenis werd gehouden, zodat alleen haar meisjesnaam op de steen stond. Ze vroeg zich af hoe vaak hij in die ellendige jaren daarna tegen zichzelf had gezegd: was ze maar getrouwd geweest, had ik maar zeker geweten dat ze gelukkig was, was het maar was het maar was het maar. Dat ze op een andere plek was geweest dan Elm Park Gardens, op een ander tijdstip, dat was het enige wat hij echt had gewild. Had Elizabeth hetzelfde gedacht? Had ze het tijdschrift nooit geopend, zodat de ansicht er nooit uit was gedwarreld, of had ze de kaart wel gevonden en had ze niet geweten of ze de naam van Daisy op de stamboom in die van een vreemde moest veranderen? En het was niet alleen Daisy die daar in dat vreselijke mortuarium had gelegen, maar ook Richard. Iemand moest voor zijn lichaam zijn gekomen, ouders of broers of zussen, iemand die net zomin als Edmund had geweten dat hier man, vrouw en kind lagen, en geen vreemden. Misschien waren de ouders van Richard Edmund die dag wel tegengekomen, hadden ze elkaar gepasseerd bij de ingang en hadden ze de deur aan het einde van een smoezelige gang voor hem opengehouden toen hij langsliep, verblind door verdriet, wat ze amper zagen doordat ze zelf zo verdrietig waren. Ellendige gedachten, en ellendige tijden.

Claire liep door, net als iedereen, langs al die kruisen en grafstenen die zij aan zij stonden met bomen. Op elke steen stond wel een woord als 'vrede', 'slaap', 'liefde', 'rust', 'verlies' en 'verlangen'. Eén woord zou genoeg zijn geweest, bedacht ze: 'vergeten'.

Rob stond bij de ingang op haar te wachten, zittend op een laag, vochtig muurtje, met achter hem een stel zware, op tempels lijkende mausolea, van het soort dat wordt gekocht door rijken wier familieleden niet te ver willen lopen om een krans te kunnen leggen. Ze had niet gewild dat hij helemaal met haar mee zou lopen, had gezegd dat ze alleen wilde zijn, om afscheid te nemen. Ze had niet beseft dat ook Daisy er niet zou zijn, niet meer, zodat er niemand was om afscheid van te nemen. Nee, Daisy had deze plek ook verlaten. Ze was nu nergens meer, alleen nog in de vellen van haar brieven.

Hij sprong op toen hij haar zag aankomen. 'Heb je het gevonden? Hoe was het?'

Ze huiverde lichtjes. 'Eenvoudig. Verwaarloosd.'

'Als je wilt, kunnen wij het vanaf nu bijhouden. We weten nu waar het is.'

Ze knikte, maar zei niets.

'Als de baby er is, kunnen we die ook meenemen.'

'Ja, dat kan,' zei ze aarzelend. Toch voelde het als een mistroostig vooruitzicht, hun kind voortduwen over beenderen en grafkisten die lang geleden waren opengebarsten.

Hij glimlachte naar haar. 'Alleen als je dat wilt. Ik dacht dat je misschien zou gaan huilen. Ik ben blij dat het niet zo is.'

Het was niet bij haar opgekomen om te gaan huilen. Misschien kwam dat omdat ze nu eindelijk was gaan beseffen dat ze de tranen het beste kon overlaten aan Daisy's vader en Elizabeth en Richard, de mensen die echt van haar hadden gehouden.

'Gaan we nu naar huis?' vroeg ze.

'Wil je dat? Ik dacht dat je misschien het laatste schilderij wilde bekijken. Ik denk dat we dat moeten doen.'

'Hoe bedoel je? Welk schilderij? We hebben ze allemaal gezien.'

'Wat dacht van het schilderij dat ze had moeten zien? Ze had Richard beloofd dat ze zou gaan.'

'O, je bedoelt de Renoir. Ja, laten we dan vandaag gaan kijken, als je dat wilt. Maar dat is dan het laatste, voor ons allebei. Goed?'

'Goed,' zei hij, en hij glimlachte. 'Dat vind ik prima.'

De paraplu's verschilde van alle andere schilderijen wat betreft stijl, onderwerp, kleur – alles. Het toonde Parijs in de regen, al was er helemaal geen regen, althans geen zichtbare regen. De enige zinspeling op neerslag was een vrouw die gedeeltelijk midden op het doek te zien was en die net bezig was haar paraplu op te steken of in te klappen omdat de bui losbarstte of juist voorbij was. Bijna alle anderen op het schilderij hielden ook een paraplu vast, waarvan de vormen en baleinen waren weergegeven in blauw en grijs. Het schilderij was beroemd, net als *De hooiwagen*, zo'n schilderij waarvan Claire bijna instinctief het gevoel had dat ze het eerder had gezien, ook al wist ze dat het niet zo was. De zaal waar het werk hing, puilde uit van bezoekers die waren gekomen voor de impressionisten, de Monets en de Manets en al die anderen, en die vervolgens naar de museumwinkel togen om ansichtkaarten te kopen voor vijftig pence per stuk.

Onder al die mensen met hun paraplu's waren er twee die de aandacht trokken, twee vrouwen, van wie er een vanaf het schilderij recht naar voren keek, met een mand aan haar arm die vanbinnen zwart was om duidelijk te maken dat er niets in zat. Ze had bruin haar, een licht krullende pony en droeg de rest van haar haar hoog opgestoken, met een losgeraakt krulletje achter haar oor. Ze droeg een grijze jurk die tot op de grond viel en er onhandig uitzag, met een zwarte rok eronder. Achter haar stond een man die goedkeurend naar haar keek, een man met een keurige baard en snor, een hoge hoed, een lichtbruin jasje, zwarte leren handschoenen en een stropdas die van zijde leek te zijn. De andere vrouw was in donkerblauw fluweel gestoken. Ze droeg een muts op haar blonde haar die uitsluitend uit veren leek te bestaan en met een blauw lint onder haar kin was vastgebonden, en ze zag er in haar deftige kleding op een bepaalde manier zachter uit dan de eerste vrouw. Ten slotte waren er nog twee kleine meisjes. De jongste van de twee, die een jaar of vijf leek, droeg een nette jas met een dubbele rij knopen en kant langs de kraag en de manchetten, waaronder nog net de rand van een blauwe, met wit afgebiesde jurk te zien was, en haar eigen gevederde hoedje maakte het beeld compleet. Achter haar stond een ouder kind, mogelijk haar zus, die een hand op haar schouder had gelegd. Dit meisje droeg een jas die met bont was afgezet, een donkere jurk en een witte hoed met een rand, versierd met bloemen.

'Kom eens luisteren, Claire,' zei Rob, die de audiorondleiding tegen zijn oor hield. 'Dit vind je vast interessant om te horen.'

Ze maakte haar blik los van het schilderij en liep naar Rob toe. 'Nee, houd jij hem maar bij je,' zei ze. 'Vertel het me maar.'

'Kijk nog eens naar het schilderij. Wat klopt er niet aan die twee vrouwen?'

'Ik zou het niet weten. Volgens mij is er niets mis mee. Ze zien er in mijn ogen normaal uit.'

'En hun kleren?'

'Ik weet het niet. Die voldoen niet aan de smaak van nu, maar dat is niet zo vreemd. Natuurlijk zien ze er anders uit. Het schilderij is meer dan een eeuw oud.'

'Verder nog iets?'

Ze keek weer. Nog altijd niets.

'Nou, moet je horen. Volgens dit bandje draagt de vrouw links kleren die na 1885 in de mode kwamen, maar draagt de vrouw rechts juist kleding die vóór 1885 in de mode was. Kijk maar, je ziet dat het niet hetzelfde is. De vrouw links, die met die dromerige uitdrukking, draagt een grijze, vrij elegante jurk, maar de kleren van de vrouw rechts zijn veel gedetailleerder. Zie je wel? Donkerblauw fluweel, de hoed met het blauwe lint.'

Ze hoefde niet nog eens te kijken, het was overduidelijk. 'De manier van schilderen is ook anders, hè? Heb ik gelijk?'

'Jazeker. Ze denken dat Renoir de vrouw rechts het eerst heeft geschilderd, vervolgens naar Italië is vertrokken om inspiratie op te doen, zoals bij kunstenaars de gewoonte is, en het werk pas jaren later afmaakte. Toen droeg iedereen allang iets anders en had hij genoeg van impressionistische technieken. Daardoor zijn de beide helften zo anders qua stijl. Je moet toegeven dat dat interessant is.'

'Dat is het zeker, Rob, dat is het zeker.'

Nu ze dit wist en nogmaals naar het schilderij keek, zag ze Daisy en zichzelf, onmiskenbaar, twee generaties vrouwen die op hetzelfde moment waren samengebracht, hoewel dat onmogelijk was, en een tijdlang vriendinnen waren geweest. Ze zag ook dat de man met de baard alleen oog had voor de elegante vrouw, als Richard voor haar Daisy. En Claire was als de andere vrouw, die eenzamer leek en haar ogen niet kon afhouden van het kleine meisje, dat haar deed denken aan Ruby, of om het even welk kind, het kind dat ze had gewild en nu zou krijgen. Om de een of andere reden begon ze te lachen zoals ze vroeger had gelachen, voordat ze bits en kritisch was geworden en vanbinnen was weggeteerd. Rob keek verbaasd naar haar op. Het was het einde van alles, dit laatste schilderij, wilde ze hem uitleggen. Daar was ze zeker van. Het was tijd om Daisy te verruilen voor de toekomst, samen met Rob.

'Ik heb genoeg gezien,' was alles wat ze zei. 'Zullen we gaan?'

'Goed. Maar eerst heb ik zin in een stuk taart. Ik wil het café wel eens proberen. Dat schijnt goed te zijn.' Het kon Claire helemaal niets schelen dat ze hier voor het laatst met Dominic was geweest. Haar glimlach verflauwde niet eens, er was nog altijd een lach in haar ogen.

Om het café te bereiken moesten ze door de felverlichte museumwinkel lopen, die uitpuilde van de artikelen in alle kleuren en maten, artikelen waarvan iedere bezoeker zeker kon weten dat een moeder, petekind of vriend het een mooi cadeau zou vinden. Ze gingen aan een tafeltje zitten en Rob begon te babbelen, over tentoonstellingen, boeken en de nieuwste films, en ze vroeg zich af wanneer hij tijd had gehad om die informatie te vergaren. Ze had net zo goed met Dominic kunnen zijn, of met iemand anders in plaats van Dominic. Maar dat was ze niet. Ze was met Rob, en ze was vergeten waarom ze ooit een hekel aan hem had gehad. Vanwege Oliver, dat was het. Nee, niet vanwege hem, maar vanwege het verdriet en de wanhoop en de eenzaamheid. Rob was niet veranderd. Zij wel. Nu merkte ze dat haar ik, haar echte ik, terugkeerde en de kennis met zich meebracht dat er diep in haar iets nieuws groeide.

'Ik hou van je, Rob,' zei ze, toen de taart op was en de thee koud was geworden. Hij had haar alleen maar gevraagd of ze klaar was. 'Het spijt me.'

'Ik hou ook van jou,' zei hij ten slotte, en dat was alles wat ze wilde horen. 'En nu wil ik je mee naar huis nemen.'

'Goed. Ik ga eerst nog even naar het toilet.'

Ze stond en liep weg, hem achterlatend met zijn hoofd al over de krant van een ander gebogen. Ze duwde de zware zwarte deur met het opschrift TOILET open en zocht een leeg hokje. Elke wand was van plafond tot vloer betegeld in klinisch zwart en wit, even gemakkelijk te reinigen als een slachthuis.

Daar ontdekte ze dat ze bloedde.

Paniek overspoelde haar en smoorde haar kreet. *Niet nog*

eens, lieve God, niet nog eens. Ze probeerde haar ademhaling onder controle te krijgen, maar het lukte niet. Ze keek nog eens. Geen twijfel mogelijk. Maar Rob was er. Hij wist wel wat hij moest doen. Hij zou helder kunnen denken, zelfs als zij dat niet kon. Ze liep wankelend het toilet uit, terug naar de tafel. Rob sprong overeind toen hij haar zag naderen met een gezicht dat bleek was van ontzetting, zelfs onder de geelgroene lampen die boven hun hoofd hingen.

'Bloed,' zei ze. Ze greep zijn hand stevig vast. 'Ik bloed.'

'We pakken een taxi naar het ziekenhuis. Dat is het snelste. Daar is de uitgang. Wees niet bang. Ik ben bij je.'

Ze liet zich tegen hem aan vallen en hij hield haar overeind toen ze naar buiten liepen. Een zwarte taxi gaf binnen een paar tellen gehoor aan Robs indringende gefluit en handgebaren, en toen waren ze op weg door de drukke straten van Londen, waar het verkeer opeens op magische wijze voor hen leek op te lossen. Toch bleef ze zich wanhopig aan hem vastklampen, en hij zich aan haar, slechts overeind gehouden door angst. Op de achtergrond hoorde ze de taxichauffeur doorpraten over de spoedeisende hulp, welke het dichtste bij was, welke het snelste was, welke wegen er waren afgesloten. Ze sloot haar oren voor het geluid en concentreerde zich op haar kindje om het duidelijk maken dat het moest blijven zitten waar het zat.

'Kijk, daar is het. Daar is jullie kindje. Toe maar, kijk maar. Je hoeft niet bang te zijn. Daar is het, alles is in orde.'

Haar blik was op het scherm gericht maar het beeld zei haar niets. Ze kon zich niet op de arts of op Rob concentreren. 'Weet u het zeker? Weet u het heel zeker?'

De vrouw drukte de sonde harder tegen haar buik. 'Kijk zelf maar. Kijk, daar is een armpje, en daar nog een. Het hoofdje. Een heel mooie ruggengraat. Twee beentjes. Alles erop en eraan. En hoor eens, dit is het geluid van een kloppend hartje. Alles ziet er prima uit. Ik voorzie geen problemen.'

'Dus ik hoef me geen zorgen te maken?'

'Nee, helemaal niet.'

'En de bloeding?' Dat waren de eerste woorden die Rob sprak.

'Dat soort dingen gebeuren af en toe. In deze fase is er wel vaker sprake van een kleine bloeding, door alle hormonale veranderingen. Daardoor kan het lichaam in de war raken. Over een dag of twee is dat wel over.'

'Godzijdank. Godzijdank.' Rob liet zijn hoofd op zijn armen vallen en Claire wist dat hij zijn tranen probeerde in te houden. Ze sloeg een arm om hem heen, kuste hem boven op zijn hoofd, en toen begon hij echt te huilen, met luide snikken, die ze ooit gênant zou hebben gevonden maar waarvoor ze nu o zo dankbaar was.

'Het is goed, Rob. Het komt allemaal goed,' zei ze, hem over zijn haar strelend. Het was nog altijd vochtig van het zweet, veroorzaakt door de haast en de paniek. Ze wendde zich tot de vrouw die de echo had gemaakt. 'We hebben al eerder een baby verloren, ziet u.' Opeens was het veel gemakkelijker geworden om dat te zeggen, en ze huilde zelf niet eens omdat dat niet nodig was, niet nu het beeld van de nieuwe baby nog altijd op het scherm stond, de baby die vastbesloten was om te worden geboren.

'Ik begrijp het. Het geeft niet, hoor. Wilt u weten wanneer u bent uitgerekend? Het is altijd goed om te kunnen plannen.'

Ze knikte, en toen viel er een stilte waarin maten werden genomen die in de computer werden ingevoerd. 'Ik schat zo rond de vijftiende maart. U kunt bollen gaan planten, dan komen die uit wanneer de baby er is. Goed, eens kijken of we deze emotionele aanstaande vader naar buiten kunnen krijgen. Er wachten nog meer patiënten.'

Ze gingen samen in het park tegenover het ziekenhuis zitten. Er moest ooit een kerk hebben gestaan, die nu was verdwenen.

De rode bakstenen muren waren afgezet met grafstenen, zo verweerd dat de namen niet meer te lezen waren, en in een van de hoeken stond een eenzaam beeld van een engel met gespreide armen en een gezicht met afbrokkelende trekken. Robs gezicht was nog altijd rood en zijn ogen waren nat van de tranen.

'Ik dacht dat we hem hadden verloren, Claire. Ik dacht dat we onze baby hadden verloren.'

'Maar dat is niet zo. Alles is in orde, dat zei de dokter al.'

'Ik heb gedaan wat ik kon.'

'Dat weet ik. Je hebt het fantastisch gedaan.'

Ze stak haar hand uit en legde die in de zijne. Ze voelde dat hij de hare vastgreep.

'Het is echt, dit kindje,' zei hij. 'Ik wil het nu pas geloven. Het komt. Ik wil het. Ik wil het zo graag.'

'Dat weet ik, Rob. Dat hoef je niet te zeggen.'

'Ik heb zitten denken. Stel dat het een meisje is, zullen we haar dan Daisy noemen?'

Claire dacht aan de stapel brieven, onder in haar tas, met het zachte, verbleekte lint er nog altijd omheen, die stonden te trappelen om hun verhaal te vertellen. Ze wilde die thuis achter in de la leggen en ze alleen laten met hun geesten. In elk geval voor een tijdje.

'Nee,' zei ze. 'Laten we haar een heel andere naam geven.'

Ze leunde nu tegen hem aan, en hij sloeg een arm om haar heen. Samen zaten ze daar, met geen ander uitzicht dan de halfkale bomen en de gedenktekens voor vergeten doden. Dode bladeren werden door het koude briesje rond hun voeten geblazen en schraapten over de harde donkere aarde, en op de achtergrond klonk het aanhoudende gejammer van de ambulances van het ziekenhuis, maar Claire merkte het allemaal niet. Ze voelde alleen de warmte van Robs lichaam tegen het hare, en het ingebeelde gefladder van haar baby die zich begon te roeren.

Dankwoord

Ik wil graag de volgende personen bedanken: Luigi, omdat hij zo'n fantastische agent is en zo veel voor me heeft gedaan; Gillian Holmes bij Random House voor haar hulp, steun en aanmoediging; Kate Elton voor haar enthousiasme; Gillian Stern voor haar scherpzinnige opmerkingen over de eerste versie van het manuscript; iedereen die me de tijd gaf om dit boek te schrijven, in het bijzonder mijn man en mijn gezin; en ten slotte de vele musea, galeries en bibliotheken die ik in het kader van mijn research heb bezocht, in de eerste plaats (natuurlijk) de National Gallery.

De citaten in hoofdstuk 14 zijn afkomstig uit het gedicht 'Buttercups and Daisies' (1855) van Mary Howitt en uit 'The Farmer's Boy' (1800) van Robert Bloomfield.